U0090385

民國歷史與文化研究

六　編

第8冊

汪兆銘政府對外關係暨財金政策

（1940～1945）

郭 致 廷 著

陳誠與東北戰場

（1947～1948）

蕭 源 聖 著

花木蘭文化事業有限公司

國家圖書館出版品預行編目資料

汪兆銘政府對外關係暨財金政策（1940～1945） 郭致廷 著／陳誠與東北戰場（1947～1948） 蕭源聖 著 — 初版 — 新北市：花木蘭文化事業有限公司，2017〔民106〕
目 2+120 面／目 2+98 面；19×26 公分
（民國歷史與文化研究 六編；第 8 冊）
ISBN 978-986-485-146-1／978-986-485-147-8（精裝）
1. 南京國民政府 2. 財政政策 3. 民國史／1. 國共內戰 2. 民國史
628.08　　106013734／106013735

ISBN-978-986-485-146-1

ISBN-978-986-485-147-8

民國歷史與文化研究
六 編 第八冊　ISBN：978-986-485-146-1／978-986-485-147-8

汪兆銘政府對外關係暨財金政策（1940～1945）
陳誠與東北戰場（1947～1948）

作　　者　郭致廷／蕭源聖
總 編 輯　杜潔祥
副總編輯　楊嘉樂
編　　輯　許郁翎、王筑　美術編輯　陳逸婷
出　　版　花木蘭文化事業有限公司
社　　長　高小娟
聯絡地址　235 新北市中和區中安街七二號十三樓
　　　　　電話：02-2923-1455／傳真：02-2923-1452
網　　址　http://www.huamulan.tw 信箱 hml 810518@gmail.com
印　　刷　普羅文化出版廣告事業
初　　版　2017 年 9 月
全書字數　111539 字／83510 字
定　　價　六編 10 冊（精裝）台幣 18,000 元

汪兆銘政府對外關係暨財金政策（1940～1945）

郭致廷 著

作者簡介

郭致廷，1988 年生於臺北市，2016 年取得國立中興大學歷史學系碩士學位，目前於文化部文化資產局服役。由於對歷史上之所謂「亂局」感到一定程度興趣，因此以中國近現代外交史、近現代中日關係史、民國史做爲研究領域。畢業論文爲《析論汪兆銘政府對外關係與財金政策（1940~1945）》。

提　　要

抗戰爆發後，中國的經濟及政治中心——上海與南京於半年內分別淪陷，中日雙方軍事實力的差距顯而易見，使得中國內部，出現一股對日媾和的聲音。且隨著戰爭的進行，日本在佔領區逐漸擴大的情形之下，爲避免激起中國人的仇日情緒；並欲證明此次軍事行動，係針對蔣中正所領導的抗日政府，而非中國，因此日本嘗試尋找願意與之合作，並共同建立新政府之人選。時任國民黨副總裁的汪兆銘，即在這種時空背景下，於戰時陪都重慶出走，並與日本合作。1940 年 3 月 30 日，汪兆銘於南京宣告「還都」，重組政府。

汪政府的成立，係以「國民政府」之名重組，與重慶政府皆以「正統」中國自居。但汪政府甫成立之時，並無法得到國際上的普遍承認，使得合法性大打折扣，未能成功取代重慶政府，成爲所謂「正統」的中國。本研究即試圖介紹汪政府是如何在此等困境中，藉由世界情勢的轉變，而在外交關係上製造出突破口，並藉此亂局，爭取中國在國際上之利益。

另外汪政府的運作，亦爲本研究探討的課題之一。一政府之運作，財政爲其根本，就稅收問題而言，當時中國最大宗之三項主要稅收：關稅、鹽稅及統稅，自華北、華中及沿海一帶淪陷後，該地徵收權皆掌握於日本之手。此三稅涉及到國際貿易與民用物資，與轄區人民之生計息息相關。因此本研究試圖說明，汪政府成立初期，在未掌握稅收的情形之下，係如何運作；而在穩定財源後，又是如何與日本周旋，樹立自身之財政系統，最終進而延伸至戰後，國民政府的接收。

謝　辭

四年匆匆，憶起甫入學之時，對於學術研究懵懂無知，蒙指導教授李君山先生不棄，仍將鄙人納入門牆之下，並加以細心指導，本篇論文方能順利完成。師恩浩蕩，銘感五內，且除恩師外，一路上受到許多師長與朋友的幫助，因此特致謝辭一篇，以表心中深刻謝意。

遙記拜入師門後的第一個暑假，恩師特別約了筆者，與「同梯」的奕盛、昱瑋前往臺北，並親自開車接送，前往國史館、檔管局及近史所等史料重鎭，指導我們瀏覽及運用檔案的方式；在生活上，師門定期的聚餐，也總是歡笑聲不斷，讓論文寫作期間的壓力，偶能釋放。恩師對門徒之用心，可見一斑，也使得筆者與同窗好友們時時銘記在心，對於論文寫作更加戰戰兢兢、不敢怠惰。而筆者也幸未辱命，得以於年限內完成論文，並順利通過論文口試。而撥冗擔任筆者口試委員的輔大歷史系的林桶法主任，與中正歷史系的楊維眞主任二位老師，於口試時所提出的修改意見，對於筆者在口試後的修改，有了相當明確的方向，筆者也特於此感謝二位老師。

除了指導教授與口委老師，也感謝高中的導師，並啓蒙筆者歷史學的蔡振豐先生。蔡老師除了幫助我順利完成高中學業外，另外筆者在準備研究所考試期間，和進入興大就讀後，蔡老師也以學長身份，提點所應注意之細節。能夠順利畢業，正式成爲蔡老師興大歷史所的學弟，筆者實深感榮幸。

另外感謝曾於敝校任教，現任教於中教大的鄭安晞老師。雖然擔任安晞老師的助理，時間並不長，但期間除了受到老師的大力照顧，也得以有機會跟隨著老師一同翻山越嶺，一邊學習，筆者一直銘記在心；也感謝東海歷史系的唐啓華主任。在近年近現代史逐漸式微，各大學歷史系開課不多的情形之下，筆者有幸得以於臺中，修習唐老師的北洋史專題，多接觸一門近現代史的課程，並從中獲益良多，在此也對唐老師致上誠摯謝意。

筆者修業期間，曾計劃前往日本，參考當地館藏史料。在籌措期間，筆者曾冒昧去信求教於東華歷史系的許育銘老師，與中國社科院近史所的李志毓老師。筆者與二位老師素未謀面，二位老師卻仍願撥冗回信，與筆者分享汪精衛研究，所可注意之細節。惟筆者受限於能力不足，日本行僅能走馬看花，未能帶回足以運用之史料，但志毓老師與育銘老師，於此期間所給予的意見，筆者時刻不忘。

另外，該行程受到堂姐夫中村功先生的收留。筆者除了食宿方面受到堂姐夫無微不至的照顧，讓這趟所費不貲的行程，壓力稍緩，且半個月間，與堂姐夫使用中、英、日加上比手畫腳的溝通上，多有趣事橫生。此行結交一忘年之交，使得筆者雖人在異鄉，卻不但未有思鄉之情，甚至樂不思蜀，特此感謝堂姐夫。

家庭上，父母給予的資源雖然有限，但對我的信任與給予的自由卻是無限大；中壢的外婆、舅舅與阿姨們，對於我的學業，也皆耐心等待，未再三催促，這對於研究生而言，是最大的支持；另外修業期間，曾北上一年蒐集資料，再回臺中時，得到表姐夫洪金龍與表姐彭曉均伉儷提供住處，得以無後顧之憂，專心論文寫作，在此亦對家人致上最高謝意，

最後謝謝臺中這個城市。在這邊，認識了許多貴人，製造了許多值得留念的回憶。在系辦方面，首先先謝謝系上的楊宛靜助教與林佳宜助教，四年來在程序上的大力幫助；同學方面，自律甚嚴，提早我們一年畢業的奕盛與昕劭，給予我們這些仍在校的同學，相當大的鼓勵與刺激。使得包含我在內，與同窗佳乘、昱瑋、鐘賢、奉一，在四年級時一同組織讀書會，互相激勵；學弟冠彰也受到奕盛與昕劭三年離校的刺激，進入該讀書會，並順利畢業；另外蒐集資料與外文問題上，分別受到學弟朝欽與同學桂梅的幫助。一同畢業的朋友，祝你們鵬程萬里；仍在寫作的朋友，也祝你們學業順利。總之，能與你們同窗學習，一起畢業，是我的福氣。謝謝你們，若沒有你們大力幫助和互相砥礪，拙作恐難完成。

四年前，甫來到臺中之時，心裡多有徬徨；但四年後的今天，卻是抱著不捨的心情離開，這是當初始料未及的。歷史學研究的路途上，受到太多貴人的幫助，卻無法一一言謝，深感慚愧，在此致上最深歉意，但曾給予的幫助，筆者永不敢忘，最後也謝謝這些因筆者疏漏，而未提及的師長與朋友，祝你們一切順利平安。

郭致廷，2016 年 8 月，臺中

目次

第一章　緒　論

第一節　研究動機

汪兆銘在中國近現代史上，為一爭議性極大之人物，早年赴日留學，受到當時革命風潮影響，回國刺殺清攝政王載灃失敗，因而身陷囹圄。暗殺行動雖然失敗，卻一舉成為全國聞名之人物。辛亥革命後獲釋，曾短暫出洋數年，回國後加入孫文的護法軍政府，在孫文離世後，成為中國國民黨主要領袖之一。但曾被視為孫文接班人的汪兆銘，卻在晚年與日本合作，於抗戰期間「還都」南京，重組政府（下稱汪政府）。此後，通敵賣國之罵名，即緊緊跟隨著，直到汪離世後被載入史冊，晚節不保。

但細究汪兆銘與日本之合作，其中仍有許多值得玩味之細節，追根溯源，1937 年中日戰爭甫爆發之際，中國內部存在著主和、主戰兩派。主和派認為當時中國的軍事實力遠不如日本，應與日本談和，因此被通稱為「親日派」；主戰派則認為，日本若進兵中國，中國可以期待英美等列強的干涉，因而被稱為「英美派」。

抗戰爆發後，國民政府軍事委員會委員長蔣中正首先選擇英、美、法等列強主要勢力範圍的上海迎戰，欲藉此引起其對中日戰爭的關注，進而介入調停，企圖「以戰逼和」。但除了德國駐華大使陶德曼（Oskar Paul Trautmann）調停之外，對於主戰派所期待的列強介入，其餘各國卻遲遲未做出明確的表態，也使得主和派出現另一種「以和逼和」的聲音對應之。

主和派認為，若欲英、美列強介入中日調停，中、日雙方必須先有調停動作，方能製造英、美介入的契機。曾於汪政府擔任宣傳部次長的胡蘭成以「三國干涉還遼」爲例，認爲第三方介入調停，是基於對自身有一定利益，才介入其中；若中國內部出現對日媾和的動作，將會牽動戰後列強的利益，使其主動介入其中的可能性，就會大增。〔註 1〕不過無論是主戰派或主和派，皆認爲日本在戰略上，應是避免將戰線延長；兩派也皆欲以此，做爲對日交涉之基礎。〔註 2〕但綜而觀之，無論是「以戰逼和」（以戰爭引起列強進入調停）或是「以和逼和」（以談判影響列強進入調停），就結果論之，策略皆未奏效。

這兩種在中國內部分歧的聲音，隨著時局的演變，所謂的「親日派」即以汪兆銘爲首。1938 年 1 月 16 日，日本首相近衛文麿發表對華聲明。近衛聲明之背景，係日本在接連攻陷上海、南京，佔領了中國的經濟與政治中心，且陶德曼調停未有成果的情形之下，近衛文麿聲稱「爾後不以國民政府爲對手，期待足與日本眞正提攜之新興政權成立與發展，與之調整兩國國交」。〔註 3〕因此本文首先探究，在日本宣稱停止與重慶政府談判之後，是如何尋找主持新政權之人選；汪兆銘又是如何因緣際會「雀屛中選」；而除了汪兆銘之外，日本尙嘗試了何種對華工作，都是本文所欲整理的核心之一。

延至 1940 年 3 月 30 日，汪兆銘沿用「中華民國國民政府」之名，在南京宣布「還都」，重組新政府，開始與重慶政府分庭抗禮。〔註 4〕此時，中國內部出現兩個自稱具有法統性之政府，情勢越加複雜。就此，本研究也試圖釐清數點問題：一、與汪政府合作之日本，遲至同年 11 月 30 日，才與汪政府簽訂《中日基本關係條約》，正式承認汪政府。8 個月間，日本的對華政策轉變之決策過程，究竟受了何等因素影響；二、日本承認汪政府後，是否影響了汪政府與各國之外交，而日本又是抱持著何種態度與汪

〔註 1〕胡蘭成，《戰難，和亦不易》（臺北：遠景，2001，初版），頁 56～57。

〔註 2〕「汪兆銘致中央常務委員會國防最高會議書」（1938 年 12 月 29 日），〈國際各有關方面致汪精衛函電〉，《汪兆銘史料》，國史館藏，典藏號：118－010100－0056－004。汪兆銘提及：「現在中國之困難，在如何支持戰局；日本之困難，在如何結束戰局」。

〔註 3〕秦孝儀編，《中華民國重要史料初編——對日抗戰時期：第六編傀儡組織》（三）（臺北：國民黨黨史會，1981，初版），頁 31。

〔註 4〕由於本研究之時間範疇，係自抗戰初期探討至戰後接收，因此蔣中正所領導之「重慶政府」雖於戰後將首都遷回南京，爲避免混淆，本研究將通篇以「重慶政府」稱之。

政府進行外交工作。

蓋欲使得英、美列強介入東亞戰事的前提，必須是彼等之利益直接受到影響，如珍珠港事件。因此最終上海公共租界問題的解決，是在日美進入戰爭狀態之後，日本以武力攻佔。在日本未與英、美正面衝突以前，無論中日關係如何發展，列強並不會出手干涉。寧、渝二政府皆堅信自己的路線可以換取和平，但就事實而論，雙方的路線對於列強的影響皆相當有限。因此，本研究也試圖釐清太平洋戰爭的爆發，對於汪政府之影響爲何。

而除了外交問題，由於戰爭期間須耗費大量資源，因此本研究再試圖討論，日本與汪政府在所能掌握的半壁江山之下，是如何穩定金融，並運作物資以及稅收。其中包括國庫系統，即中央銀行的建立（定名爲「中央儲備銀行」，下稱「中儲行」）以及官方貨幣（定名爲「中央儲備銀行券」，官方以「新法幣」稱之，下稱「中儲券」）發行所遭遇之困境。另外包含汪政府無法確實掌握關稅、鹽稅及統稅等當時最大宗之稅收，使得財政上捉襟見肘，其係如何因應這些狀況，也是本研究所欲探討之議題。

而貨幣問題上，汪政府旗下之「華北政務委員會」，其前身係日本在佔領華北後，於 1937 年 12 月 14 日所建立之「中華民國臨時政府」（下稱「臨時政府」）。在汪政府成立後，「華北政務委員會」仍沿用原「臨時政府」所使用之「中國聯合準備銀行券」（下稱「聯銀券」）做爲流動通貨。因此中儲券除了對外遇到與重慶政府法幣之鬥爭，在內部也受到了聯銀券之壓力；而在戰後，由於重慶政府接收初期，並未積極行事，對於京滬之民情掌握程度並不高，導致收兌中儲券時，種下了經濟崩盤之禍根。

惟撇開汪兆銘個人之政治選擇，在中國歷史上，常有同時間出現兩個或以上的政府，宣稱自身爲「正統」代表之情景，即便是本文撰寫之今日，此景亦不陌生。後世對於此段時間之歷史解釋，或因相關史料未完整開放、或因政治意識形態之影響，導致無法一窺全貌。所幸近年有關於汪兆銘或是汪政府之史料陸續開放，也讓此問題之研究並未退出學術潮流，因此本研究試圖以前人研究與近年所開放之史料做一綜合統整，以期對於此問題研究能夠略盡綿薄之力。

第二節　研究回顧

由於汪政府存在的時間僅短短五年餘，加之早期兩岸的政治氛圍，皆不約而同地對於汪兆銘與日本合作組織政府一事，以漢奸行爲視之，因此有關汪政府之研究，以國內學位論文爲例，雖有相關研究，卻多爲配角，鮮少將其視爲主題之核心，但近年隨著許多與汪兆銘或汪政府相關之史料開放，也陸續有相關的研究成果展現。

如有以汪政府要人爲研究主題：張順良〈陳公博在北伐前後的政治活動〉、〔註5〕游靜敏〈徘徊於文學與政治之間：胡蘭成研究〉、〔註6〕羅順毅〈抗戰前期之和平運動——以周佛海爲個案〉；〔註7〕以日本的角度觀察則有蕭李居〈日本的戰爭體制——以興亞院爲例的探討（1938～1942）〉、〔註8〕李振彥〈日本在華的日文教育政策（1931～1945）〉、〔註9〕陳泓達〈東亞共同體的想像：日本的「亞細亞」與「近代」〉〔註10〕和蘇翊豪〈超越日本的國家困境：平野健一郎國際文化論視野下的滿洲與東亞觀〉；〔註11〕有關戰前汪兆銘的研究，則有梁榮華〈中年汪精衛之研究（1917～1932）〉、〔註12〕許育銘〈汪兆銘與國民政府（1931～1936）〉。〔註13〕

但以汪政府做爲核心研究的成果，卻僅有吳學誠〈汪僞政權與日本關係

〔註5〕張順良，〈陳公博在北伐前後的政治活動〉（臺北：國立政治大學歷史學系碩士論文，1990）。

〔註6〕游靜敏，〈徘徊於文學與政治之間：胡蘭成研究〉（桃園：元智大學中國語文學系碩士論文，2008）。

〔註7〕羅順毅，〈抗戰前期之和平運動——以周佛海爲個案〉（臺北：中國文化大學史學系碩士論文，2010）。

〔註8〕蕭李居，〈日本的戰爭體制——以興亞院爲例的探討（1938～1942）〉（臺北：國立政治大學歷史學系碩士論文，2001）。

〔註9〕李振彥，〈日本在華的日文教育政策（1931～1945）〉（臺北：國立政治大學歷史系碩士論文，2004）。

〔註10〕陳泓達，〈東亞共同體的想像：日本的「亞細亞」與「近代」〉（臺北：國立政治大學東亞研究所博士論文，2007）。

〔註11〕蘇翊豪，〈超越日本的國家困境：平野健一郎國際文化論視野下的滿洲與東亞觀〉（臺北：國立臺灣大學政治學系碩士論文，2011）。

〔註12〕梁榮華，〈中年汪精衛之研究（1917～1932）〉（臺中：東海大學歷史學系碩士論文，1991）。

〔註13〕許育銘，〈汪兆銘與國民政府（1931～1936）〉（臺北：國立政治大學歷史學系碩士論文，1993）；1999 年改寫出版，《汪兆銘與國民政府：1931 至 1936 年對日問題下的政治變動》（臺北：國史館，1999，初版）

之研究〉、〔註 14〕邵銘煌〈汪僞政權之建立及覆亡〉、〔註 15〕劉維諭〈汪精衛政權之清鄉運動〉、〔註 16〕徐吉村〈地下戰場：戰時重慶國民政府與汪政權的暗鬥〉、〔註 17〕楊韻平〈汪政權與朝鮮華僑（1940～1945）——東亞秩序之一研究〉〔註 18〕五篇學位論文。

而除了國內的學位論文以外，以汪政府內部做爲研究核心的成果，有聞少華《汪僞政權史話》；〔註 19〕其餘細節方面，抗戰初期日本對華的誘和工作，有藤井志津枝《誘和——日本對華諜報工作》；〔註 20〕財政有潘健〈汪僞政府財政研究〉；〔註 21〕軍事有劉熙明《僞軍：強權競逐下的卒子（1937～1949）》〔註 22〕；海關有張志雲〈分裂的中國與統一的海關：梅樂和與汪精衛政府（1940～1941）〉；〔註 23〕特工則有蔡德金編《七十六號：汪僞特工總部口述秘史》。〔註 24〕

探討汪政府自籌組，直到 1940 年 11 月受到日本正式承認以前之相關研究，則有蕭李居〈變調的國民政府：汪、日對新政權正統性的折衝〉、〔註 25〕張展〈日本承認汪僞政府之經緯〉、〔註 26〕楊天石〈桐工作辨析〉、〔註 27〕卜

〔註 14〕吳學誠，〈汪僞政權與日本關係之研究〉（臺北：中國文化大學日本語文學系碩士論文，1980）。
〔註 15〕邵銘煌，〈汪僞政權之建立及覆亡〉（臺北：中國文化大學史學系博士論文，1989）。
〔註 16〕劉維諭，〈汪精衛政權之清鄉運動〉（臺中：東海大學歷史學系碩士論文，1995）。
〔註 17〕徐吉村，〈地下戰場：戰時重慶國民政府與汪政權的暗鬥〉（臺北：國立政治大學歷史學系碩士論文，2004）。
〔註 18〕楊韻平，〈汪政權與朝鮮華僑（1940～1945）——東亞秩序之一研究〉（臺北：國立師範大學歷史學系碩士論文，2004）。
〔註 19〕聞少華，《汪僞政權史話》（上海：社會科學文獻，2011，初版）。
〔註 20〕藤井志津枝，《誘和——日本對華諜報工作》（臺北：文英堂，1997，初版）。
〔註 21〕潘健，〈汪僞政府財政研究〉（上海：復旦大學歷史學系博士論文，2008）。
〔註 22〕劉熙明，《僞軍：強權競逐下的卒子（1937～1949）》（臺北：稻鄉，2002，初版）。
〔註 23〕張志雲，〈分裂的中國與統一的海關：梅樂和與汪精衛政府（1940～1941）〉，周惠民編，《國際法在中國的詮釋與運用》（臺北：政大，2012，初版），頁 113～148。
〔註 24〕蔡德金編，《七十六號：汪僞特工總部口述秘史》（北京：團結，2007，初版）。
〔註 25〕蕭李居，〈變調的國民政府：汪、日對新政權正統性的折衝〉，《政大歷史學報》，32（臺北，2009.11），頁 125～168。
〔註 26〕張展，〈日本承認汪僞政府之經緯〉，《抗日戰爭研究》，3（北京，2014），頁 74～86。
〔註 27〕楊天石，〈桐工作辨析〉，《歷史研究》，2（北京，2005），頁 96～191。

正民（Timothy Brook）《通敵：二戰中國的日本特務與地方菁英》〔註 28〕魏斐德（Frederic Wakeman, Jr.）《上海歹土：戰時恐怖活動與城市犯罪》〔註 29〕等論著。

而其餘與汪政府相關之研究，亦存在以汪兆銘個人爲研究標的之專著，包含聞少華《汪精衛傳》、〔註 30〕蔡德金《汪精衛評傳》、〔註 31〕黃美眞《汪精衛傳》、王克文《汪精衛．國民黨．南京政權》，〔註 32〕近期則有李志毓《驚弦：汪精衛的政治生涯》；〔註 33〕而也有以汪政府內部要人做爲研究標的，如石源華《陳公博全傳》、〔註 34〕聞少華《周佛海評傳》。〔註 35〕

另外相關的史料彙編與回憶錄，則有中央檔案館、中國第二歷史檔案館、吉林省社會科學院合編《汪僞政權》，〔註 36〕另外還有黃美眞所著之《僞廷幽影錄：對汪僞政權的回憶》以及與張雲合編之《汪精衛國民政府成立》。〔註 37〕

本研究使用國史館所藏之《汪兆銘史料》，係由法務部調查局所移交而來。在該檔移交國史館前，陳木杉亦有使用該批檔案，做出相關論著。最早爲 1995 年出版之《從函電史料觀抗戰時期的蔣汪關係》，〔註 38〕惟此書雖以抗戰時期之蔣汪關係爲題，惜卻僅有抗戰爆發，至汪兆銘於 1938 年 12 月離渝前後之蔣汪關係，書名與內容所涵蓋之範圍，略有出入，爲美中不足之處；陳木杉另有《從函電史料觀抗戰時期汪精衛治粵梗概》〔註 39〕及《從函電史

〔註 28〕卜正民（Timothy Brook）著，林添貴譯，《通敵：二戰中國的日本特務與地方菁英》（臺北：遠流，2015，初版）。

〔註 29〕魏斐德（Frederic Wakeman, Jr.）著，芮傳明譯，《上海歹土：戰時恐怖活動與城市犯罪（1937～1941）》（上海：上海古籍，2003，初版）。

〔註 30〕聞少華，《汪精衛傳》（北京：團結，2016，初版）。

〔註 31〕蔡德金，《汪精衛評傳》（成都：四川人民，1988，初版）。

〔註 32〕王克文，《汪精衛．國民黨．南京政權》（臺北：國史館，2001，初版）。

〔註 33〕李志毓，《驚弦：汪精衛的政治生涯》（香港：牛津，2014，初版）。

〔註 34〕石源華，《陳公博全傳》（臺北：稻香，1999，初版）。

〔註 35〕聞少華，《周佛海評傳》（武漢：武漢大學，1990，初版）。

〔註 36〕中央檔案館、中國第二歷史檔案館、吉林省社會科學院編，《汪僞政權》（北京：中華書局，2004，初版）。

〔註 37〕黃美眞、張雲編，《汪精衛國民政府成立》（上海：上海人民，1984，初版）。

〔註 38〕陳木杉，《從函電史料觀抗戰時期觀抗戰時期的蔣汪關係》（臺北：學生書局，1995，初版）。

〔註 39〕陳木杉，《從函電史料觀抗戰時期汪精衛治粵梗概》（臺北：學生書局，1996，初版）。

料觀汪精衛檔案中的史事與人物新探》（一）〔註40〕二著，對於汪兆銘研究亦有所建樹。以上論著成書至今，已約20年，或因當時檔案的分類管理欠佳；或因當時學術格式尚未統一，上述論著所參考之檔案，全無檔號。但無論如何，亦是使得後人在研究上，有得以借鏡之處。

綜而論之，汪政府之研究，能夠隨著時間的演進，而發展出上述研究成果，其中因素自然非一蹴可及。包含科技的進步，使得檔案交流無國界；加上政治氛圍的趨緩，近年更有兩岸所合編之《中華民國專題史》，第十二卷亦對於汪政府多有著墨，〔註41〕惜成書時間過近，加之筆者疏漏，未能即時補上，特於此補充說明。由此觀之，在檔案陸續開放、數位化甚至出版的情形之下，相關研究的確能夠百尺竿頭，更進一步。

第三節　研究方法

早期對於有關汪兆銘政府（1940～1945，下稱汪政府）之研究，在國內的相關史料，多以國民黨黨史館（下稱黨史館）所藏之《特種檔案》，以特務系統層面，用較爲側面的方式，再輔以《周佛海日記全編》、〔註42〕朱子家（金雄白）《汪政權的開場與收場》、〔註43〕胡蘭成所著之《戰難和亦不易》、〔註44〕《山河歲月》、〔註45〕《今生今世》，〔註46〕以及親汪日人，如影佐禎昭、今井武夫、犬養健等人之相關日記、回憶錄以探討之，但由於近年相關史料陸續開放、出版，加上民間亦有部份《蔣中正日記》，使得在研究者在史料運用上，能夠以更多層面深入探討之。

本研究在檔案的使用上，有關汪政府內部之檔案，使用法務部調查局移交國史館之《汪兆銘史料》；財政方面，則以中央研究院近代史研究所（下稱近史所）所藏之《汪政府經濟部門》檔案做爲參考。重慶政府之角度，則有

〔註40〕陳木杉，《從函電史料觀汪精衛檔案中的史事與人物新探》（一）（臺北：學生書局，1997，初版）。

〔註41〕張憲文、張玉法編，張同樂、馬俊亞、曹大臣、楊維眞著，《中華民國專題史》（十二）（江蘇：南京大學，2015，初版）。

〔註42〕周佛海著，蔡德金編著，《周佛海日記全編》（北京：中國文聯，2003，初版）。

〔註43〕金雄白，《汪政權的開場與收場》，（臺北：風雲時代，2014）。

〔註44〕胡蘭成，《戰難和亦不易》（臺北：遠景，2001，初版）。

〔註45〕胡蘭成，《山河歲月》（臺北：遠景，2003，三版）。

〔註46〕胡蘭成，《今生今世》（臺北：遠景，2009，五版）。

藏於國史館的《蔣中正總統文物》和近史所藏之《國民政府外交部》檔案，近年國史館亦將以《蔣中正總統文物》爲主，輔以蔣中正日記爲主等相關史料集結成冊，出版《蔣中正先生年譜長編》；特務系統方面，調查局也將有關戴笠之檔案移存至國史館收藏，即《戴笠史料》，並將部分彙編，出版《戴笠先生與抗戰史料彙編》。其餘方面，如有關輿情之史料，除了傳統報刊之外，也有國民黨黨史館藏之《敵方廣播新聞紀要》及國立政治大學典藏，並數位化之「民國 38 年前重要簡報資料庫」等。

海外有關汪政府內部運作之史料，則多留存於中國第二歷史檔案館（下稱二檔館），二檔館也曾出版汪政府之相關史料，如《汪僞國民政府公報》。而有關日本方面之史料，由於近年檔案數位化成果越趨完整，包含外務省外交史料館、防衛省防衛研究所等館藏史料，大多皆以數位化至日本的國立公文書館所轄之「亞細亞歷史資料中心」（アジア歷史資料センター），使得在研究者在國內也能瀏覽相關之日文史料。

而在檔案開放的成果日趨顯著的情形之下，再佐以近年陸續發表的相關研究論著，使得汪政府研究已在各個層面有了一定程度的研究成果，惟以國內學位論文而言，自 1989 年邵銘煌博士於中國文化大學之學位論文〈汪僞政權之建立及覆亡〉而後，近 20 餘年來，已鮮有以汪政府做爲核心，進行全方面探討之研究成果，惟如同以上列出近年整理並公開之相關史料數量頗豐，本研究將以新史料佐以前人研究，以做出更詳細之分析。

以汪政府之成立及影響爲例，本研究將以近年新開放之史料，如《汪兆銘史料》及《蔣中正總統文物》做爲汪政府核心之探討，再輔以亞細亞歷史資料中心方面之史料，探究汪政府運作政策時，對於三方之影響及反應，遺漏之史料，則以秦孝儀主編之《中華民國重要史料初編——對日抗戰時期》做爲增補，將新舊史料交互比較運用。

而財政問題則由於數據龐雜，加之中日皆有資料，呈現之數據常有出入，林美莉〈抗戰時期的貨幣戰爭〉即列出相當豐富之數據史料，如聯銀券自發行後與法幣之比價，和日本軍票發行流動額等資料。〔註 47〕惟在探討同一項問題，如前文所述，數據之呈現常有誤差，因此本研究在有關數據問題上之研究，將師法林美莉博士之研究，以所蒐集之資料與前人研究做一統整。

〔註 47〕林美莉，〈抗戰時期的貨幣戰爭〉（臺北：國立臺灣師範大學歷史學系博士論文，1994），頁 223～225、236。

總結本文之研究方法，試圖以新開放之史料與舊有史料及論著做一對照，以突破前人受限於各種主客觀因素，在研究上所遇之困境，冀望在本研究將新史料加入其中後，能進一步釐清汪政府之全貌，予以更中立客觀之評價。

第四節　研究綱要

本文以汪政府之統治為題，共分為五章。第一章「緒論」首先介紹本文之研究動機，並回顧近年有關汪政府或是汪兆銘個人之研究，並將之與史料及檔案做一結合，進而討論本研究之研究方法，最終再進入本節，將本研究做一概略介紹，以進入本研究之主體。

第二章則開始探討汪政府成立之經緯。自抗戰爆發，日本在華佔領地逐漸擴大的情形之下，須憑藉「以華制華」之策略以穩定佔領區之統治。華北方面，先於 1937 年 12 月 14 日，以原「冀察政務委員會」為班底，另立「臨時政府」；華中方面，則於 1938 年 3 月 28 日成立「中華民國維新政府」（下稱「維新政府」）。但由於此二政府之組成要人，多久已不活躍於軍政界中，因此日本持續接洽汪兆銘、吳佩孚等更具有號召力之人物，並探討其過程。

在汪政府於 1940 年 3 月 30 日正式開鑼後，鼓吹汪兆銘進行和平運動的日本卻並未隨之承認汪政府。對日本而言，未承認汪政府之其中一項主因，係仍欲爭取與重慶政府和談之機會，汪政府僅為一談判籌碼。但同年隨著與重慶之談判工作觸礁；在軍事上，日軍鷹派抬頭，開始南進，9 月進攻越南，取得中南半島的主導權；在外交上，也隨之與德國、義大利簽訂《德意日三國同盟條約》，日本在各方面皆獲進展後，與重慶和談之意願低下。於是 1940 年 11 月 30 日，日本與汪政府簽訂《中日基本關係條約》，承認汪政府，與之正式建立國交。第三章即以此做為研究主軸，進而探討國際情勢的轉變，如德軍攻蘇、太平洋戰爭爆發等事件，對於包含日本在內，英、法、德、義等國對汪政府態度的改變以及與之互動關係。

本研究第四章則以汪政府之財政問題做為探討核心。由於汪政府的國庫系統，在成立後將近 1 年的 1941 年 1 月 6 日方才正式開張，而成立時間之所以延宕近 1 年之因素，與汪政府無法確實掌握財政稅收，以致準備金不足有相當程度之關聯。但即便中儲行成立，並得以發行官方貨幣，惟中儲券發行前期，與重慶法幣之幣值連動，導致日本對重慶政府進行貨幣戰時，中儲券亦連帶遭受其害。加之由原「臨時政府」所改制的「華北政務委員會」，雖名義上隸屬汪政府旗下，但實際上擁有相當程度之自主權，甚至在中儲券發行後，並未跟進使用，而是沿用「臨時政府」時代，由華北「中國聯合準備銀行」所發行之聯銀券，聯銀券的存在，與中儲券出現排擠效應。本章將聚焦於汪政府的財政金融問題，並進而延伸至戰後，重慶政府對汪政府之接收。

最終第五章「結論」試圖將所整理之成果做一統合，包括汪兆銘離渝至汪政府成立、汪政府的外交政策與行爲及財政制度、戰後接收等議題，做一併之探討。

第二章　汪兆銘政府的成立

第一節　日本對華工作

（一）唐紹儀工作

1938年1月16日，日本首相近衛文麿發表首次對華聲明，聲稱日本將不以國民政府爲對手開始，〔註1〕至同年11月3日第二次聲明，所提及之：「國民政府已不過是一個地方政權」；12月22日的第三次聲明：「帝國政府始終一貫依照今年來屢次所聲明之方針，澈底擊滅抗日之國民政府」，〔註2〕皆明確表示，日本否認蔣中正所領導的國民政府爲合法的中國代表。因此在佔領區內另立新政府，其作用除了能夠證明日本並未把「中國」視爲敵國，並且在口實上，可建立一個願意與日本交涉的「中國政府」。爲此，日本開始著手尋找能夠主持新政府之人選。

利用傀儡進行統治，是日本的一貫政策。抗戰初期就曾嘗試策反原冀察政務委員會委員長宋哲元，但宋哲元並不與之接觸，甚至直接返回山東家鄉閒居。佔領平津後，日本也試圖尋找在「五四運動」後淡出政界，時居華北的曹汝霖。但曹汝霖以健康狀況爲由，僅接受顧問職，擔任民間公司董事長，拒絕主持新政府。〔註3〕

〔註1〕影佐禎昭著，陳鵬仁譯，《汪精衛降日秘檔》（臺北：聯經，1999，初版），頁15。

〔註2〕秦孝儀編，《中華民國重要史料初編——對日抗戰時期：第六編傀儡組織》（三）（臺北：國民黨黨史會，1981，初版），頁32～33。

〔註3〕曹汝霖，《曹汝霖一生之回憶》（臺北：傳記文學，1980，再版），頁252。

最終，日本以王克敏、王揖唐為首，在華北成立「中華民國臨時政府」，華中由梁鴻志主持「中華民國維新政府」。旗下網羅了齊燮元、靳雲鵬、湯爾和等，久已不活躍之軍政界人物。日本亦知由這些所謂的「過氣人物」所組成之新政府，必然使其合法性與號召力大打折扣，但在佔領區不斷擴大的情形之下，仍不得不與彼輩合作。〔註4〕為此，日本乃不斷設法接洽其他聲望或實力較能以服眾的人物，以主持新政府。

日本最初屬意之合作人選，為北洋政府時期，曾官至國務總理的唐紹儀，並積極與之接觸；除唐紹儀外，亦嘗試接觸同活躍於北洋時期的吳佩孚以副之。重慶政府為此，於1938年初，由行政院長孔祥熙授意，在上海、香港等地設立情報機關，並交由其子孔令侃主持該機關，負責觀察並接觸包含唐紹儀在內等在野人士，以避免彼等與日本合作。〔註5〕

2月28日，該機關負責觀察唐紹儀的胡鄂公，向孔令侃報告唐紹儀與其北洋時期舊屬之動態：「唐紹儀向溫宗堯表示堅決不幹後，而所謂粵派之溫宗堯、陳錦濤、江天鐸等亦與唐共進退，拒不參加」。〔註6〕由此可見，唐紹儀對舊屬，依然稍具影響力。雖就結果論之，溫宗堯、陳錦濤最終仍加入「維新政府」，但至4月14日，日軍於「台兒莊戰役」受挫後，為藉由政治手段保住顏面，持續積極地透過江天鐸與吳佩孚之秘書楊雲史，力拱唐、吳出山，取代較無號召力的王克敏、梁鴻志，以統一「臨時」、「維新」二府。但唐紹儀對江天鐸表示：「由我與吳子玉〔佩孚字〕出而為和平奔走，尚可勉為其難；如要我和子玉出作傀儡，則萬難辦到」；〔註7〕21日亦再度表示：「中日總有和解一日，他日機會到來，或可作一貢獻，捨此非我所敢知」。〔註8〕

〔註4〕唐德剛著，中國近代口述史學會編，《民國史抗戰篇：烽火八年》（臺北：遠流，2014，初版），頁171。

〔註5〕中央檔案館、中國第二歷史檔案館、吉林省社會科學院編，《汪偽政權》（北京：中華書局，2004，初版），頁560。

〔註6〕中央檔案館、中國第二歷史檔案館、吉林省社會科學院編，《汪偽政權》，頁569。

〔註7〕中央檔案館、中國第二歷史檔案館、吉林省社會科學院編，《汪偽政權》，頁573～575。

〔註8〕中央檔案館、中國第二歷史檔案館、吉林省社會科學院編，《汪偽政權》，頁579。

7月間，日軍進逼武漢，原預計攻陷武漢後，應能增加唐、吳主持新政府之意願，〔註9〕不過就事實的發展，唐、吳二人之反應，卻相當值得玩味。楊雲史託人向唐紹儀表示：「日本要求吳子玉出而組織偽統一政府，吳是不願獨擔此任的，設若唐少川〔紹儀字〕先生願負此責，吳倒可以出來幫少川先生的忙」，唐聞言卻回道：「如吳子玉願出來的話，我倒可以幫他的忙」。〔註10〕綜而觀之，唐紹儀對於促成中日和談一事，願貢獻一己之力；對於組府之意願，則並不強烈。

而雖唐紹儀無意組府，但日本攏絡動作頻頻，使得重慶方面產生戒心。負責特務工作的軍事委員會調查統計局（下稱軍統局），局長戴笠囑咐該局幹員的公文指稱：「頃奉領袖面諭，唐紹儀平素反對國民黨甚力，此次又復爲敵利用，處處破壞中央，應即多方設法，予以制裁」。〔註11〕

1938年9月30日，唐紹儀卻於自宅中遭刺身亡，隔日，蔣中正記曰：「此實爲革命黨除一大奸，此賊不除，漢奸更多，偽組織與倭寇更無忌憚矣，總理一生在政治上之大敵，我革命黨之障礙，以唐奸爲最也」。〔註12〕可見蔣中正當下對於此事，報以正面肯定之態度。但整體而言，唐的遇刺，在輿論上對重慶政府產生了負面影響。

唐紹儀歿後，輿論將此事的元兇，指向重慶方面。胡鄂公雖立即去電各報館關切此事，試圖將唐的遇刺，嫁禍給親日人士，惟成效相當有限，多數人對於此事，仍疑信參半。因此胡鄂公僅能建議中央，對於唐紹儀之喪禮，須謹慎處理。〔註13〕

綜觀唐紹儀遇刺一事，雖在輿論上，對於重慶方面造成不利影響，但亦打亂了日本原先的佈局。因此日本改將誘和重心，轉至原本的第二順位吳佩孚，並試圖在北洋舊人外，同時於重慶政府內部物色適當之合作人選。

〔註9〕中央檔案館、中國第二歷史檔案館、吉林省社會科學院編，《汪偽政權》，頁581。

〔註10〕中央檔案館、中國第二歷史檔案館、吉林省社會科學院編，《汪偽政權》，頁584。

〔註11〕「戴笠電周偉龍」，〈戴公遺墨——行動類（第4卷）〉，《戴笠史料》，國史館藏（下未標註者同），典藏號：144－010106－0004－001。

〔註12〕國史館編，《蔣中正總統檔案：事略稿本》(42)（臺北：國史館，2010，初版），頁374，1938年10月1日條。

〔註13〕中央檔案館、中國第二歷史檔案館、吉林省社會科學院編，《汪偽政權》，頁586～588。

（二）汪兆銘離渝

在近衛發表首次對華聲明之後，日本已無法於檯面上與國民政府進行談判，但就實際上而言，卻仍未放棄任何與國民政府接觸的管道。因此，日本除了嘗試誘和唐紹儀、吳佩孚等北洋要人外，也嘗試在重慶內部尋找可能合作之契機。

國民政府外交部亞洲司第一科科長董道寧，在南滿洲鐵道株式會社南京事務所所長西義顯、特派員伊藤芳男和任職於上海同盟通訊社，並與近衛文麿交好的松本重治的聯繫之下，於 1938 年 2 月赴日，與日本陸軍大佐影佐禎昭就解決中日問題一事密會，並於回國後向蔣中正報告。蔣中正對此行，並未表示反對意見。6 月，在軍事委員會委員長侍從室第二處副主任周佛海保證會向蔣中正解釋之下，亞洲司長高宗武赴日進行談判工作。〔註 14〕但周佛海指示高宗武赴日，實乃先斬後奏之舉，蔣中正對此，了解程度並不高，既未積極贊成，但也不置可否，24 日記下：「高宗武荒謬妄動，擅自赴倭，此人荒唐，然亦可謂大膽矣」。〔註 15〕

7 月，高宗武抵日，但日方的底限，卻仍是蔣中正必須下野。對此，高宗武向影佐提出了「以汪代蔣」的計畫：「日本既然否認蔣政權，現在要爲中日間帶來和平，恐怕只有找蔣氏以外的人，這除汪精衛莫屬」。〔註 16〕但談判結束之後，高宗武並未回重慶，也未立即將結果向周佛海回報，而是前往香港「養病」。22 日，高宗武始委託同行的外交部專員周隆庠，將日本行的報告轉交予周佛海。〔註 17〕經周佛海轉呈蔣中正之後，由於日本堅持蔣中正必須下野之原則，交涉並未有明確進展，據云蔣中正一改原本對此事之曖昧態度，轉而大怒。〔註 18〕

「以汪代蔣」的計畫由於高宗武稱病而擱置。1938 年秋天，松本重治前往香港探視高宗武，瞭解其身體狀況之後，工作暫由梅思平接手，與松本重

〔註 14〕 王克文，〈高宗武「身入虎穴」〉，《汪精衛．國民黨．南京政權》（臺北：國史館，2001，初版），頁 272。

〔註 15〕 呂芳上主編，《蔣中正先生年譜長編》（五）（臺北：國史館，2014，初版），頁 549，1938 年 6 月 24 日條。

〔註 16〕 影佐禎昭著，陳鵬仁譯，《汪精衛降日秘檔》，頁 17。

〔註 17〕 周佛海著，蔡德金編著，《周佛海日記全編》（上）（北京：中國文聯，2003，初版），頁 147，1938 年 7 月 22 日條。

〔註 18〕 周佛海著，蔡德金編著，《周佛海日記全編》（上），頁 148～149，1938 年 7 月 25 日條。

治繼續進行日汪合作之接洽。〔註19〕10月，梅思平向汪兆銘報告進度成果，汪兆銘也同意高宗武與梅思平繼續與日方交涉。而日本方面爲促成和談，也提出了「調整日華新關係的方針」，以較爲抽象的內容爲主，避談割地、賠款等具體事項；另外加碼提出交還租界和廢除不平等條約，以期和談能夠成局。〔註20〕

12月，近衛文麿再度隔空向國民政府拋出有關和平議題之時，18日汪兆銘離開重慶，前往雲南，會晤省主席龍雲。隔日輾轉飛往河內之後，龍雲始電告蔣中正，稱汪兆銘抵達雲南之後，身體不適，因而改赴河內。〔註21〕包括蔣中正在內，國府內部對於汪兆銘離開重慶的行動以及目的，事前一無所知。因此24日，時任國民黨秘書長的朱家驊，也透過電報，對汪表示關切：

> □晨聞鈞座抵滇不適，甚念，即電問病狀。養〔22日〕卜（午？）又聞已蒞河內就醫，擬電奉候，住址不詳，未克拍發。頃聞蒞港，此間同志尤深懸系〔繫〕。値此黨國危急之秋，敬祈□（本？）向來之苦心，千萬珍重，早日康復，俾諸同志仍得有所秉承，黨國幸甚。〔註22〕

身爲國民黨副總裁的汪兆銘，在此等敏感時刻離開國內，使得重慶政府內部瀰漫著一股不尋常的氣氛。21日，蔣中正對此感到不滿，認爲：「當此困難空前未有之危局，不顧一切，藉口不願與共黨合作一語，拂袖私行，置黨國於不顧，豈是吾革命黨員之行動乎。痛惜之至，惟望其能自覺回顧耳」；〔註23〕但仍透過龍雲關心汪兆銘之狀況：「遽密聞兄到滇後即病，未知近狀如何，乞示復」。〔註24〕

22日，蔣中正接到龍雲電報，獲知汪兆銘臨行向其表示：「謂與日有約，

〔註19〕王克文，〈高宗武「身入虎穴」〉，《汪精衛．國民黨．南京政權》，頁274。

〔註20〕今井武夫，《今井武夫回憶錄》（上海：上海譯文，1978，初版），頁84～85。

〔註21〕周佛海著，蔡德金編著，《周佛海日記全編》（上），頁212～213，1938年12月19日條。

〔註22〕「朱家驊電汪兆銘」（1938年12月24日），〈民國27年汪精衛與本黨（指中國國民黨）有關之各項函電（1）〉，《汪兆銘史料》，國史館藏（下未標註者同），典藏號：118－010100－0005－067。

〔註23〕呂芳上主編，《蔣中正先生年譜長編》（五），頁647，1938年12月21日條。

〔註24〕「蔣中正電汪兆銘」（1938年12月21日），〈總裁致汪精衛等函電〉，《汪兆銘史料》，典藏號：118－010100－0007－106。

須到港商洽中日和平條件，若能成功，國家之福，萬一不成，則暫不返渝」。蔣中正在得知汪兆銘出走，將可能在香港與日本進行和談動作後，〔註 25〕感到忿忿不平，態度從前日的「痛惜之至」，轉變爲「黨國不幸，乃出此無廉恥之徒」。〔註 26〕

蔣在日記中雖不時表現出憂憤，但也深知此事對內部必然造成影響，因此希望「以德報怨」，以期能夠出現轉圜：「知汪兆銘確有整個背叛黨國奸謀，乃決心發表宣言，使其賣國奸計不售，亦所以挽救其政治生命」；但也認爲：「彼雖有意害余，而余應以善意救彼，對於此種愚詐之徒，只有可憐與可痛而已」、「以德報怨，固非人情之常，但救人即所以自救，忠恕待人，寧人負我，惟求心之所安而已」。

蔣並回憶起中山艦事件，「彼於民國十五年投共賣友，不惜禍黨誤國，余以至誠待之如總理，而彼爲共黨所欺，以一時之利害，而放棄公私情義，不惜與蘇共協以謀我，誘我上中山艦，運往海遜威」，感歎「其不識大體與不顧國家至此。余乃復與之合作，尚欲使之自拔，豈不拙乎」。〔註 27〕

在 25 日與國民政府主席林森討論汪兆銘可能投日一事後，〔註 28〕爲求轉圜，除了斟酌對汪兆銘的安排，對於人事也做出了因應。26 日，開始考慮是否派人勸汪兆銘赴歐；〔註 29〕隔日，電香港大公報總主筆張季鸞，希望對汪兆銘離渝一事「筆下留情」，並且接見與汪兆銘交好的交通部次長彭學沛，吩咐其電汪，「駐港不如赴歐」，希望彭學沛能「以至誠動之」；〔註 30〕28 日，蔣考慮將與汪兆銘較爲親近的梁寒操和甘乃光調任於粵、桂，其後果將梁升任爲軍事委員長桂林行營政治部主任，以安其心。〔註 31〕

29 日，汪對於近衛聲明所提及之「善隣友好」、「共同防共」及「經濟提攜」三點，在河內發表〈艷電〉呼應之，「以上三點，兆銘經熟慮之後，

〔註 25〕楊天石，〈汪精衛出逃與蔣介石的應對〉，《找尋眞實的蔣介石——蔣介石日記解讀》（二）（香港：三聯，2010，初版），頁 145。

〔註 26〕呂芳上主編，《蔣中正先生年譜長編》（五），頁 649，1938 年 12 月 22 日條。

〔註 27〕呂芳上主編，《蔣中正先生年譜長編》（五），頁 649，1938 年 12 月 24 日條。

〔註 28〕呂芳上主編，《蔣中正先生年譜長編》（五），頁 650，1938 年 12 月 25 日條。蔣中正記下：「主席對於事理極明，殊可敬欽」。

〔註 29〕《蔣中正日記》，1938 月 12 月 26 日。

〔註 30〕秦孝儀編，《總統蔣公大事長編初稿》（卷四上冊），頁 290，1938 年 12 月 27 日條。

〔註 31〕《蔣中正日記》，1938 月 12 月 28 日。

以爲國民政府應即以此爲根據，與日本政府交換誠意，以期恢復和平」；並認爲若國民政府願依此三點做爲和平談判之基礎，「則交涉途徑已開」。〔註32〕蔣聞之又記：「是誠厚顏無恥極矣。其通敵賣國之罪，已暴露殆盡矣。多行不義，必自斃，其自趨絕路，無可救藥矣」；但 31 日當晚，眾人商議覆汪之電，蔣「仍主寬緩，留其轉回餘地」。〔註33〕因此隔日召開的國民黨臨時中常會暨駐重慶中央委員會議，雖決議立即開除汪兆銘黨籍，不過蔣中正否決了會議中通緝汪兆銘的提議，自記需注意「汪以後之行動與處置」。〔註34〕

實則汪兆銘出走以後，也曾向蔣中正重申自己對於和戰之態度：「在渝兩次竭〔謁〕談，爲對方非提〔所提非〕亡國條件，宜即〔及〕時謀和，以救危亡，向〔而〕杜共禍」，〔註35〕但蔣中正向龍雲駁斥此事，稱汪兆銘此主張爲 1938 年 1 月所提出，近來未有提及。〔註36〕故此時蔣中正的想法，認爲即便日本再就和談一事發出聲明，只要政府內的主和派保持低調，對於近衛聲明不隨之起舞，主戰的方針應不至於產生動搖。因此汪兆銘的出走，雖然引起了一陣漣漪，但並未帶給蔣中正對於和談的興趣。

而蔣中正內心對於此事的矛盾，也陸續反應在行動之上。其對日本方面雖顯強硬，但卻並未完全將此情緒延伸至汪兆銘身上。汪兆銘是黨國元老，身居副總裁高位，並爲黨內對日的「鴿派」代表人物，其出走在某個程度上，清除了內部的和戰路線之爭。蔣自記：「汪離黨國遠遊國外，此後政府內部純一，精神團結，倭敵對我內部分裂與其利誘屈服之企圖，根本消除，吾知倭寇不久必將對我屈服矣」。

〔註32〕秦孝儀編，《中華民國重要史料初編——對日抗戰時期：第六編傀儡組織》（三），頁 53。

〔註33〕國史館編，《蔣中正總統檔案：事略稿本》（42）（臺北：國史館，2010，初版），頁 726～727，1938 年 12 月 31 日條。

〔註34〕楊天石，〈汪精衛出逃與蔣介石的應對〉，《找尋眞實的蔣介石——蔣介石日記解讀》（二），頁 148。

〔註35〕「汪兆銘梗電蔣中正」（1938 年 12 月 23 日），〈汪僞組織（一）〉，《蔣中正總統文物》，國史館藏（下未標註者同），典藏號：002－090200－00022－011；秦孝儀編，《中華民國重要史料初編——對日抗戰時期：第六編傀儡組織》（三），頁 48。

〔註36〕秦孝儀編，《總統蔣公大事長編初稿》（卷四上冊），頁 290，1938 年 12 月 27 日條。

蔣中正並且認爲，「鴿派」的存在，除了影響內部團結，這種示弱的主張，也可能會連帶影響對日談判的籌碼：「汪對敵始終聯繫謀和，使敵對我政府之眞意觀察差誤。六月以來，宇垣〔一成〕出長外交，本欲向我合理謀和，因汪向之乞憐，使其倭閥態度轉強，以致粵漢失陷。汪之所爲，害己、害國、害黨，其罪非淺。今幸其自行暴棄，必於黨國與抗戰前途一大進步也」。〔註37〕

汪兆銘的出走，使得政府內部少了一名具有份量、能夠取代蔣中正與日本交涉之人選。因此汪兆銘的離開，反倒使得蔣中正對日本的策略越趨強硬，準備講稿與之隔空喊話，內容駁斥近衛聲明所提出之三大點，認爲東亞新秩序是「將中國全部領土變成日本所有的大租界」；經濟合作則是「要操縱我中國關稅金融，壟斷我全國生產和貿易」；駐軍共同防共，目的是「控制我國軍事，進而控制我國政治文化以至於外交」等。〔註38〕

蔣中正甚至認爲自己的講稿能夠使日本退縮。12 月 29 日重讀講稿，「甚覺自快，足使敵知所警戒，變換威脅或計誘之妄念」；〔註 39〕稍後又謂：「回渝後，發表對敵相近衛宣言之痛斥無遺，實爲抗戰以來最大之力量，自信敵國對此，其精神上必被我一文懾服矣」；故「汪氏逃亡及其嚮〔響〕應近衛之宣言，本於我有害，然於此或得因禍爲福，轉危爲安矣」。〔註40〕

因此汪的出走，雖然引起了蔣中正對於內部變局的擔憂，卻並未改變其抗戰到底之決心。蔣自記稱：「汪氏逃亡及其響應近衛之通電，是誠利令智昏，自陷絕路，所謂自作孽不可活也。美國借款成功，英國亦允借款，而美國對倭月底所送之牒文，其威脅敵國之效力，不減於余痛斥近衛之演詞，實助力於我國非淺也。吾於此惟有深感天父降福於善人，而自信爲善必昌，最後勝利必屬於我矣」。〔註41〕

蔣中正雖不擔心汪兆銘出走會對抗戰方針帶來過大的衝擊；但對於任何可能會擴大出走效應的因素，便不能視若無睹。其連日記下：「汪去後，對黨政軍以及各地之關係，應特加審慎」、「汪去後，外交與對敵或有影響乎」；〔註 42〕

〔註37〕呂芳上主編，《蔣中正先生年譜長編》（五），頁 653，1938 年 12 月 29 日條。

〔註38〕楊天石，〈汪精衛出逃與蔣介石的應對〉，《找尋眞實的蔣介石——蔣介石日記解讀》（二），頁 146～147。

〔註39〕呂芳上主編，《蔣中正先生年譜長編》（五），頁 651，1938 年 12 月 26 日條。

〔註40〕《蔣中正日記》，1938 年雜錄。

〔註41〕國史館編，《蔣中正總統檔案：事略稿本》（42），頁 729～730，1938 年 12 月 31 日條。

〔註42〕呂芳上主編，《蔣中正先生年譜長編》（五），頁 649，1938 年 12 月 22 日條。

包括「廣東軍人是否受汪影響」、「對粵將領説明汪之行動」、「政府內部受汪影響之人幾何」；以及「對汪表明態度」〔註 43〕、「對汪處置究以積極爲妥」等。〔註 44〕

除了與汪較親近的粵系將領外，幫助汪出走的地方實力派軍人龍雲，自然也受到了重慶的關注。在汪出走後，龍雲始終未對其惡言相向，甚至在〈豔電〉發表後，不但未明確表態，並於 1939 年 2 月 10 日在報上發表聲明，該聲明雖遙請汪出洋，暫不問國事；但也表明若日本條件得宜，和平運動並非全不可談。此與中央「抗戰到底」之方針相衝突。〔註 45〕

3、4 月間，先是雲南軍政界前輩李根源，提醒龍雲擁汪的嚴重性；重慶方面，蔣中正也請與雲南淵源極深的軍事委員會常務委員李烈鈞前往雲南，「關切」龍雲。〔註 46〕在派出遊說團之後，龍雲自然注意到蔣中正之戒心，4 月 13 日，特爲此發電，表陳心跡：「實際上，職與汪氏素無往還。此次短期接觸，已稔知其爲人，既不磊落光明，又不忠厚安份，在其豔電發出後，職未加以攻擊，猶本古人薄責于人之義，未肯論其短長；且各方正攻擊汪氏，亦不必再下井投石」。〔註 47〕

而龍雲雖解釋爲何對汪兆銘離渝之事，未多作表態之緣由，不過大抵而言，對汪兆銘的態度仍屬保守，龍雲此舉，也使得其餘將領開始關注其之動向。14 日，湖南省主席薛岳電龍雲，稱：「近聞汪先生謂：兄與弟、向華〔張發奎字〕均可聽其指揮，不勝笑話。弟與向華固誓死抗戰，弟深信兄亦必誓領導弟等抗戰到底，共成建國之大業也〕；〔註 48〕龍雲因而於隔日，透過薛岳向蔣中正表示，若汪兆銘對於抗戰再有公開主和的言論，即會表態譴責之：「汪先生買空賣空，實其慣技，徒肆簧鼓，逞其一己欲言，不顧於他人有無影響。如再不改積習，將來即應有詞〔辭〕聲明〕。〔註 49〕

〔註 43〕《蔣中正日記》，1938 年 12 月 23 日。

〔註 44〕《蔣中正日記》，1938 年 12 月 24 日。

〔註 45〕楊維眞，《從合作到決裂：論龍雲與中央的關係（1927～1949）》（臺北：國史館，2000，初版），頁 183～184。

〔註 46〕楊維眞，《從合作到決裂：論龍雲與中央的關係（1927～1949）》，頁 185。

〔註 47〕「龍雲函蔣中正」（1939 年 4 月 13 日），〈革命文獻——僞組織動態〉，《蔣中正總統文物》，典藏號：002－020300－00003－017。

〔註 48〕秦孝儀編，《中華民國重要史料初編——對日抗戰時期：第六編傀儡組織》（三），頁 116～117。

〔註 49〕「薛岳電蔣中正」（1939 年 4 月 15 日），〈汪僞組織（二）〉，《蔣中正總統文物》，典藏號：002－090200－00023－145。

但另一方面，龍雲亦向蔣中正報告雲南遭日軍轟炸之情形：「連日敵機侵入滇境轟炸省會附近，元〔13〕日敵機又炸蒙自，損失慘重，但不直接來炸省城」，暗示中央，日方之轟炸行爲「似含有威脅壓迫，使滇有所恐怖而生變化之舉」、並將轟炸行爲指爲係汪兆銘與日本之勾結，所延伸出的招攬之意，：「職意汪黨與日勾結，有此作用亦未可知，此以不肖之心待人，未知鈞座觀察以爲何如？」〔註50〕

龍雲數日間游移不定的態度，讓蔣中正無從判斷龍雲之眞意。14 日起，先是連日記下，需注意「滇龍態度」〔註51〕與「對滇之方鍼」；〔註52〕16 日時，已認爲「滇龍態度已表明對中央忠誠」；〔註53〕17 日，卻又仍不敢掉以輕心，自記須研究「志舟對汪態度」。〔註 54〕因此蔣中正爲了鞏固龍雲對中央的忠誠，復函龍雲：「此間觀察與兄全同，汪勾敵害國事實太多，擬屬孟瀟〔唐生智字〕兄不日來滇面詳一切也」。〔註55〕

22 日，當時無擔任要職的唐生智抵滇。唐於此前，曾於寧漢分裂、中原大戰期間，二度擁汪反蔣，卻皆以失敗作收。與汪兆銘有過數次失敗的合作經驗，並曾身爲「反蔣派」之健將的唐生智，以自身經驗向龍雲分析與汪兆銘合作之利弊，〔註56〕就立場而言，相對客觀，亦較具有說服力。

在唐生智的勸說下，27 日，龍雲同意公開發函汪兆銘，勸其停止「和平運動」；〔註57〕另外先前向蔣中正提及雲南遭受轟炸一事，30 日，龍雲藉此機會向中央要求一隊驅逐機；〔註58〕5 月 4 日，龍雲受任命爲航空委員會委員，

〔註50〕秦孝儀編，《中華民國重要史料初編——對日抗戰時期：第六編傀儡組織》（三），頁 117。

〔註51〕《蔣中正日記》，1939 年 4 月 14 日。

〔註52〕《蔣中正日記》，1939 年 4 月 15 日。

〔註53〕《蔣中正日記》，1939 月 4 月 16 日。

〔註54〕《蔣中正日記》，1939 月 4 月 17 日。

〔註55〕秦孝儀編，《中華民國重要史料初編——對日抗戰時期：第六編傀儡組織》（三），頁 117。

〔註56〕秦孝儀編，《中華民國重要史料初編——對日抗戰時期：第六編傀儡組織》（三），頁 117～118。

〔註57〕秦孝儀編，《中華民國重要史料初編——對日抗戰時期：第六編傀儡組織》（三），頁 119～120。

〔註58〕秦孝儀編，《中華民國重要史料初編——對日抗戰時期：第六編傀儡組織》（三），頁 121。

得以介入空軍事務，〔註 59〕在唐生智的遊說，以及與中央的條件協調之下，龍雲與中央的緊張關係，至此暫告一段落。

而除龍雲表態支持中央，原本與汪兆銘同出身廣東，關係較爲密切的薛岳、張發奎等地方實力派軍人也未隨之響應，迫使汪兆銘必須試圖與其他地方實力派軍人聯繫，如桂系的李宗仁、白崇禧。最早是 1939 年 5 月 12 日，軍統局傳來的消息，有自稱「善兄」者致電該局：

> 敵對襄樊進攻，軍力爲兩師，固目的在打擊中央軍，而使李宗仁事先有所戒備。善兄（不知何人）意，可退至宜昌、沙市保全兵力，不然則以出擊爲理由，繞信陽而至安徽，與廖〔磊〕部合流。因安慶等無敵人，善（不知何人）艷〔29〕日飛漢，面與武漢司令岡村寧次中將商談，務以不打擊李宗仁部爲懷。而兄等亦應周全考慮，務期保全實力，維持今後立場。〔註 60〕

3 日後，又傳來類似的消息：「汪謂與誠（李）益（白）雖無直接聯繫，但若組織政府時，兩公曾答應參加」，但此計劃疑似被汪方的高宗武流出，因此作罷。〔註 61〕蔣中正聽聞後，於 16 日日記記下：「此應切實注意之事也」。〔註 62〕

但 10 月間，再度傳出敵軍勾引李宗仁的消息。軍事委員會國際問題研究所主任王芃生向蔣中正報告：「汪賊密派前桂軍軍長張義純，妄冀通函李、白。前桂軍軍長、皖民政廳長兼代主席張義純，近由其內兄（現任賊黨僞六全監委）章正範之介紹，與汪賊來往。近乘李司令長官邀張赴鄂之機，汪賊竟敢託張帶密函，分呈李、白兩將軍」。〔註 63〕但汪此舉，最終亦未獲李、白的響應。

事實上，汪兆銘與桂系之往來一向不密切，且重慶政府內部對於桂系的評價，亦將其劃分爲主戰派。早於 1938 年 1 月，近衛文麿發表首次對華聲明

〔註 59〕秦孝儀編，《中華民國重要史料初編——對日抗戰時期：第六編傀儡組織》（三），頁 123。

〔註 60〕「黃鍵電毛人鳳」（1939 年 5 月 12 日），〈特種情報——軍統（五）〉，《蔣中正總統文物》，典藏號：002－080102－00039－004。

〔註 61〕「黃鍵電毛慶祥」（1939 年 05 月 15 日），〈汪僞組織（二）〉，《蔣中正總統文物》，典藏號：002－090200－00023－189。

〔註 62〕黃自進、潘光哲編，《蔣中正總統五記——困勉記》（下）（臺北：國史館，2011，初版），頁 664，1939 年 5 月 16 日條。

〔註 63〕「王芃生電蔣中正」（1939 年 10 月 15 日），〈一般資料——呈表彙集（九十五）〉，《蔣中正總統文物》，典藏號：002－080200－00522－101。

前夕，國民政府軍事委員會軍令部部長徐永昌與行政院副院長張群就和戰一事會談，徐永昌表示「渠以為既不能戰，即須求和」，但也認為「敵人條件恐非我們所能堪」，且若和戰，「共黨方面、桂軍方面反對必烈」。可見其後，桂系對於汪兆銘之策反無動於衷，此時應已有跡可循。〔註64〕

（三）吳佩孚工作

在唐紹儀遭刺後，汪兆銘的出現，使得日方在主持新政府一事，有了新的替代人選。但汪兆銘的出走，卻未獲重慶政府內部之響應，以達一呼百應之效，尤其軍系方面，更是無人跟進。因此曾為北洋時期最有實力的直系將領吳佩孚，動向自然受到關注。不只國民政府、日本或是汪兆銘方面，身任「臨時政府」行政委員長，曾於曹錕政府財政部長任內，與吳佩孚共事的王克敏，也力荐吳佩孚出山主持。〔註65〕

吳佩孚對於組府一事，與唐紹儀的想法一致，保持著隔岸觀火之態度，鼓勵汪兆銘出馬，自己則靜觀其變。由吳佩孚與日本及汪兆銘之間的交涉，更可見其曖昧不明之態度。1939年5月22日，汪兆銘發函吳佩孚，表示需要「海內仁人志士之心力共謀之」，「非組織統一有力自由獨立之政府，無以奠定和平。公老成謀國，如有所示，極願承教」。27日再予承諾：「誓隨海內仁人志士之後」，意欲將吳佩孚置於高位。6月7日，吳佩孚復函，表示對於組府一事的支持：

> 尊論謂非組織統一有力自由獨立之政府，無以奠定和平，確為扼要之言，與鄙見亦正相符。蓋不如是不但無以奠定和平，且無以見諒國人，並無以致國際之觀聽。願共本斯義，為圖邁進，友邦〔日本〕誠能具充分理解，悉予贊同。中日眞正之親善，固可依次以舉，而彼所揭櫫之聖戰意義，並可即事實為之證明。

吳佩孚並以該歐洲戰事為例，認為新政府的組成，可有效促成日本之撤兵：「近德意于西班牙撤兵，復歸其政府與弗朗哥，歐洲疑雲，因之頓消，此誠友邦之柯〔準〕則。尤望公切為正告也。弟委質國家，誓與國家共生存，同其命

〔註64〕徐永昌，《徐永昌日記》（臺北：中央研究院近代史研究所，1981，初版），頁215，1938年1月13日條。

〔註65〕「慫恿吳佩孚出組偽軍，王克敏建議汪兆銘」，《東南日報》，1939年10月3日。

運，苟能河山無恙，自計已足」；甚至表態願歸附其下：「幸叩不棄，更當追附賢者，竭華衷忱。如能教益施頻，資爲鍼圭，更所欣盼而不容自己者也」。〔註66〕9日，浙江金華的《東南日報》報導吳佩孚的態度：「倘中央政府與全國人民願意和平，渠自當從命參加；並須附有一條件，即和平不能受目前軍事形勢所支配，換言之，中國主權必須完整」。〔註67〕

由此看來，吳佩孚的原則似乎相當明確，即日本必須先撤兵，再談合作。但面對日本，吳佩孚的態度卻又不那般乾脆。6月18日，日本陸軍少將大迫通貞勸其出山，與汪兆銘合作，吳佩孚口頭上雖然應允，表示「對貴國朝野上下之好意實在感激」；但會後仍堅持不出山、不居元首地位，對日本之「謝意」顯得相對諷刺。與大迫同行的吳佩孚原日籍顧問岡野增次郎，卻不以爲然，認爲大迫以吳佩孚爲主，汪兆銘輔之的「吳七汪三」方針，與東京以汪兆銘爲中心的「吳三汪七」方針相衝突，表示：「于今後決非易事也」。〔註68〕

除此之外，吳佩孚與日本在想法上的歧異，認爲由於日本西化程度較深，使得中日在文化上出現歧異。7月5日，岡野與吳佩孚會談，吳佩孚表示由於日本尚未停止戰爭行爲；再者日本西化較深，中日在文化上已經出現歧異，因此認爲中日合作一事：「必須待水到渠成，使之如萬流歸於一溪」，對出山一事，仍不做明確之表示。13日，二人再度會談，吳佩孚表示：「若見汪氏等到底未能收拾時局，是時，余再出山又何嘗不可」。〔註69〕

一般所知，吳佩孚係前清秀才出身，或許某種程度上，使得他對於傳統文化有著一定的認同性。盧溝橋事變後，日本駐華武官今井武夫曾與吳佩孚有數次接觸，吳佩孚不斷表示，共產主義存在著共妻制度，與中國傳統禮教衝突，故「本人以均產主義來對付共產黨所信奉的共產主義，以振興禮教來撲滅共妻主義」。今井對於吳佩孚的看法，形容爲「一種奇怪的印象」；〔註70〕

〔註66〕中央檔案館、中國第二歷史檔案館、吉林省社會科學院編，《汪僞政權》（北京：中華書局，2004，初版），頁592～594。

〔註67〕「津訊外息：吳佩孚致電滬『東亞反共會』」，《東南日報》，1939年6月9日。

〔註68〕中央檔案館、中國第二歷史檔案館、吉林省社會科學院編，《汪僞政權》，頁599～601。

〔註69〕中央檔案館、中國第二歷史檔案館、吉林省社會科學院編，《汪僞政權》，頁601～605。

〔註70〕共產主義於此時，已進入中國約20年，皆未有宣傳「共妻」之主張，以吳佩孚之經歷，應不至於誤解此點。此處應爲今井武夫，未確實掌握吳佩孚所欲表達之意。

至於汪吳合作一事，認爲吳佩孚自高自大，很難利用，並不屑與汪兆銘合作。〔註 71〕此種說法可以見得，傳統文化的確爲吳佩孚所重視之一要點；也印證吳佩孚對待汪兆銘的曖昧態度背後，眞正的想法。

最後，若就重慶方面的情報觀之，吳佩孚與日本合作的可能性應當不大。吳佩孚甚至曾數度通報有關情報，但卻未能抵達重慶，因此特派秘書楊雲史前往香港，向杜鏞（月笙）陳述此事。1938 年 6 月 25 日，杜電告蔣：

> 月前派人赴平，探詢吳佩孚氏近狀。茲吳派秘書楊雲史來港，述及吳在平，雖應付極感困難，然決不失人格，請政府放心。曾數次託人通電陳情，竟未能達，渠甚悵悶。至對鈞座抗戰情形，萬分敬佩，終以愛莫能助爲恨。至楊至此，南來過唐〔塘〕沽時，備受恥辱，切齒尤深。現暫居港，由鏞招待一切。〔註 72〕

重慶方面曾於 1938 年 12 月，由孔祥熙發函吳佩孚，「奸人妄思假借名義，以資號召，遂致愚氓揣疑，謠諑繁興」；但也表示瞭解吳的立場：「由報章得悉先生熱忱愛國，力主正義，其不屈不撓之精神，非惟同人心折，尤爲中外欽仰」。1939 年 1 月，吳佩孚復函：「弟處境安如泰山，應付綽有餘裕，請釋遠慮」；並於函後記上太公語錄：「純剛純強，其國必亡；純柔純弱，其國必削；能柔能剛，其國乃昌」，表明了自己與日本之交涉，有其分寸與原則。〔註 73〕

然而，汪兆銘出走以後，對於吳佩孚與日本可能合作一事，其不明確的態度，仍再度引起國民政府方面的關注。從軍統局對吳佩孚的計畫，也能夠觀察出此一趨勢。戴笠曾電告局內幹員馬漢三：「吳子玉不至立即成爲漢奸，確係実〔實〕情；但吳功名心重、思想落伍，易爲其左右所賣也。前接兄電，對吳有制裁可能，如有把握，仍請堅決進行」；〔註 74〕並且持續關心暗殺之進度：「吳佩孚、汪翊唐〔註 75〕之行動佈置至如何程度」。〔註 76〕

〔註 71〕今井武夫，《今井武夫回憶錄》，頁 63～64。

〔註 72〕「杜月笙電蔣中正」（1938 年 6 月 25 日），〈革命文獻——僞組織動態〉，《蔣中正總統文物》，典藏號：002－020300－00003－005。

〔註 73〕中央檔案館、中國第二歷史檔案館、吉林省社會科學院編，《汪僞政權》，頁 591～592。

〔註 74〕「戴笠電馬漢三」，〈戴公遺墨——情報類（第 1 卷）〉，《戴笠史料》，國史館藏（下未標註者同），典藏號：144－010106－0001－058。

〔註 75〕汪時璟，字翊唐，「中國聯合準備銀行」首任總裁，並於「臨時政府」擔任財政總長。

〔註 76〕「戴笠復電馬漢三」（1939 年 3 月 23 日），〈戴公遺墨——情報類（第 1 卷）〉，《戴笠史料》，典藏號：144－010106－0001－013。

此一暗殺計畫，遺憾未有明確的年份標示；但仍可以確定的是，軍統局的確將吳佩孚視爲重要目標。但或許包含唐紹儀案等因素，對於在國內具有一定聲望的吳佩孚，軍統在制裁行動上仍有所顧忌。所以是否要繼續進行暗殺計畫，戴笠態度持重：「除吳暫緩執行外，其他漢奸如有辦法，均可進行」。〔註 77〕

1939 年 11 月 4 日，吳佩孚再就組府一事，對汪兆銘表示：若成立新政府，在法律地位上有其爭議，可能影響和約的進行，並不鼓勵組府。〔註 78〕不料一個月後，12 月 4 日吳佩孚即「因病」離世，其就組府一事曖昧不清且前後不一之態度，引起後人諸多揣測。〔註 79〕但無論如何，三個月後即將成立的新政府，因具有軍事威望的的吳佩孚意外驟逝，讓日汪在組府一事，少了一塊計劃中的拼圖。

第二節　新政府組織工作

（一）與重慶政府之競合

1938 年 12 月，汪兆銘爲了呼應日本所提倡之議和工作，由重慶出走，最終於 1940 年 3 月 30 日在南京宣告「還都」，開始了另一個階段的對日和平工作。但組府本非汪兆銘的最初志願，新政府也瀰漫著一股信任危機，根基並不穩固。

首先，新政府成立之最終目的，仍是如同汪兆銘離渝時一般，期待中日全面和平。因此即便新政府成立，似已只欠臨門一腳；但汪兆銘、周佛海認爲只要重慶願意議和，仍可放棄成立新政府之議。因此汪兆銘方面仍透過各種管道，試圖說服重慶，與日議和。其中包括日本華北方面軍司令官多田駿，偕同王克敏，向燕京大學校長司徒雷登（John Leighton Stuart）的傳話；段祺瑞之姪段運凱向重慶方面錢永銘、杜月笙等人的接洽；還有著名的「桐工作」，即今井武夫與重慶代表的直接會談。〔註 80〕

〔註 77〕「戴笠批示復周世光」（1939 年 6 月 11 日），〈戴公遺墨——情報類（第 5 卷）〉，《戴笠史料》，典藏號：144－010106－0005－021。

〔註 78〕中央檔案館、中國第二歷史檔案館、吉林省社會科學院編，《汪僞政權》，頁 598。

〔註 79〕金雄白，《汪政權的開場與收場》（上）（臺北：風雲時代，2014，初版），頁 105。

〔註 80〕金雄白，《汪政權的開場與收場》（上），頁 59～61。

另外，周佛海的同學王宏實等人，也在活動。直到 1940 年 1 月 13 日，周佛海尚與王宏實就即將成立的新政府，進行商談，表達立場：「新中央政府成立後，自應設法與重慶融合，以期內得統一、外得和平，余可負責向日本交涉，請其不再提蔣先生下野問題，但蔣先生必須下決心主和，否則余之努力必無結果，故今後統一關鍵，不在吾輩而在重慶也」。〔註 81〕18 日，王宏實再訪，周佛海指示：「只要能和平，一切均好說話，但恐蔣先生出於意氣之爭，蠻不講理耳」。〔註 82〕

另一方面，蔣中正也仍未放棄阻止汪兆銘的謀和行動。當 1939 年 5 月，汪兆銘計劃前往日本，進行更進一步之和平工作時，蔣中正曾請宋子文與反對汪兆銘赴日的陳公博，再做接洽：「聞汪此次赴東京，公博反對，故尚留港。如有便，請兄與之聯繫，或勸彼赴歐」。〔註 83〕

汪兆銘前往東京，顯示組府一事之勢在必行，對蔣中正個人而言，正可在黨內少一個競爭對手，21 日記下：「汪出走後，只少可打破望余下野，由汪代替以逐〔遂〕其侵略之夢想。而汪既到東京降敵，乃可決心通緝矣」。〔註 84〕故至 6 月 6 日，蔣中正明示：「汪即到東京，應即通緝」；〔註 85〕8 日在確定汪兆銘與周佛海、梅思平前往日本後，遂決議通緝汪兆銘。〔註 86〕

而眼見這個試圖重新代表中國站上談判桌，對日交涉的新政府即將成立，英美人士也並不完全以國家分裂的悲觀主義視之。1939 年 11 月 8 日，一向親日的英國駐日大使克萊琪（Sir Robert Leslie Craigie）與美國駐日大使格魯（Joseph Clark Grew）進行會談。格魯認為在諾門罕戰役之後，日蘇進入中立狀態，中國戰情堪虞，若汪兆銘在此時與日本合作，組織新政府，對於中日戰事的解決，或許製造了一線曙光：「此時，汪兆銘的出馬，似形成建設新中國的核心。汪兆銘並非徹頭徹尾追隨日本的人，而有朝一日，如果他現在

〔註 81〕周佛海著，蔡德金編著，《周佛海日記全編》（上），頁 230，1940 年 1 月 13 日條。

〔註 82〕周佛海著，蔡德金編著，《周佛海日記全編》（上），頁 232～233，1940 年 1 月 18 日條。

〔註 83〕「蔣中正電宋子文」（1939 年 5 月 18 日），〈革命文獻——偽組織動態〉，《蔣中正總統文物》，典藏號：002－020300－00003－020。

〔註 84〕呂芳上主編，《蔣中正先生年譜長編》（六），頁 81，1939 年 5 月 21 日條。

〔註 85〕呂芳上主編，《蔣中正先生年譜長編》（六），頁 89，1939 年 6 月 8 日條。

〔註 86〕秦孝儀編，《總統蔣公大事長編初稿》（卷四上冊），頁 367～368，1939 年 6 月 8 日條。

正實行的那樣，成功取得中國人中的相當勢力和支持，他就建立新政府。其後，他不允許日本把自己當作傀儡」。

所以，格魯主張靜觀其變，「如果他作爲新中國的統率者出現之初，民主國及民主國的通信機關把他視爲愚弄對象對待，這非得計，莫如將來可抓住和他接近的機會。九國條約可適用于整個中國，如果有責任的政府在中國取得壓倒的優勢，我們絲毫不妨礙與其政府及理論上發生聯繫」。

格魯強調「在其他國家，也有曾建立過這樣新政府的情況，若經過一段時間，可以承認它是這個國家的正當代表者。現在還說不定會發生什麼樣的事態，馬上下斷言是輕率的」；當然現在「對汪兆銘過于信任，也爲時過早。可是汪兆銘成爲解決中國問題的關鍵的可能性是相當大的。所以我們要迴避做貶低他的事，同時，特別希望注意我報導機關，不要讓它們徒然引起他的憤怒」。

另外，格魯提及法國大使也同意此觀點，可見此時英美對於汪兆銘組府一事，抱持著中立的態度，並不排斥未來與之合作的可能。〔註 87〕但就事實發展而言，最終列強的觀望並未成眞；新政府的建立，並未引起列強所期待的大局變化。

但日本的態度，卻在新政府成立前產生動搖。無論是日本方面或是汪兆銘等人，皆以爲組織新政府，能夠製造重慶方面的壓力，進而使之議和。但在新政府成立已漸加完備之時，重慶的態度卻仍未現軟化。簡言之，新政府的成立，不但未達到當初的目的，甚至造成重慶的態度越趨強硬，這也迫使日本必須重新思考對新政府之態度。

爲此，1940 年 1 月 13 日，周佛海與日本駐華公使加藤外松，就新政府成立一事會談，兩方意見產生齟齬：

> 加藤公使來談。余以爲中央政府即國民政府，無所謂承認問題，但派大使足矣。加藤謂可派特派大使，不遞國書。余謂如此則新中央政府爲無意義，可以不組織，蓋其意欲留一與重慶談判之餘地。余謂余輩決不反對日本與重慶談判，但新中央如日本不承認，則寧可不組織。〔註 88〕

〔註 87〕「駐日英、美兩大使關於成立新中國政權的密談內容的『通牒』」，黃美眞、張雲編，《汪精衛國民政府成立》（上海：上海人民，1984，初版），頁 791～792。

〔註 88〕周佛海著，蔡德金編著，《周佛海日記全編》（上），頁 230，1940 年 1 月 13 日條。

於是，對日外交上，汪政府的處境也頗為尷尬。雖然汪兆銘係受到日本的鼓吹與支持，方才脫離重慶，進而自組政府；但新政府卻在 8 個月後，才得到日本承認。當中最大原因，即是日本仍未放棄與重慶和談的可能。

（二）陣營信心危機

由於與重慶政府之競合關係落於下風，陣營內部信心危機揮之不去。蓋汪政府的籌組，係以周佛海、梅思平、高宗武等國民黨人為核心，雖與汪兆銘在對日政策上步調較一致，但事實上並非汪的嫡系成員。與汪兆銘淵源較深的所謂「汪派」人士，包含地方實力派軍人，如原與汪關係密切的薛岳、張發奎、黃琪翔，或是曾接洽過的龍雲，在汪出走後，卻皆按兵不動；文官方面，「改組派」〔註 89〕的主要成員，包含 1932～1935 年間，汪兆銘擔任行政院長時，其內閣中的實業部長陳公博、鐵道部長顧孟餘和行政院參事陳克文等人在內，多數人都猶豫不決。陳公博前往香港觀望情勢，其餘包含上述所提及之顧孟餘、陳克文等汪派人士，皆暫留在重慶。

1939 年 6 月 7 日，戴笠將軍統局安插在陳公博身邊的梅哲之所得情報轉呈蔣中正，回報有關汪兆銘赴日，以及陳公博之動向：「陳璧君赴港，完全係邀請陳公博赴滬合作，無論如何，要公博在汪未到滬之前到上海」，但「公博以母病危篤，不能遠行卻之」，因此「璧君又要求陳公博先將其意見以書面寫就，由伊電汪」。然而陳公博於信中，除了批評汪兆銘的主張錯誤之外，「並力言日人之信用不可靠，雖面允亦不實行云」。

不過根據梅哲之的觀察，「公博雖不贊成汪之主張與行動，但對舊道德之感情則非常之重，經過璧君之力挽，似又進退兩難。萬一其母病死，為感情所衝動，或隨璧君赴滬，而甘為知己犧牲。此時之玉君亦惟有隨行（玉君係哲之化名）」，梅哲之並對戴笠提出阻止陳公博的意見：「中央欲使陳公博離汪，第一步須使其出洋，不能使其直赴重慶，因恐人說他賣友求榮也」。

而重慶也運用未隨汪兆銘出走的汪派人物，對陳有所動作。曾於汪兆銘內閣中，擔任鐵道部長的顧孟餘，就介入斡旋，希望能夠阻止陳公博出走：「昨

〔註 89〕全名「中國國民黨改組同志會」，後多簡稱「改組派」，於 1920 年代末成立，奉汪兆銘為精神領袖。以陳公博、顧孟餘等人為首，此派系被視為汪兆銘之嫡系成員，即所謂「汪派」。

日顧孟餘來見，言與宋子文頗友善，擬邀公博往晤宋，但公博不願，後經左右力勸，則云如宋來訪亦願接見云」。〔註 90〕

檯面下遭受滲透，檯面上的汪派人物，心裡也各有盤算。除陳公博居港，按兵不動以外，最早向日本提出「以汪代蔣」的高宗武，也開始動搖，並與汪兆銘產生磨擦。〔註 91〕根據汪政府媒體文宣要人金雄白的說法，高對於被安排的新官職僅爲外交部次長，感到不滿。另外，陶希聖欲主持新政府實業部，卻被安排至宣傳部；加之與周佛海的親信，時任汪兆銘國民黨副秘書長的羅君強，在爭取新政府之《中央日報》管轄權上，產生爭執，羅君強並發函痛罵陶希聖，〔註 92〕最終引發了「高陶事件」。

早在 1939 年 6 月 7 日，梅哲之已向戴笠回報陶希聖之動向：「陶希聖因津貼生活費太少，亦擬與汪分離」；惟據聞「汪之津貼各幹部生活費，甚爲豐厚，陳公博每月港幣一千五百元，陶希聖、陳春圃、林柏生等每人千元，何炳賢、何焯賢等亦有數百元云」，只是「陳公博與其左右，近認汪之津貼，出自日人，現已聲明以後不肯收受。顧孟餘則明白與汪脫離關係矣」。〔註 93〕

12 月 26 日，高宗武與陶希聖二人邀請日方談判代表犬養健會談，高、陶二人認爲和平運動走向，已偏離近衛聲明，因此向犬養提議，三人同往重慶，向蔣中正報告和平運動的進度，並將交涉對象轉回重慶，但遭到犬養的拒絕。〔註 94〕1940 年 1 月 1 日，高宗武至周佛海家中會談，「相約以國家爲前程，個人成敗，不應計及；中央政府必須成立，重慶必須設法打通，兩人分工合作，異途同歸，總以全國停戰和平爲目標，努力前進。兩人發誓各自努力，各相諒解」。〔註 95〕

4 日，高宗武、陶希聖「失蹤」，周佛海「憶一號與宗武所談，恍惚大悟」，但周此時尚能理解，認爲「中國不能不統一，因之重慶不能不聯絡」，只是「萬

〔註 90〕「戴笠呈蔣中正」(1939 年 6 月 7 日)，〈革命文獻——僞組織動態〉，《蔣中正總統文物》，典藏號：002－020300－00003－024。

〔註 91〕王克文，〈高宗武「身入虎穴」〉，《汪精衛·國民黨·南京政權》，頁 284。

〔註 92〕朱子家（金雄白），《汪政權的開場與收場》(上)，頁 64～65。

〔註 93〕「戴笠呈蔣中正」(1939 年 6 月 7 日)，〈革命文獻——僞組織動態〉，《蔣中正總統文物》，典藏號：002－020300－00003－024。

〔註 94〕犬養健著，任常毅譯，《誘降汪精衛秘錄》(江蘇：江蘇古籍，1996，初版)，頁 227～229。

〔註 95〕周佛海著，蔡德金編著，《周佛海日記全編》(上)，頁 220～221，1940 年 1 月 1 日條。

不料其離滬如此之速也；其事前早有接洽可知，感觸萬端」。〔註96〕5日，「汪先生因宗武及陶希聖不告而別，頗爲憤慨」，〔註97〕惟由於陶希聖出走前，曾帶著被羅君強痛罵的書信，向汪兆銘哭訴，〔註98〕因此，8日擴大幹部會議汪兆銘仍「力爲陶希聖解脫」，〔註99〕9日，周佛海與汪兆銘持續討論高、陶二人赴港之事，〔註100〕卻未料及，高、陶之手段相當激烈。

此時，高、陶前往香港與陳公博會面，陳公博雖對於高宗武的離開並不意外，〔註101〕但也責備了他們的魯莽。陶希聖向陳公博表示將回上海，高宗武則說要外遊。數日後，二人寄信予汪兆銘，表示絕不出賣機密。〔註102〕不料22日，香港《大公報》便發表了高宗武、陶希聖致該報的函件，以及他們帶出的《日支新關係調整要綱》暨附件全文。

同日，周佛海聞訊，記下「接上海無線電，高、陶兩敗類在港將條件全部發表，憤慨之至」；晚間與梅思平見面「談高、陶之事，憤恨之餘，徹夜未睡。擬回滬發表長篇聲明，說明吾輩態度，以正國人之視聽。高陶兩動物，今後誓當殺之也」。〔註103〕23日，「接香港拍來高、陶二敗類致《大公報》緘，不禁髮指，因赴海光亭晤清水〔重參〕、犬養〔健〕等，談及此事，余憤慨之餘，不禁泣下」。〔註104〕惟汪、日方面雖然宣稱高、陶所公佈的文件僅是草約，〔註105〕但最終簽訂的版本，內容上並沒有根本的差異。〔註106〕

〔註96〕周佛海著，蔡德金編著，《周佛海日記全編》（上），頁223～224，1940年1月4日條。

〔註97〕周佛海著，蔡德金編著，《周佛海日記全編》（上），頁224，1940年1月5日條。

〔註98〕朱子家（金雄白），《汪政權的開場與收場》（上），頁65。

〔註99〕周佛海著，蔡德金編著，《周佛海日記全編》（上），頁226，1940年1月8日條。

〔註100〕周佛海著，蔡德金編著，《周佛海日記全編》（上），頁227，1940年1月9日條。

〔註101〕王克文，〈高宗武「身入虎穴」〉，《汪精衛．國民黨．南京政權》，頁294。

〔註102〕犬養健著，任常毅譯，《誘降汪精衛秘錄》，頁231～232。

〔註103〕周佛海著，蔡德金編著，《周佛海日記全編》（上），頁234～235，1940年1月22日條。

〔註104〕周佛海著，蔡德金編著，《周佛海日記全編》（上），頁235，1940年1月23日條。

〔註105〕犬養健著，任常毅譯，《誘降汪精衛秘錄》，頁233～234。

〔註106〕王克文，〈高宗武「身入虎穴」〉，《汪精衛．國民黨．南京政權》，頁295。

對汪兆銘而言，唯一可告慰的，是高、陶的出走，換得了陳公博的「歸隊」。陳公博在香港與高、陶見面，認為在高、陶出走之後，周佛海、梅思平等皆非汪之嫡系人馬。因此即便對組府一事，向來抱持著反對態度，但為了朋友道義，一星期後，陳仍決定前往上海。〔註107〕

陳公博之顧慮，亦非無所本，就在新政府成立當天，蔣中正記道：「周逆佛海派人，尚來密報」云云，〔註108〕密報內容為何，日記中並未記下；但可以確定的是，在汪政府成立之時，包括周佛海這等汪方要人，仍與重慶政府保持一定程度之聯繫。

（三）華北各政權合併爭議

汪兆銘組府最優先之事，仍在內部的組織上，充實各項人材。例如軍事人材的質量不足，就是新政府之一大難題。這種情形，也使軍統局得以藉機而入，派員前往進行滲透：

> 頃據香港陳維遠（福建保定出身）報告：……汪系軍事人材，現僅葉蓬一人。葉係周佛海介紹，汪政府成立時，擬先組織參謀團，或軍事研究會，以收容人才，指揮軍事。蕭〔叔宣〕已向周佛海介紹陳維遠參加工作，周已首肯等語。〔註109〕

加之新政府是與「臨時」、「維新」二政府合併，因此組織上，勢必延用「臨時」、「維新」各要人。1939年5月，汪兆銘已自河內返回上海，27日與法國大使見面，展現出組府的積極態度。宋子文向蔣中正報告：「汪已回上海，住虹口，並曾與法大使晤面，進行組偽府頗積極。惟其與京、平兩偽組織問題複雜，短期難實現。此事乞暫守秘密，俾續得密報，再行電陳」。〔註110〕

而此二府之人員組成，核心皆多為北洋時期之官僚，合作上尚稱密切。1938年10月13日，臨時、維新二政府組成類似「聯邦」的組織，雖然各自

〔註107〕王克文，〈高宗武「身入虎穴」〉，《汪精衛．國民黨．南京政權》，頁295；朱子家（金雄白），《汪政權的開場與收場》（上），頁65。

〔註108〕《蔣中正日記》，1940月3月30日。

〔註109〕「戴笠呈蔣中正」（1939年6月7日），〈革命文獻——偽組織動態〉，《蔣中正總統文物》，典藏號：002－020300－00003－024。

〔註110〕「宋子文電蔣中正」（1939年5月27日），〈革命文獻——偽組織動態〉，《蔣中正總統文物》，典藏號：002－020300－00003－021。

爲政，但聯邦內的閣員，仍能夠由二府各自派人角逐，軍事委員會辦公廳主任賀耀組與戴笠就此事向蔣中正報告：

> 「臨時」、「維新」兩僞政府所合組之僞「中華民國聯合委員會」內，尚有一種組織未經公開者，即爲僞「中華民國政府議政會」，現正籌設中。該會下設「議政處」（爲主政機關）及「綏靖處」（爲統轄僞軍機關），兩處長人選未定，惟綏靖處長一職，任逆援道與齊逆燮元正在逐鹿中。

另外，二府爲整理華東經濟與開發華北，又於上海另設復興局，並預計於天津或青島設立中興局，並確定由維新政府外交部長陳籙出任復興局局長，內政部次長夏奇峯出任中興局局長。〔註 111〕

相較於「臨時」、「維新」二政府較爲密切的聯繫，對於汪兆銘可能加入其中運作，王克敏的態度即不甚歡迎。其中原因自不脫二政府之組成，多以北洋政府之官僚爲主，與國民黨的汪兆銘並非同一系統出身。惟對外理由，王克敏也指責汪兆銘與日本可能談成的協議，過於喪失國權。

1939 年 4 月 17 日，宋子文向蔣中正報告：「最近在北平時，叔魯〔王克敏字〕告以：日軍人統制派對汪僞組織仍持不妥協態度，彼亦正在進行破壞工作」；王克敏表示，「就彼所知，在高宗武、陶希聖離滬之後，汪與日所訂條約變本加厲，綜列如下：一、撤兵時期及駐兵地點問題，二、內蒙問題，三、新上海，四、海南島，五、經濟合作問題，六、通信交通問題。以上均極端喪失國權，如非澈底更改，則中國將永遠淪胥，不能存在」。因此，若重慶政府有計劃重新就和談一事，與日本議約，王克敏不排除前往重慶合作，以阻止日汪可能達成的協議：「彼曾以是說，告諸日方□□默認。據彼見解，應覓取途徑，推翻汪僞，重新與日訂立比較平等條約。如果有此可能，彼甚至竟來重慶。彼如一經到港，則汪僞當可瓦解云」。〔註 112〕

1940 年 1 月 24 日，汪兆銘抵達青島，準備與臨時政府的王克敏、維新政府的梁鴻志等人，就新政府合流一事進行會談。原對汪方而言，此次會談，若三方能達成共識，對新政府之士氣，應稍有鼓舞之用。但在汪兆銘抵達青

〔註 111〕「賀耀組戴笠呈蔣中正」（1938 年 10 月 13 日），〈革命文獻——僞組織動態〉，《蔣中正總統文物》，典藏號：002－020300－00003－006。

〔註 112〕「宋子文呈蔣中正」（1939 年 4 月 17 日），〈革命文獻——僞組織動態〉，《蔣中正總統文物》，典藏號：002－020300－00003－047。

島的前二日，高宗武、陶希聖脫逃至香港，並於《大公報》之上，公佈日汪未來合作之條約，導致在三方會談前，焦點即已被模糊。

但對於汪方而言，起碼在此次會談，與臨時及維新二政府，在新政府之組織上，有了明確之初步共識：「決定中央政府樹立大綱、政綱及政策；並決定政府爲國民政府；國旗、首都均仍舊」；〔註 113〕25 日，三方對於新政府之組織方針，有了再進一步之共識。首先於新政府正式成立以前，先成立「中央政治會議」，由汪兆銘出任主席，負責調整對日關係，以及統籌新政府成立之業務。俟新政府正式成立後，即解散該會議，改由「中央政治委員會」（下稱「中政會」）做爲新政府之最高領導機構。主管包含軍事、財政等重大政策，以及決定五院院長、副院長及一級政務官等人選。該委員主任亦由汪兆銘出任，汪並代表國民黨，與其餘所謂「社會賢達」共組該委員會。

而此會議除了確立中央政府之法理性外，在地方自治上，也確立了〈華北政務委員會條例〉。條例中明文規定，該委員會係爲管理河北、山東、山西三省，及北京、天津、青島三特別市之政務，而特別設立。〔註 114〕但事實上，該範圍即爲「臨時政府」之統治區，就事實發展而言，在汪政府成立後，「臨時政府」亦的確接管了「華北政務委員會」，青島會談得以順利落幕，此條例確立之影響，不可謂不小。

略顯諷刺的，係即便新政府之大綱，以及組織條例皆已草訂完成，此時汪方卻仍未放棄與重慶合流；惟無論如何，以「國民政府」之名義，合併臨時與維新二政府，並以議和派共主之姿，繼續對日本進行交涉工作，或許已經是汪兆銘在這場政治角力戰當中，唯一能夠勉強保住面子，暫時全身而退的方式。

（四）對日談判之進行

1939 年 5 月 31 日，潛伏在汪兆銘身邊的李水源，回報予戴笠的情報指稱，汪兆銘與日本談判之條件，已逐漸成形：

> 據周佛海稱，汪精衛對敵方答應之條件，比較重要者爲：A.承認滿洲國；B.加入防共協定；C.日本定五年內撤完在華駐軍（汪堅持二年內撤完，日方於防共協定簽訂後考慮）；D.日本在平、津、內蒙長

〔註 113〕周佛海著，蔡德金編著，《周佛海日記全編》（上），頁 236，1940 年 1 月 24 日條。

〔註 114〕周佛海著，蔡德金編著，《周佛海日記全編》（上），頁 236～237，1940 年 1 月 25 日條。

期駐兵；E.雙方不互相賠款；但青島日商損失應賠償；日本另立款項救濟中國難民；F.中日滿經濟合作。

此時，汪兆銘正準備赴日，梅哲之向戴笠回報有關情報：「汪之赴日，陳璧君自言首先贊成，其次爲周佛海、梅思平、高宗武。表面祇云爲國旗問題及政府名稱，其實討論他的主張（豔電幾點）及如何兼併北平、南京兩僞組織與兵款等問題。約三星期回滬」等。〔註115〕

6月，汪兆銘親訪日本，日本內閣也爲此舉行五相會議，討論汪之條件，並決定六點有關新政府樹立方針。其中第一點指出：「新中央政府以汪、吳〔佩孚〕、既有政權、改變主意的重慶政府等爲其構成分子，該政府作爲中國方面的問題，由這些構成分子作適當協力以樹立之」。第二點則將以日支新關係，做爲與新政府對談之基礎：「新中央政府以『調整日華新關係原則』爲準繩，正式調整日華國交，構成分子當事先接受上述原則」。

不過，最後的第六點表示，雖不排斥與重慶合流，重慶方面必須在「抗日」、「容共」政策與人事上，做出調整：「重慶方面在放棄抗日容共政策、作必要的人事更替、並接受上述第一及第二項的情況下，即認作爲屈服，得成爲新中央政府的構成分子之一」。

五相會議除了討論組府的大方向之外，另外由於汪兆銘堅持使用青天白日旗，使得五相會議特別就旗幟一事，提出討論，決議必須得到日本方面同意，方得使用。〔註116〕

有關五相會議，駐日武官蕭叔宣曾有報告。1939年6月7日，戴笠向蔣中正報告：「頃據香港陳維遠（福建保定出身）報告，蕭叔宣已於支〔4日〕晨自滬抵港，據稱汪精衛與敵勾結經過。最近敵內閣所開五相會議，即係會商對汪之辦法及條件。經五相會議決定後，交汪斟酌，如有更改，再開會議決定」。一旦「經由敵國會通過，即由敵閣發表擁汪宣言，然後汪即在國內（地點未說）召集國民黨代表大會，產生擁汪政府」。〔註117〕

〔註115〕「戴笠呈蔣中正」（1939年6月7日），〈革命文獻——僞組織動態〉，《蔣中正總統文物》，典藏號：002－020300－00003－024。

〔註116〕「2.支那事変処理ニ関スル重要決定／9 ニノ（一）新中央政府樹立方針」（1939年6月6日），〈支那事変関係一件第三巻〉，《外務省記録》，外務省外交史料館，アジア歴史資料センター藏，レファレンスコード：B02030519000；黃美真、張雲編，《汪精衛國民政府成立》，頁86～87。

〔註117〕「戴笠呈蔣中正」（1939年6月7日），〈革命文獻——僞組織動態〉，《蔣中正總統文物》，典藏號：002－020300－00003－024。

重慶政府與日本談判的僵持點，係以日本撤軍與滿洲國承認問題爲中心。因此汪兆銘對於日本撤軍一事，並未做出特別強硬的表態。1939 年 9 月 7 日，汪兆銘對外國記者表示：「講到關於日本軍隊離開中國，我們必須了解撤退部隊，當在和平之後。如果重慶政府猶繼續抵抗的話，大量撤軍這樁事是不會有效果的。因爲撤軍須在恢復和平、打倒現在的重慶政府，而使國家完全統一之後，才能實現的」。

對此，重慶方面的社論則撰文諷刺，認爲汪兆銘避談撤軍，是害怕日本撤軍以後，他將失去唯一的庇護：「或者汪先生大概了解，一旦日本軍隊從中國撤退，他自己的國民黨組織和『政府』亦將不得不相繼而消滅，因爲日本軍隊撤退，而來的乃是中國合法政府重新收復其失地」。〔註 118〕

（五）政權法統之確立

如同前文所提及，汪兆銘對於新政府之法律地位，也存有疑慮，因此在 1939 年 9 月，汪兆銘等人自行舉行黨代表大會，以加強新政府之合法性。但由於隨汪出走的國民黨員人數甚寡，因此要重新組織一個在法統上能夠取代重慶的新政府，程序與法理上將會出現瑕疵。對此，汪兆銘也開始思考，是否自行修改原有的組織章程，以建立新政府的合法性。

稍早 5 月 31 日，戴笠根據汪身邊的線人李水源所提供之情報向蔣中正報告：「汪精衛寢〔26〕日告本人謂：目前彼（汪）對產生『中央政權』之步驟問題，頗費躊躇，有人主張先召集一國民黨代表大會，授權於汪着手組織政府，但恐代表大會無法湊集法定人數，仍不能取得合法地位」；因此「另有人主張先成立『中央政治會議』，由此項會議產生『國民政府』，又恐此種政府無法律根據」。最終周佛海主張兩者合力進行，「一面召集代表大會，不計法定人數，只要有會便行；一面組織『中政會』，由中政會產生政府，然後提交代表大會追認」。

如同上述，汪兆銘所欲組成之新政府，目的係取代蔣中正的政府，以一個全新的中國代表之身份，與日本進行和談。因此對日本所提出的談判條件中，堅持沿用舊有黨旗、國旗，並且要求取消「臨時」及「維新」二政府。這些條件也逐漸引起日人對汪兆銘的不以爲然。根據戴笠同份報告：「頃據上海李水源報稱：連日與日諜接觸所得，須賀、影佐、和知、楠本對汪之努力，

〔註 118〕「從吳佩孚到汪精衛：日本人的和平夢」，《重慶掃蕩報》，1939 年 9 月 28 日。

仍無良好印象」。箇中日本駐上海武官須賀彥次郎，向李水源稱：「我看汪之做法極少成功希望，蓋彼至今尚堅持國民黨及黨國旗，這叫日本如何向前敵將士解釋？」陸軍少將楠本實隆甚至認爲「汪之實力皆紙老虎，無一可靠；因此欲日本取銷〔消〕兩僞政權，太不識相」。即連與汪兆銘較爲親近的陸軍少將影佐禎昭也表示：「如汪不親到東京一行，恐彼（影佐）亦無能爲力」各等語。〔註 119〕

延至 1939 年 6 月 7 日，汪日間的交涉，仍持續呈現一渾沌狀態，戴笠向蔣中正報告：「汪所提條件甚大，渠所組政府須有絕對自由，即日顧問亦不容隨意指派。現敵人對汪條件，首感困難者，以汪仍欲保持青天白日旗，但最近汪或不堅持」。〔註 120〕最終雙方在國旗問題決定各退一步，於青天白日旗上，另外懸掛一黃旗，書上「和平反共建國」六字。

在汪政府正式成立之後，有關施政之重大議題，延用國民政府舊制度，設立「中央政治委員會」（下稱「中政會」）討論並決議之。但中政會不發佈命令及處理政務，在執行上，仍交由汪政府對應之相關部門處理；且相關部門所制定之政策，也須先交付中政會審查與設計，方得執行之。

惟中政會組織條例亦有提及，中政會主席「得爲便宜之處置，交由國民政府執行，但須得最近會議中提請追認之」，中政會主席由國民黨主席兼任之，〔註 121〕而主席一職自然由汪兆銘擔任。意即在汪兆銘允許之下，制定與執行政策上，各部會得以先斬後奏。

另外爲強化黨機器，汪兆銘所主持的黨中執委會及常委會，每月定期開會一次，並任命各地方黨部負責人：「委定上海市黨部負責人爲汪曼雲、顧繼武、章正範；南京爲程滄波、楊鳴九；漢口爲凌啓鴻、陳琇甫等」；當前目標「擬廣召新黨員，以介紹□□，發給津貼爲吸收手段」。〔註 122〕

所以汪政府風光「還都」之後，對日工作似乎有了開花結果之可能。但總而論之，在汪政府內部，存在著包含高層要人被滲透；以及與臨時、維新

〔註 119〕「戴笠呈蔣中正」（1939 年 5 月 31 日），〈革命文獻——僞組織動態〉，《蔣中正總統文物》，典藏號：002－020300－00003－023。

〔註 120〕「戴笠呈蔣中正」（1939 年 6 月 7 日），〈革命文獻——僞組織動態〉，《蔣中正總統文物》，典藏號：002－020300－00003－024。

〔註 121〕秦孝儀，《中華民國重要史料初編——對日抗戰時期：第六編傀儡組織》（三）（臺北：國民黨黨史會，1981，初版），頁 178。

〔註 122〕「顧祝同自上饒電蔣中正號次 35312」（1939 年 9 月 22 日）〈汪僞組織（二）〉，《蔣中正總統文物》，典藏號：002－090200－00023－167。

二政府能否順利整合之問題。對外方面，日本原欲以汪兆銘組府一事，逼使重慶政府對於中日議和做出妥協；但直至汪政府成立，重慶方面仍然不爲所動。汪兆銘的出走、甚至組府，無法達到日本所預期之成效，也導致日本對汪政府的信任度大打折扣。最終汪政府即在這般風雨飄搖的情形之下，以一獨特之角色粉墨登場。

第三章　汪兆銘政府的對外關係

1940年，已是中日戰爭爆發的第三年，即便3月30日汪政府成立於南京，由於日本對重慶仍抱有停戰的想像，認爲若與重慶和談得成，二政府仍有合流之機會，因此並未立即承認汪政府，而是繼續嘗試各種管道與重慶接觸。需至9月，國際形勢變化，一方面日軍南進，實際控制法屬越南；另一方面，隨之與德國、義大利締結了《三國同盟條約》。此時，日本在軍事及外交上自認取得優勢，與重慶政府談判又未有進一步的成果之下，遂決定放棄與重慶和談，於1940年11月30日與汪政府簽訂《中日基本關係條約》，並與滿洲國共同發佈《日滿華共同宣言》，以承認汪政府。

惟由於戰爭時期，不同陣營之間壁壘分明，外交行爲勢必受到戰況之左右；汪政府在與重慶政府鬧雙胞的情形之下，欲爭取國際承認，更非屬易事；在所謂「弱國無外交」的情形下，只能利用戰爭所帶來的混亂，而展露一線曙光。此中包含德軍進攻蘇聯、太平洋戰爭爆發等國際變局，既使得汪政府與軸心陣營之命運，更加緊密相依；也連帶使得日本在對汪政策上，稍微給予較高的自由度。

延至1943年1月9日，在汪政府與英、美宣戰同日，日汪簽定《關於交還租界及撤廢治外法權之協定》，確立了租界收回及治外法權廢除的方向。旋於同年10月30日，重新簽訂《中日同盟條約》，將1940年11月成立，內文引起爭議的《中日基本關係條約》廢除，並對未來日軍撤兵，做出初步的保證。

至此，溯自1938年底，汪兆銘離開重慶，到取得日本撤兵的保證，已將近五年。固然戰爭狀態仍在進行中，五年的和平運動努力，成效並不顯著。但汪政府也在此等國際戰情不穩的夾縫之下，意外地在外交上取得些許成績。不過這些隨著戰亂而來的外交成果，卻也在戰爭持續進行的狀態之下而被掩蓋。因此本章即試圖自汪政府成立起，係如何與日方建立關係，並進而取得軸心陣營之承認，以及其後的外交行為做為探討核心，以釐清汪政府之對外關係。

第一節　日汪國交的確立

（一）日方「桐工作」之稽延

1938年1月16日，日本首相近衛文麿第一次對華聲明即曾提出「爾後不以國民政府為對手，期待足與日本真正提攜之新興政權建立與發展，與之調整兩國國交」〔註1〕之語；至同年12月22日發表的第三次對華聲明，也提及：「決以武力徹底消滅抗日國民政府，而與華方眼光遠大之人攜手努力建設東亞新秩序」。〔註2〕29日，汪兆銘發電蔣中正，將近衛聲明整理為「善隣友好」、「共同防共」、「經濟提攜」三項重點做為回應，希望重慶響應，與日方以和平手段解決問題。〔註3〕

汪兆銘的出走、通電回應近衛文麿，到最終在日本的支持下，於1940年3月30日宣告「還都」南京。但遲至整整8個月後的11月30日，日本才在簽訂《中日基本關係條約》與《日滿華共同宣言》之後，正式承認汪政府，將其納入大東亞新秩序的計畫之中。在這8個月間，日本並未放棄與重慶政府交涉的機會，但交涉過程中，雙方在許多問題上並無法取得一致共識；加之同年9月，日本與德國、義大利簽訂《三國同盟條約》等國際情勢之變動，使得談判工作無疾而終。

事實上，早於1939年秋天，日本陸軍中佐今井武夫即已受命與重慶政府進行和平工作。〔註4〕但由雙方的檔案文獻中，日方與渝方對於和談的動機以及認知，有著一定程度的出入。

〔註1〕秦孝儀編，《中華民國重要史料初編——對日抗戰時期：第六編傀儡組織》（三）（臺北：國民黨黨史會，1981，初版），頁31。

〔註2〕「抄東京同盟社電」（1938年12月22日），〈國際各有關方面致汪精衛函電〉，《汪兆銘史料》，國史館藏（下未標註者同），典藏號：118－010100－0056－002。

〔註3〕秦孝儀編，《中華民國重要史料初編——對日抗戰時期：第六編傀儡組織》（三），頁53。

〔註4〕今井武夫，《今井武夫回憶錄》（上海：上海譯文，1978，初版），頁140。

對於日本，甚至是汪兆銘本人而言，在淪陷區成立新政府，從來都不是首要的選項。〈桐工作實施綱要〉當中提及「與汪精衛等中央政府成員協力合作」、「簽訂停戰協定時，應通知汪精衛，……以促進對重慶的合作工作」、「努力從內部指導，並促進蔣汪合作」，〔註5〕可以見得，日本將與重慶合作一事，做爲雙方和戰的主要工作；只是在道義上，仍須確保汪兆銘在雙方和談之後，能在戰後的中國政府之中，擁有一席之地。

所以日本成立新政府的動作，僅是在戰況未如預期順利的情況下，一個與重慶政府談判的手段，而非最終目的。因此在「桐工作」進行的過程當中，日本一再拖延汪政府的成立；即使成立後，又一再拖延承認的動作，顯見日本相當重視與重慶政府和談一事。〔註6〕

相對的，重慶政府的立場，「桐工作」卻僅爲軍統局玩弄日本方面，並欲藉此刺探日本政策動向之行動。〔註7〕包括蔣中正個人的想法，談判工作不僅是在試探日本，也是日本在試探重慶對於汪政府即將成立之反應。1940年3月21日，汪政府成立前夕，日本一方面試圖和談，但又同時進行組府的動作，使蔣嗅出了組府僅是日本要求和談的籌碼之一，並非日本最樂見之結果。蔣中正記下：「倭寇一面成立汪逆僞中央政會，宣言卅日成立僞組織，而一面又派陌不相識之陳〔張〕治平者來求和議，其條件一如往昔，以試探我方對汪僞出現之心理。其愚劣實不可及，竊恐古今中外亦無如此之妄人也」。

蔣甚至認爲汪政府的成立，可能能夠扮演牽制日本的角色，因而對組府一事抱持著聽之由之的態度：「去年今日或恐其僞汪出現，影響國內與國際之心理；今年出現則不惟無此顧慮，而且希望其出現。此雖於我無甚利害，而於敵國對國際與中國之心理，必發生惡劣之反響，或因此而促敵閥之崩潰」，蔣因此認爲「與其現而不出，不如早日出現爲利也。吾何憂懼，當以一笑置之」。〔註8〕

蔣中正對於汪政府即將成立一事，個人「一笑置之」；但由於日本並未放寬和談條件，因此蔣中正仍然不願意與日本談判：「敵軍閥對汪僞果將改期，

〔註5〕今井武夫，《今井武夫回憶錄》，頁371～372。

〔註6〕今井武夫，《今井武夫回憶錄》，頁138～139。

〔註7〕楊天石，〈「桐工作」辨析〉，《歷史研究》，2（北京，2005），頁118。

〔註8〕呂芳上主編，《蔣中正先生年譜長編》（六）（臺北：國史館，2014，初版），頁275～276，1940年3月21日條。

而不任其卅日成立；而一方面又夢想我政府與之直接談判，其愚殊甚」。〔註9〕

使雙方談判無法有更進一步發展的「一如往昔之條件」，應是以滿洲國承認問題爲首。21 日，日本截獲重慶發與張治平的電報，內容表示對重慶方面而言，滿洲國承認問題是眼下交涉的難關。〔註10〕24 日截獲的電報亦提及「宋子良」於 23 日晚上，突然要求會談，強調有關滿洲國承認問題，必然引起東北人士之反對，日方若堅持，將會使和談進度受挫。〔註11〕

就重慶政府而言，光就滿洲國問題，蔣中正與日本已無法達成共識；汪政府的存在，更使得日、渝雙方遠離談判桌。概括言之，藉由成立汪政府做爲談判籌碼一事，不但成效不彰，還適得其反。

而另一方面，在幕後負責談判工作的戴笠，對於日本談判代表陸軍中佐鈴木卓爾所提出之和平條件不甚滿意，1940 年 3 月間，囑咐聯絡人張治平暫勿回港繼續接洽；並召回假扮宋子良在香港交涉的曾政忠，暫停談判工作。〔註 12〕諷刺的是，此時日本對於被召回的「宋子良」之眞實身分仍一無所知。〔註 13〕

對於「宋子良」的身分，日方談判代表等人並非完全沒有起疑心。早於 1939 年 12 月，雙方第一次會面時，鈴木卓爾即對談判代表的身份感到懷疑。但今井也認爲，無論此人的眞實身份爲何，以日方的情報總合判斷之，即便此人不是宋子良本人，應該仍具有能夠直達天聽的份量，對於此人之身份，便不再詳加追究。〔註 14〕不過無論「宋子良」是否爲稱職的溝通代表，在滿洲國問題未能解決的情況之下，雙方的談判並無法再進一步。

〔註 9〕《蔣中正日記》，1940 年 3 月 28 日。

〔註10〕「K 香港機関電」（1940 年 3 月 21 日），〈桐工作関係資料綴〉，《陸軍一般史料》，防衛省防衛研究所，アジア歴史資料センター藏，レファレンスコード：C11110432100。

〔註11〕「N 香港機関電」（1940 年 3 月 24 日），〈桐工作関係資料綴〉，《陸軍一般史料》，防衛省防衛研究所，アジア歴史資料センター藏，レファレンスコード：C11110432400。

〔註12〕「戴笠電王新衡」，（1940 年 3 月），〈戴公遺墨——一般指示類（第 3 卷）〉，《戴笠史料》，國史館藏（下未標註者同），典藏號：144－010113－0003－025。

〔註13〕楊天石，〈「桐工作」辨析〉，《找尋眞實的蔣介石——蔣介石日記解讀》（二）（香港：三聯，2010，初版），頁 189。

〔註14〕日方也曾於 1940 年 5 月在香港的會談時，從鑰匙孔偷拍照片給陳公博、周佛海等人指認，但說法不一，並無法確認是否眞爲宋子良，今井武夫猜測參與談判的「宋子良」，其眞實身份可能爲軍統局的香港地區負責人王新衡。今井武夫，《今井武夫回憶錄》（上海：上海譯文，1978，初版），頁 162～163。

此後斷斷續續，又經過數個月的談判，桐工作仍遲遲沒有明確的成果。1940年9月，蔣對滿洲國問題仍感到不滿，「敵時時以日滿支名詞爲對象，如何可望其澈悟與和平」；另外除了東北問題之外，自抗戰爆發以來，戰爭已持續三年，中國軍民的死傷，也使蔣對於議和一事自記：「我國傷亡如此重大，亦如何而可輕易議和」；對於日本可能承認汪政府一事，蔣表面鎮定，「敵果承認僞組織，對於我之利害，除延長戰事外，並無其他損害，且延長戰事，亦敵之所懼也」。〔註15〕

蔣中正也進一步得知：「汪奸派張治平，爲從中破壞中倭和平之計，倭方竟受其愚，以張爲中央可靠路線，用力八月，未得成效，最後結果發現其假造我中央函件與委狀也」。〔註16〕此時談判已幾近破局，但蔣中正仍不清楚張治平之來歷，誤會張係汪兆銘之代表，事實上，張僅是雙方之對口。此段記載，可知蔣中正對於談判細節的掌握程度相當有限。

即便桐工作已幾近破局，但在1940年11月30日，日汪《中日基本關係條約》簽訂，正式承認汪政府之前，日本仍把握任何最後可能，促成與重慶之和談，持續宣傳「即將」承認汪政府一事，欲藉由此舉，製造重慶政府的壓力，做爲與重慶政府談判之籌碼。不過由於滿洲國問題仍然爭執不下、加之中國傷亡慘重；且蔣中正認爲，日方成立新政府，雖然可能導致戰線延長，然中國本即以消耗戰做爲整體戰略核心，戰線延長對中國的影響，較日本爲小，對於日本成立汪政府一事，已抱持著不隨之起舞的態度。

（二）日軍南進鷹派抬頭

1940年9月間，日法關係出現變化。此時日本將戰略目光放至中南半島，並本欲在8月前與法國達成軍事協議，但法國對於日本的談判要求則是虛與委蛇，一再拖延談判，引起了日方的不悅。9月23日，日軍進攻越南，交通部電政司長溫毓慶向蔣中正報告日方情報：「我國〔日本〕爲建設東亞新秩序及結束中國事變計，八月一日以來，松岡外相與法大使安利之間，關於安南

〔註15〕「蔣中正聞敵僞條約議定」（1940年9月1日），〈困勉記初稿（六）〉，《蔣中正總統文物》，國史館藏（下未標註者同），典藏號：002－060200－00006－010。

〔註16〕《蔣中正日記》，1940年9月15日。

問題在友好空氣間進行交涉，嗣於同月卅日該項交涉完滿結束」；駐越法軍方面，「同意爲結束中國事變，在安南方面給予我方以軍事上所必要之各種便利」。

但法軍並未立即實現諾言，8月28日，「日法軍事代表在河內，以此項協定爲基礎開始交涉，但安南當局以各種藉口遷延交涉之進行。直至九月四日，現地之軍事協定始見成立，又爲實現此項軍事協定并開始細目之交涉」。在雙方有了初步共識之後，法軍卻又再度拖延，「而安南當局復以種種理由，不允進行交涉，始終不改變其不誠意的遷延態度」。由於法國一再試探日方的底限，使得日方失去耐性，將負責談判的人員撤回，準備直接將軍隊開進越南：

> 原我方〔日本〕之軍事的要求，爲對華作戰上需要立即實施，不能久待安南當局之反省。今已對法方提出通諜，根據日法政府間所成立之協定，我軍自九月廿二日以後得以隨時進駐安南。惟我方仍希望安南當局能善自制，俾我軍之進駐不至發生無益之紛爭焉。〔註17〕

9月26日，駐越法軍投降，日本取得越南的控制權。對於日軍南進，蔣判斷：「敵人今後勢將傾其海空之力，並抽調若干殘餘陸軍用於南進，判斷敵勢，必將急速略取越南、緬甸，進襲星島、荷印，甚至謀取菲列濱，彼之實力早爲我三年餘抗戰消耗殆盡，軍需資源從此更無來路」；因此對於重慶而言，「以後敵既欲分兵對付英美，則對我侵略之企圖更難澈底，縱或虛張聲勢，在中國戰場中仍有所動作，妄冀徼倖求逞，但其實力已分，內心已怯，我正可予以澈底之打擊，而收最後勝利之戰果」。〔註18〕

接著9月27日，日本與德、義簽訂《德義日三國同盟條約》，日本外相松岡洋右認爲三國同盟將會提升對於重慶政府的威脅性，更能促進和平工作的進展；但日本軍方卻認爲此舉會使得重慶政府的立場更偏向英美方，將使得與重慶的和平工作更顯困難。而就事實的發展而言，日本軍方的擔憂，並不無道理。

28日，蔣中正對此即記下：「德意倭三國同盟果已實現，此在抗戰與國際形勢上，於我實求之不得者，至此，如我人能戒慎從事，則抗戰必勝之局已

〔註17〕「溫毓慶電蔣中正」(1940年9月23日)，〈一般資料——呈表彙集(一〇一)〉，《蔣中正總統文物》，典藏號：002－080200－00528－082。

〔註18〕國史館編，《蔣中正總統檔案：事略稿本》(44)(臺北：國史館，2010，初版)，頁340～341，1940年9月29日條。

定矣」；〔註19〕並於29日，通電各高級將領，表達：「此事乃日寇欲假德、意之勢以助其威，德、意亦姑利用之，以牽制英、美」；判斷「歐戰方酣，歐亞地位東西遙隔，實際上德、意決無兵力助日寇以南進，更不能對中日戰事與日寇以任何實際上之助力，只有加重日寇在太平洋上多樹敵國，以自速敗亡之危機」。換言之，蔣中正認爲「日寇過去僅以我中國一國爲敵，而今則增加英美列強皆爲其敵國，此中敵友增減之變遷，即爲利害順逆之所判，最後成敗之數，已不待分析而自明，故此事可謂與我抗戰之軍事不惟無害，而且有利也」。

三國同盟使得日本與英、美爲敵，但對重慶政府而言，也是多了德、義二敵國，蔣認爲：「德、意在態度上早已袒日，無可諱言，例如承認僞滿、撤回顧問，若謂對我惡劣，亦只到此爲止」；並認爲二國「至多亦不過再承認一個傀儡組織，此於我國抗戰形勢，在政治上並不能發生任何影響」。並評價日本「野心有餘，實力不足」、「若於此時冒險南進，兵分力弱，在印度洋、太平洋上，英美必予以有力之懲創無疑。故三國同盟成立宣布之日，即敵寇眞正失敗之始」。〔註20〕

中南半島的變局，使日本在軍事上佔領了戰略要地；在外交上，與德、義形成同盟；再加上對於重慶的談判又遲遲未顯成果，因此日本在各方面皆有所得之後，對於與重慶談判的意願低下，遂更向承認汪政府傾斜。甚至揚言《三國同盟條約》簽訂之日，將同時間承認汪政府。對此一發展，蔣中正認爲日本的用意，係「欲藉此以脅誘我，與之言和也」，〔註21〕但在英美未明確表態的情況下，爲謀反制，重慶政府又重啓對蘇聯的外交親善行動。

9月29日，蔣通電各高級將領，回應《三國同盟條約》時，就曾預測蘇聯的態度：「就蘇聯言，此次三國同盟協定，雖在條文上盡力撇開蘇聯，實際正是欲蓋彌彰，此項協定即由防共協定脱胎而來，亦即繼承防共協定之效用，最後目的仍在對蘇，其理甚明」；「蘇聯對此，寧不洞若觀火，如此雖敵國派

〔註19〕國史館編，《蔣中正總統檔案：事略稿本》（44），頁336～337，1940年9月28日條。

〔註20〕國史館編，《蔣中正總統檔案：事略稿本》（44），頁339～341，1940年9月29日條。

〔註21〕「蔣中正聞敵僞條約議定」（1940年9月1日），〈困勉記初稿（六）〉，《蔣中正總統文物》，典藏號：002－060200－00006－010。

遣建川〔美次〕〔註 22〕使蘇，盡竭諂媚能事，而蘇日關係祇有日趨惡劣，蘇聯對日祇有加緊戒備，敵人意圖拉攏之妄念，自三國同盟以後，已屬萬無可能」。所以蔣樂觀地認爲：

> 敵與英美既已決裂，立於敵對地位，對蘇關係亦必更趨惡劣，則我在外交上，此後更不慮美蘇對日妥協與猶豫，是敵人之所得者，爲鞭長莫及、有名無實之德意盟邦，而我則獲得太平洋上強大有力之戰友，此後我與英美蘇對日寇皆在利害相同之地位，關係必更密切進步，自無待言。〔註 23〕

稍早 9 月 23 日，蔣中正透過外交部長王寵惠，欲藉由蘇聯駐重慶大使潘友新（Александр Семенович Панюшкин）得知蘇聯之意向，並與蘇聯採取一致之對策。王寵惠告潘，三國同盟「按該協定之範圍，□□□廣泛，中國被其禍害自不待言；但於蘇聯當不無直接影響，□英美法在東方之權益，亦將爲其侵奪也」；〔註 24〕故重慶政府對於蘇聯對日外交，才是最關注之要點。

10 月 23 日，王寵惠再與潘友新就《三國盟約》簽訂後，中蘇雙方未來的動向進行會談。王寵惠對於蘇聯可能與日本簽訂《互不侵犯條約》一事詢問潘友新，潘友新個人表示：「本人未接到莫斯科方面消息，尚無所聞；若據斯大林在第十八黨大會中所表示之外交政策，與日本訂約並非不可能之事，但本人以爲在現下情況下，似不可能」。〔註 25〕

等到 11 月 30 日，日汪簽訂《中日基本關係條約》，日本正式承認汪政府，日汪同盟確立，外交關係再進一步之際，日蔣和談則走向破裂。但蔣中正記掛的，卻非日本、亦非汪兆銘：「倭汪條約內仍有反共一條，此於我最爲有利也」。〔註 26〕重慶乃隨之與蘇聯加緊聯繫。隔日，王寵惠、亞西司長鄒尚友〔註 27〕與潘友新、大使館秘書費德林會晤，請通知莫斯科有關日汪訂

〔註 22〕 日本駐蘇聯大使。

〔註 23〕 國史館編，《蔣中正總統檔案：事略稿本》（44），頁 342～343，1940 年 9 月 28 日條。

〔註 24〕 「王寵惠晤潘友新談話紀錄」（1940 年 9 月 30 日），〈部長與潘使談德義日三國同盟協定〉，《國民政府外交部》，中央研究院近代史研究所檔案館藏（下未標註者同），館藏號：04－02－015－06－027。

〔註 25〕 「王寵惠晤潘友新談話紀錄」（1940 年 10 月 23 日），〈德義日三國同盟後蘇之態度與感想〉，《國民政府外交部》，館藏號：04－02－015－06－032。

〔註 26〕 呂芳上主編，《蔣中正先生年譜長編》（六），頁 448，1940 年 11 月 30 日條。

〔註 27〕 張朋園、沈懷玉編，《國民政府職官年表（1925～1949）》（一）（臺北：中央

約一事，盼蘇聯對此做出表示。潘友新僅覆以「當將此事電呈本國政府，俟有復〔復〕電，再行奉閱」。〔註28〕在四個月後，1941 年 4 月 13 日，日蘇《中立條約》即告簽訂，讓重慶政府在外交戰場上挨了一記重拳。按諸此時，或許已有跡可循。

接著 1941 年 6 月 22 日，德國即發動「巴巴羅薩行動」（Operation Barbarossa），進攻蘇聯。德軍攻蘇一事，蔣中正早於兩個月前，已得到相關情報。重慶軍事委員會政治部副主任周恩來也透過蘇聯外交人民委員長莫洛托夫（Вячеслав Михайлович Молотов）就此事報告史達林，史達林卻不相信。〔註29〕因此德蘇開啓戰端，蔣中正甚至表示：「受共俄之壓迫侮辱，動心忍性者，至今十有七年，今似苦盡甘回，否極泰來之時乎」，略有幸災樂禍之意。畢竟至此，蘇聯再也無法置身事外，日本甚至可能趁機北進攻蘇。所以考慮中蘇雙方合作一事，蔣只「應以有限度之合作，而不訂同盟協定」，〔註30〕以圖在蘇、德、日之間，保持彈性外交。

（三）日本承認汪政府

1940 年 11 月 30 日，汪日《中日基本關係條約》於南京簽訂，雙方代表爲新政府行政院長汪兆銘和日本駐華大使阿部信行，主文暨附屬協定共二十九條，但細究其內容，與「桐工作」工作目的雷同之處甚多，如〈桐工作實施綱要〉中所提及之承認滿洲國、放棄抗日容共政策、締結防共協定、實行經濟與軍事上之緊密合作等。〔註 31〕這些事項一直以來，皆是日本所希望中國能夠配合者，此條約並未再爲汪政府重新量身訂作，或是再做出些許讓步。簡而言之，就日本方面的立場，在「大東亞共榮」的概念下，中國是一個不可或缺的角色；但前提是這個中國，必須是日本所能接受的中國，也是必須接受滿洲國存在的中國。

研究院近代史研究所，1987，初版），頁 101。

〔註28〕「王寵惠晤潘友新談話紀錄」（1940 年 12 月 1 日），〈關於日本汪逆訂約事〉，《國民政府外交部》，館藏號：04－02－015－06－037。

〔註29〕陶涵（Jay Taylor）著，林添貴譯，《蔣介石與現代中國的奮鬥》（上）（臺北：時報文化，2010，初版），頁 201～202。

〔註30〕《蔣中正日記》，1941 年 6 月 22 日。

〔註31〕今井武夫，《今井武夫回憶錄》，頁 371。

此條約內文也引發輿論的質疑，其中包含第三條所提及之「日本國爲兩國實行共同防共計，在所要期間內，根據兩國另行協議決定，得在蒙疆及華北的一定地域，使駐屯所需之軍隊」；和第六條：「中華民國政府對其他地域國防上必要之特定資源之開發，須提供日本國及日本國國民以必要之便宜」，以及「關於上項資源之利用，須考慮中華民國之需要，中華民國政府對日本國及日本國臣民，須積極的擬示〔？〕提供充分之便宜」等內容。〔註 32〕對於駐軍及經濟共同開發問題，中方形同門戶大開，也使得此約引起非議。

國際輿論上，大抵也對此條約不以爲然，認爲並無助於中日停戰，反而對於重慶國民政府有益。〔註 33〕最諷刺的，是汪兆銘爲首的主和派，原係對列強援華的可能性感到悲觀，而走向所謂的「和平救國」路線。不料此條約的簽訂，雖讓日本正式承認汪政府，卻也相對引發美國的不安，簽約同日，美國宣布貸款 1 億美元及派遣 50 架軍機援助重慶政府。〔註 34〕

自汪兆銘出走、通電回應近衛文麿，到最終與日本合作在南京重組政府，在在令舉國譁然，認爲汪兆銘自承爲近衛口中的「華方眼光遠大之人」。在這種背景之下，以內容無法達到雙方滿意的《中日基本關係條約》做爲中日關係的新開端，使得其被視爲「賣國條約」的輿論更顯強烈。甚至汪政府內部，對條約的內容亦非完全感到滿意，陳公博在戰後審判的答辯內容上，即表示此條約並未達到近衛聲明所欲建立的「東亞新秩序」，而仍是以「舊秩序」爲主；但也稱道：「這個條約固然發生不了好影響，也不會再發生壞影響」。〔註 35〕蓋以當時的戰情，日本並不願意爲了停戰，而在談判上多做讓步。其後日汪關係的再調整，則已是太平洋戰爭爆發後的發展。

〔註 32〕秦孝儀編，《中華民國重要史料初編——對日抗戰時期：第六編傀儡組織》（三），頁 376。

〔註 33〕「世界輿論一致抨擊僞約，贊成美國擴大對華貸款」，《中央日報》，1940 年 12 月 9 日。

〔註 34〕芮納・米德（Rana Mitter）著，林添貴譯，《被遺忘的盟友》（臺北：遠見天下文化，2014，初版），頁 344。

〔註 35〕朱子家（金雄白），《汪政權的開場與收場》（上）（臺北：風雲時代，2014，初版），頁 210。

第二節　汪政府與各國之互動

（一）英、法斡旋和平

日本欲樹立汪兆銘政府一事，除了在中國國內積極運作，在國際間亦不時試探各國態度。1939 年 9 月 6 日，日本駐法代辦即曾就此事，與法國亞洲司長晤談，法國亞洲司長個人認爲，汪政府的組成：「將使中國政府態度硬化，且將引起民主國之反感與誤會；請日方注意，并勸放棄該計畫」。但日本代辦對此，則表示不便轉達；「并稱日政府態度甫經宣布，如將此意轉達，反生不良影響」。〔註 36〕可見當時汪政府成立一事，應已箭在弦上，勢在必行。

日、汪試探態度的目的，仍係希望法方在中國問題上，能扮演傳話的角色。11 月 8 日，法國駐華大使戈斯默（Henri Cosme）密電該亞洲司長，汪兆銘本欲藉戈斯默，轉達其三點和平主張：「一、汪目的在恢復和平；二、爲達此目的，願與蔣總裁合作；三、如促進和平，彼願引退或出洋」，但戈斯默拒絕轉達。〔註 37〕

雖然如此，英法斡旋和平的動作，一時仍甚囂塵上。13 日，汪兆銘與日本駐法大使澤田廉三會面，汪似故意透露：「法大使戈斯默於赴渝前，曾詢問褚民誼，汪有無使『臨時』、『維新』兩政府及重慶政府聯合一致，担任和平工作之意，並探詢汪方之意向」。此語果然引起澤田的質問：「今後對重慶應取之方策，特別對蔣個人之感想如何」。對此，汪暗示澤田：「對蔣雖全無希望，但信蔣以外者，最後必與本人取同一行動」，表示只要蔣中正下野，重慶政府必當以汪馬首是瞻。因此汪一度將希望投射在英、法的表態，「如英、法向蔣勸告下野，縱令蔣某不聽，但此項勸告，亦足使政府內部發生相當變化，對和平工作將有一大轉換」；認爲即便蔣中正未下野，但結局「蔣除完全被共黨操縱逃往西北外，無他途云」。〔註 38〕

〔註 36〕「顧維鈞自巴黎電外交部」（1939 年 9 月 6 日），〈據亞洲司長稱彼近告日代辦汪日組織僞政府將使中國政府態度硬化且將引起民主國家之反感與誤會日代辦謂不便轉達〉，《國民政府外交部》，館藏號：04－03－003－02－016。

〔註 37〕「顧維鈞自巴黎電蔣中正號次 41015」（1939 年 11 月 8 日），〈對英法德義關係（四）〉，《蔣中正總統文物》，典藏號：002－090103－00014－229。

〔註 38〕「毛慶祥電蔣中正」（1939 年 11 月 13 日），〈一般資料——呈表彙集（九十五）〉，《蔣中正總統文物》，典藏號：002－080200－00522－118。

於此，汪逆以所謂的「英美派」解讀蔣的立場，重慶政府應以英、美等列強對於中日戰事的態度，決定其在戰略上的決策。但事實上，蔣中正本人的態度，在部分的決策上，仍有著相當程度的堅持與原則，並不願意接受所謂「屈服的和平」。

當戈斯默回到重慶後，1940 年 1 月 10 日，與英國駐華大使卡爾（Sir Archibald Clark Kerr）在法國大使館的會談中，確曾提出法英聯合促談的想法。卡爾謂：「為恢復英、法對華貿易起見，擬對中日和平予以斡旋。惟重慶方面以日本之全面撤兵為先決條件，故應講求折中辦法，以促其反省」。戈思默亦稱曾與蔣中正數度會見，傳達法國的和平方針，但「蔣氏之談話，常不變初志，謂伊確信最後勝利，絕不欲屈服的和平」。而稍早卡爾提出英國版本的和平條件，「迄今尚未答覆」，故戈認定「於明日會見時，蔣之拒絕和平，已屬不成問題」。

就中日停戰一事，卡爾認為並非毫無機會：「竊思日本現在亦難繼續戰爭，當能有若干之讓步，關於此事，甚望共同努力」，但重慶對於英國的斡旋是否買帳，卡爾信心卻略顯不足，向戈斯默表示「日英間對於天津銀問題之妥協條件，必遭中國反對，此又為一難關」。〔註 39〕卡爾所指，係自日軍攻陷華北之後，即覬覦天津英租界之中國白銀，1939 年 1 月，卡爾本向日方提出，由天津英法總領事的見證之下，封存此筆白銀，但雙方對此問題並未達成共識。

但 4 月 9 日，臨時政府指派的天津海關監督、天津中國聯合準備銀行經理程錫庚遇刺，日本以治安為由，開始向英方施壓，並於 6 月 14 日封鎖天津英租界，在日本的壓力下，7 月 15 日，英國駐日大使克萊琪（Sir Robert Leslie Craigie）與日本外相有田八郎進行會談，達成初步共識，即英國對日本在天津租界內之行動，表示「中立」之態度。至 9 月，歐戰爆發，英國在可能面臨軸心陣營的軍事威脅之下，在白銀問題越向日本傾斜，引起重慶政府不快，〔註 40〕英國在此時對中國之影響力，已逐漸下降。

而法國方面之壓力，也在日軍進佔廣西，威脅越南之後隨即而來，因此

〔註 39〕「毛慶祥電蔣中正」（1940 年 1 月 16 日），〈一般資料——呈表彙集（一〇一）〉，《蔣中正總統文物》，典藏號：002－080200－00528－002。

〔註 40〕吳景平，〈抗戰時期天津租界中國存銀問題——以中英交涉為中心〉，《歷史研究》，3（北京，2012），頁 85～86、90～91。

戈思默也坦承：「法國對於和平之成立，亦有努力之必要」，「余於明日擬以取消滇越鐵路之援蔣政策，探詢重慶方面之讓步」。〔註41〕顯示英、法既苦惱於蔣中正的強硬立場，又基於在華貿易及軍事問題，仍無法放棄任何促成中日停戰的可能性。

戈斯默雖一度不惜取消滇越鐵路的援助路線，以威脅蔣中正，逼其停戰。但這個構想，隨著法國自身國內戰事失利，也出現變化。同年5月德軍攻法；6月巴黎陷落；9月正如戈斯默所憂心，日本進攻越南，《日法協定》簽字，法國喪失了在越南的主導權，法方對重慶政府之影響力，也隨之消失。

不過上海租界內的各國領事，對於汪政府之態度已有轉變。6月1日，戴笠向蔣中正報告：「自汪僞成立後，敵方〔日本〕對各國極拉攏之能事，促英、法、德各國與僞方妥協」；稍早5月中旬時，英、法、德駐上海領事，已分別以私人名義訪問汪政府外交部；此時英、法、德對汪政府的態度，明顯越趨中立，「據各領事私人表示，僞方一切行動，苟不引起重大刺激，各國租界當局將不致有何反對表示等語」。〔註42〕

蔣中正對於英、法立場轉變，也越趨矚目。9月18日記下：「滬法租界對我拘留之官兵殺傷十餘人，法國人爲世界上最卑劣無人格之賤種」。〔註43〕表面上則仍維持交好的態度，10月26日，戈斯默向蔣中正說明，「據法方一般軍事專家之推測，日方並無假道越南進攻中國之意；日法協定對中國，實亦無眞正危險」。〔註44〕蔣中正會後記下：「會法大使，失意之人特加禮遇以慰之」；〔註45〕「法大使乃國破家亡、失意之人，宜特加禮遇之」。〔註46〕除了表示體諒法國決定，個人也同情戈斯默之處境，但渝、法之間的邦誼，並未能持續至戰爭結束。

〔註41〕「毛慶祥電蔣中正」（1940年1月16日），〈一般資料——呈表彙集（一〇一）〉，《蔣中正總統文物》，典藏號：002－080200－00528－002。

〔註42〕「賀耀組戴笠呈蔣中正」（1940年6月1日），〈革命文獻——僞組織動態〉，《蔣中正總統文物》，典藏號：002－020300－00003－048。

〔註43〕《蔣中正日記》，1940年9月18日。

〔註44〕「蔣中正接見戈思默經過」（1940年10月26日），〈革命文獻——對法外交〉，《蔣中正總統文物》，典藏號：002－020300－00045－071。

〔註45〕呂芳上主編，《蔣中正先生年譜長編》（六），頁426，1940年10月26日條。

〔註46〕秦孝儀編，《總統蔣公大事長編初稿》（卷四下冊），頁590～591，1940年10月26日條。

（二）爭取各國承認

1940 年 3 月，汪政府成立，除了日本之外，國際態度普遍冷淡。4 月 1 日，親德的比利時報紙評道：「僞政府成立，爲侵略國內部分化，故□軍事上不能削弱重慶抗戰力量，政治上不能破壞重慶團結；外交上則美國已正式表示只認重慶爲中國惟〔唯〕一合法政府，西歐諸民主國當採用同樣態度，並預示日美關係將更惡化」。〔註 47〕4 日，比利時外交部長對駐比大使錢泰表示：「據所得報告，各方面對之甚爲冷淡。僞方未來通知，來亦置之不理，承認問題根本談不到，可請放心」。〔註 48〕

箇中最令人矚目者，仍爲「軸心國」陣營的德、義及其附庸之動向。早在 1939 年 9 月，新政府成立之前，駐德大使陳介電告重慶外交部，判斷德國應不會承認日本所支持的僞組織。〔註 49〕迨成立後，德國各報也將之冷處理：「汪僞成立後，德報甚冷靜，DNB 及海通社各發一次簡短消息，各報多不登載，且無一評論；亦未照向例，引義報意見，代己發言」，反倒對於有關英、美不承認汪政府之消息，大肆登載。爲此，日本「朝日新聞社」特派記者曾往德國宣傳部質問此事，但德國宣傳部卻僅虛應敷衍，「以游詞答之」。〔註 50〕

但包含德國在內的列強與中國，對汪政府的態度，雖不予承認，卻也無法完全無視於汪政府的存在。尤其遭軸心國包圍、態度游移的蘇聯，16 日國民黨部即建議，應預防各國跟進承認：

> 度汪逆登台後，第一希望在求得國際之承認，竊揣德、義、西〔班牙〕、泰〔國〕諸國，在敵人策動之下，或恐有承認之傾向。此事似宜運用蘇聯，策動德國作不承認僞組織之表示；並由德國策義大利一致行動。若德、義兩國有合法之表示，則其他小國亦不敢輕于嘗

〔註 47〕「駐比利時大使館電外交部」（1940 年 4 月 1 日），〈汪精衛成立僞組織〉，《外交部檔案》，中央研究院近代史研究所檔案館藏（下未標註者同），檔號：306.2／0001，館藏號：11－06－01－05－01－001。

〔註 48〕「錢泰自布魯塞爾電外交部號次 477」（1940 年 4 月 4 日），〈汪精衛成立僞組織〉，《外交部檔案》，檔號：306.2／0001，館藏號：11－06－01－05－01－001。

〔註 49〕「陳介自柏林電外交部」（1939 年 9 月 20 日），〈德應不會承認僞組織〉，《國民政府外交部》，館藏號：04－02－011－03－075。

〔註 50〕「陳介自柏林電外交部號次 1179」（1940 年 4 月 4 日），〈汪精衛成立僞組織〉，《外交部檔案》，檔號：306.2／0001，館藏號：11－06－01－05－01－001。

試，故擬詰〔擬告〕中央迅促新任駐蘇大使邵〔力子〕委員赴任，進行此事，並由外交部與在渝蘇大使折衝。〔註51〕

重慶政府嘗試以蘇聯做爲媒介拉攏德國，再藉由德國將義大利拉進反汪陣營，維持重慶係中國唯一合法政府之地位，以結果論之，重慶之計劃，的確拖延了德、義對汪政府的承認。1940 年 11 月 30 日，日本正式承認汪政府之後，德、義並未跟進，12 月 4 日，周佛海在日記寫道：「聞滬報載柏林訊：德國表示不考慮承認我政府，頗令人不快；又恐意大利亦因之影響」。〔註52〕

但隨著日本的持續交涉，以及國際情勢轉變之下，此景並未維持太長一段時間。1941 年 5 月 22 日，駐羅馬尼亞公使梁龍回電外交部，羅國當地新聞社 Europa Presse 報導，日本證實正與德、義交涉承認汪政府一事。〔註53〕一時之間，風聲甚囂塵上，上海日本領事館方面也傳出消息，謂現在東京之德國經濟代表團，除討論德日合作問題外，並談及德國承認汪僞政權之問題。〔註54〕

重慶外交部歐洲司長劉師舜爲此，與德使館參事裴雷生、義大利使館代辦師秉乃札相繼晤談。裴雷生辯稱：「並無所聞，未知此項消息，自何處得來」；並自認德國在維持重慶的邦誼上，下了不少工夫：「今春曾與朱家驊先生談過，本人奉命常川駐在重慶，並於南岸設立辦公□所，所費實在不少，其用意，即在維持德國與中國之友誼」云云。〔註55〕師秉乃札則表示：「此事曾於日本廣播中得知，但知此事並無新發展。近來內人病勢甚重，本人擬伴同離開重慶就醫」；但也強調義大利政府「不久將另派一人來此替代，可證本國政府並無此意」。〔註56〕

〔註51〕「潘公展函葉楚傖」（1940 年 4 月 16 日），〈打擊汪逆僞組織荒謬措施之對策草案〉，《特種檔案》，國民黨黨史館藏，館藏號：特 9／26.12。

〔註52〕周佛海著，蔡德金編著，《周佛海日記全編》（上）（北京：中國文聯，2003，初版），頁 388，1940 年 12 月 4 日條。

〔註53〕秦孝儀編，《中華民國重要史料初編——對日抗戰時期：第六編傀儡組織》（三），頁 423。

〔註54〕「劉師舜晤裴雷生談話紀錄」（1941 年 5 月 28 日），〈汪精衛成立僞組織〉，《外交部檔案》，檔號：306.2／0001，館藏號：11－06－01－05－01－001。

〔註55〕「劉師舜晤裴雷生談話紀錄」（1941 年 5 月 28 日），〈汪精衛成立僞組織〉，《外交部檔案》，檔號：306.2／0001，館藏號：11－06－01－05－01－001。

〔註56〕秦孝儀編，《中華民國重要史料初編——對日抗戰時期：第六編傀儡組織》（三），頁 422。

德國對汪政府的外交政策，隨著德蘇關係緊張而產生進一步變化。1941年6月22日，德軍攻蘇，亟欲日軍北進響應，日方也藉機施壓，要求德方就汪政府立場表態。陳介電呈蔣中正：「日政府將於七月一日發表宣言表示態度，爲鞏固政府立場，維持軸心政策計，要求德即承認汪僞，以爲宣言根據。聞德外長已內定照辦，日內即將實現」。陳介已約會當局，希望提醒德國，若承認汪政府，中德邦交將出現危機。但陳介也並不樂觀，認爲此舉「恐難望有效」。〔註57〕29日，果然確定德國承認汪政府之事，將於7月1日發表。

關於德國立場的轉變，6月27日駐德武官桂永清電呈蔣中正：「俄軍抵抗相當強硬，德國已逐漸迫歐洲大陸所有國家對俄宣戰」；爲了拉攏日本，遂對汪政府態度有所改變：「德國爲斷絕英、美援俄計，將於七月□承認汪逆，滿足日本要求，逼迫日本扯碎日俄中主〔立〕條約」。但德國方面說詞，指打倒俄國，將使德中二國關係更加緊密，因此「盼吾國鑒原德國不得不暫行利用日本苦衷」，希望「中國不與絕交，縱使絕交亦願暗中互通聲氣」。〔註58〕

德國爲維持與重慶政府的邦交，甚至提議原外交機關仍繼續留駐重慶；派駐汪政府的大使，則由德國駐上海領事兼任。但重慶政府並不接受，認爲德國身爲軸心大國，既承認了汪政府，義大利、羅馬尼亞、斯洛伐克等國必然跟進，進而引發骨牌效應。因此在7月1日德、義相繼承認汪政府之後，隔日重慶政府立即宣布與德義兩國斷交。〔註59〕

時值汪政府要人汪兆銘、周佛海及外交部長褚民誼等，赴日訪問。1日中午，褚民誼向周佛海表示：「羅馬尼亞公使已來表示，承認我政府」；德國則於下午3點，義大利於隔日早上9點，將派員來汪政府駐日大使館，對承認一事進行商談；同時「各該政府本日均向南京我外部表示正式承認」。周佛海爲之感到措手不及，「久懸不決之案，此次竟如此迅速解決」，同時也擔憂「我政府既獲國際地位，今後需要外交人才愈多，而我外交陣容如此薄弱，眞令人擔心也」。〔註60〕

〔註57〕「陳介自柏林電外交部號次152」（1941年6月27日），〈汪精衛成立僞組織〉，《外交部檔案》，檔號：306.2／0001，館藏號：11－06－01－05－01－001。

〔註58〕「陳介自柏林電蔣中正感電號次55」（1941年6月27日），〈革命文獻——僞組織動態〉，《蔣中正總統文物》，典藏號：002－020300－00003－056。

〔註59〕周惠民，〈德國對「滿洲國」及「汪政權」的外交態度〉，《政大歷史學報》，23（臺北，2005.5），頁164～165。

〔註60〕周佛海著，蔡德金編著，《周佛海日記全編》（上），頁485，1941年7月1日條。

由此觀之，戰前與重慶政府友好，並且在軍事上密切合作的德國，為了爭取日本出兵夾擊蘇聯，在外交政策上也逐漸對日本做出妥協，雖然德國表明其不得不暫行利用日本的苦衷，但最終仍對汪政府做出承認。汪政府一度希望網羅陳介，留任德國，以加強汪政府的合法性，但未獲同意。直至 9 月，汪政府才派遣教育部長李聖五出任駐德大使。〔註 61〕

德國與義大利承認汪政府，果然引發了連鎖效應，西班牙立即於隔日跟進。〔註 62〕8 月 16 日，原本於 1940 年 4 月 2 日，向重慶表示不承認汪政府之丹麥政府，〔註 63〕也在德國表態後，對重慶駐丹麥公使吳南如隱約透露，在德國的壓力下，將隨之跟進承認。〔註 64〕

另外值得注意的是，戰敗重組的法國維琪政府（Régime de Vichy）並未立即跟進。7 月 4 日，重慶代理駐法大使郭則范連絡美國駐法大使進行斡旋之後，維琪方面暫緩承認汪政府，〔註 65〕5 日維琪政府發言人向記者宣示，對重慶政府態度不變。〔註 66〕延至 8 月，由於新任的駐法大使魏道明自受任命以來，始終未前往就任，維琪政府也請重慶方面乾脆繼續暫緩，以拖延時間，抵擋日本的壓力。〔註 67〕雙方之邦誼走向破裂，係 1943 年 1 月，日本開展對華新政策後，準備交還租界予汪政府，維琪與日汪之間的接觸頻繁，使得同年 8 月 1 日，重慶宣布與維琪斷交。〔註 68〕

細究維琪政府游移的態度，其中因素，不可不提法國淪陷前，原國防部次長戴高樂（Charles de Gaulle）於北非所建立，與維琪分庭抗禮之「自由法國」（La France libre）。「自由法國」的存在，使得維琪若貿然承認汪政府，極

〔註 61〕周惠民，〈德國對「滿洲國」及「汪政權」的外交態度〉，頁 165。

〔註 62〕秦孝儀編，《中華民國重要史料初編——對日抗戰時期：第六編傀儡組織》（三），頁 424。

〔註 63〕秦孝儀編，《中華民國重要史料初編——對日抗戰時期：第六編傀儡組織》（三），頁 434。

〔註 64〕秦孝儀編，《中華民國重要史料初編——對日抗戰時期：第六編傀儡組織》（三），頁 435。

〔註 65〕秦孝儀編，《中華民國重要史料初編——對日抗戰時期：第六編傀儡組織》（三），頁 425。

〔註 66〕秦孝儀編，《中華民國重要史料初編——對日抗戰時期：第六編傀儡組織》（三），頁 431。

〔註 67〕秦孝儀編，《中華民國重要史料初編——對日抗戰時期：第六編傀儡組織》（三），頁 425。

〔註 68〕秦孝儀編，《總統蔣公大事長編初稿》（卷五上冊），頁 350～351，1943 年 8 月 1 日條。

有可能使得重慶在對法外交政策上，轉而倒向「自由法國」。在這種國際上存在著「兩中兩法」的情形之下，四方之動向又更顯牽一髮動全身，也使得自德國承認汪政府後，維琪與重慶的邦交仍維持了超過兩年，成爲了軸心陣營的少數特例。

而德國的表態，所影響之範圍，不僅於歐陸。與日本關係較爲緊密的泰國方面，首相鑾披汶（พิบูลสงคราม）於 1941 年 4 月 17 日之時，態度仍相當值得玩味，表示「倘該政府領袖能維持國內秩序，領導人民有顯著之進步，各國自然予以承認」，並以泰國和西班牙爲例：「泰國由君主專制改爲君主立憲後，當時未嘗請求各國承認，後以民黨所領導之政府確能繁榮其國家，於是各國相繼承認」、「西班牙之法朗哥政府在初期無人承認，迨法朗哥確能爲西班牙之良好領袖後各國亦即予以承認」。但對於是否在此時選邊站，鑾氏僅表示「蔣介石及汪精衛政府，亦莫不如是」，意即承認與否，仍抱持觀望狀態。〔註 69〕但至 1941 年 8 月 2 日，重慶外交部之消息，在德國表態後，泰國也在日本的壓力下，準備承認汪政府。〔註 70〕

至同年 11 月 25 日，汪政府受邀簽署《反共產國際協定》，汪政府與泰國亦開始積極籌備互設使館一事。〔註 71〕至此，包含原始簽署國德國與日本之外，該協定之簽署國已有義大利、匈牙利、滿洲國、西班牙。〔註 72〕加上前文所提及之羅馬尼亞、丹麥、泰國等與汪政府建立外交關係的國家之外，保加利亞也向汪政府遞交國書。〔註 73〕1943 年 11 月 5 日於東京舉行的「大東亞會議」當中的與會國緬甸及菲律賓，〔註 74〕皆與汪政府建立了國交。

〔註 69〕秦孝儀編，《中華民國重要史料初編——對日抗戰時期：第六編傀儡組織》（三），頁 427～428。

〔註 70〕秦孝儀編，《中華民國重要史料初編——對日抗戰時期：第六編傀儡組織》（三），頁 428。

〔註 71〕秦孝儀編，《中華民國重要史料初編——對日抗戰時期：第六編傀儡組織》（三），頁 429。

〔註 72〕秦孝儀編，《中華民國重要史料初編——對日抗戰時期：第六編傀儡組織》（三），頁 403。

〔註 73〕「保加利亞公使呈遞國書」，〈汪兆銘招待記者會活動照片〉，《汪兆銘史料》，典藏號：118－030100－0015－042。

〔註 74〕「1.大東亜会議開催及会議ノ状況／1 昭和 18 年 10 月 2 日から昭和 18 年 11 月 6 日」（1943 年 11 月 6 日），〈大東亜戦争関係一件／大東亜会議関係〉，《外務省記録》，外務省外交史料館，アジア歴史資料センター藏，レファレンスコード：B02032955900。

（三）廢除不平等條約的努力

廢除不平等條約，是中華民國在外交史上，始終努力的方向。中國爲此，積極參與國際事務，包含參與第一次世界大戰，皆是爲了「把參戰視爲列席和會的入場券」。〔註75〕而民國肇建，時値南北分裂，對於不平等條約的調整，北洋政府以修約做爲主要方針，南方國民黨政府則傾向廢約重訂。無論何者，皆得以看出中國對於不平等條約的重視。但修約與廢約的路線之爭，到了1925年「五卅慘案」後，中國民眾激烈排外，廢約之說較易打動人心，〔註76〕1928年東北易幟，南北統一後，廢約逐漸成爲調整不平等條約的方向。

1938年12月29日，汪兆銘發表「豔電」，響應近衛聲明。細究近衛聲明與汪兆銘回應之電文，雖然就根本的滿洲國問題上，雙方並未取得明確共識；但內容仍存在著某些廢除不平等條約的訴求，如「豔電」即提及「以允許內地居住營業之自由爲條件，交還租界、廢除治外法權」。〔註77〕又如最初近衛聲明實僅提及治外法權一事，對於租界隻字未提；但之後訂立的《中日基本關係條約》當中，已將租界問題列入其中。第七條：「根據本條約，照應日華新關係之發展，日本國政府須撤廢在中華民國之治外法權及交還其租界。中華民國政府在自國領域內，對日本國臣民，爲居住營業，須加以開放」。〔註78〕

在汪政府籌組至成立的過程中，爲增加新政府的主權以及合法性，汪兆銘即曾向日方爭取收回上海公共、法國兩租界。1939年5月11日，汪「主張先由維新政府交涉，收回公共租界，必要時強接收」。〔註79〕對此，日本雖未配合汪兆銘「強接收」的想法，但仍於27日，訓令駐上海總領事三浦義秋，就改組租界一事，與公共租界當局進行交涉。美、英兩方原本拒絕回應，日本遂揚言，「兩三日中，三浦總領事即將與英美總領事會見，再度申談我方意

〔註75〕唐啓華，《被「廢除不平等條約」遮蔽的北洋修約史（1912～1928）》（北京：社會科學文獻，2010，初版），頁62。

〔註76〕唐啓華，《被「廢除不平等條約」遮蔽的北洋修約史（1912～1928）》，頁62。

〔註77〕秦孝儀編，《中華民國重要史料初編——對日抗戰時期：第六編傀儡組織》（三），頁53。

〔註78〕秦孝儀編，《中華民國重要史料初編——對日抗戰時期：第六編傀儡組織》（三），頁377。

〔註79〕「顧祝同自上饒電蔣中正號次18430」（1939年5月11日），〈汪僞組織（二）〉，《蔣中正總統文物》，典藏號：002－090200－00023－234。

旨，求貫澈改組租界主張，及接收地方法院。他方現地陸海軍當局，亦密切注視今後交涉之進展」；若英、美不配合日方要求，「則租界問題之外交交涉，或即將以此而停止」。〔註80〕

此次日本重點爲「改組租界」與「接收地方法院」，以領土主權以及治外法權做爲訴求，但交涉並未有重大成果。所以日本也繼續透過各種手段，試圖加強對公共租界的控制。9月22日，第三戰區司令顧祝同向蔣中正報告：「敵近向沪工部局提出撤銷防區制，要求由英美日義防軍重組一防務委員會；並將英防區即日取消，由美義共同接管，恢復八一三前狀態，日軍可自由出入租界。蘇州河以南各國軍隊亦可往楊樹浦方面保護僑民」。英、義對此項提議均表反對，惟上海西側屬於英國的防區，已讓出一部份交由義軍接管。〔註81〕

延至1940年3月，汪政府「還都」前夕，時任日本駐英大使重光葵也對於歸還日本在華租界一事，表現得相當積極，告知褚民誼，日本交還租界一事「事關重要」；甚至催促汪兆銘，希望能夠在新政府成立之日，3月30日實施。但在上海公共租界交涉未有進一步成果的情形之下，重光葵對於上海兩租界也未再有所表示。對此，汪兆銘曾請陳公博在「還都」後的4月初，前往東京與日方商談，〔註82〕可見在汪政府成立之前後，有關上海租界交還的對日交涉，也陷入了瓶頸。

而就重慶政府而言，上海租界位於敵後，且日本一直以來，對於和戰的喊話，始終將租界問題置於其中。因此在汪政府成立之後，重慶政府並無法完全忽略日本協助汪政府，強行接收的可能性。對此，蔣中正手諭王寵惠：「由外交部將敵僞陰謀，密告美國國務院及英、法兩國政府，徵詢其所擬採取之態度。並力請美國多負責任，作強硬之表示，以期公共租界或不至同時被奪」。並指示外交部「應準備一種對外宣言，或其他文件，果至事變發生時，立刻發表」。

〔註80〕「駐沪倭領三浦歸沪聲言將持強硬態度交涉沪公共租界問題」（1939年5月27日），〈敵方廣播新聞紀要重慶版第173號〉，《敵方廣播新聞紀要》，國民黨黨史館藏，館藏號：敵廣0173。

〔註81〕「顧祝同自上饒電蔣中正號次35312」（1939年9月22日），〈汪僞組織（二）〉，《蔣中正總統文物》，典藏號：002－090200－00023－167。

〔註82〕「汪兆銘電陳公博」（1940年3月4日），〈民國30年汪精衛與各僞機關首長往返函電（1）〉，《汪兆銘史料》，典藏號：118－010100－0015－037、「汪兆銘電陳公博微電」（1940年3月5日），〈汪精衛與陳公博往返函電〉，《汪兆銘史料》，典藏號：118－010100－0044－032。

蔣中正對於日本可能以武力強行接收租界一事，顯見相當關心，也爲此準備聯絡列強，或發表聲明等草案。在其想法，設若日軍眞正進佔上海，導致美國對日禁運，迫使日方爲了物資運送，可能會將目光轉往中南半島，屆時中國承受的戰爭壓力，即可減輕。由於中南半島仍係英、法的勢力範圍，蔣乃命「我外交部應與英、法兩國當局切實交換意見」。〔註83〕

然另一方面，渝方也利用租界，從事抗日活動。而汪政府在政治作戰的考量上，自然不希望戰時輿論一面倒向重慶，進而影響汪政府內部的士氣，因此曾欲制裁租界內的親渝方報館。於是日本除了在公共租界與各國交涉軍事重劃，一方面也由汪系的特務組織，清除租界內部的反對勢力，顧祝同告蔣中正：「汪系特工人員聯合敵僞人員，在兩租界活動甚烈，實施暗殺恐嚇工作」。〔註84〕1939年6月18日，重慶方面的情報：「上海刪日（十五日）晨電，據報□於甘濃益三郎（滬敵居留民團長）處，探悉敵方對上海公共租界，認爲對華軍事有深切關係，非收回租界不可，以絕我中央政府命脈」，並且積極與英國駐華大使卡爾進行商談，英國方面本已允許日本能夠自由指定拘捕租界內的抗日份子，惟「迄今依然如故，毫無肅清」。

對於肅清運動，日本方面的計畫，係「希望於最短期間，將由陸海軍及憲兵隊突入租界」；再由維新政府派員，「按照調查指定各户，實行搜捕，爲一網打盡之計」。另外，「對於中交農各銀行，亦同時接收。除中央關係之各祕察〔？〕電台及各特務人員，捕□南京軍特務部外，同時接收法院，破〔迫〕令改組巡捕房」。〔註85〕武力搜捕以外，汪兆銘與日本特務機關也以使用金錢收買的方式，試圖排除租界內的反日力量。1939年7月，顧祝同再電蔣中正：「汪與敵特務機關商定，由汪以巨款收買兩租界警務及政治部，肅清兩租界抗日份子。並定七七至八一三爲搜索期，八一三至九一八爲肅清期」。〔註86〕

〔註83〕「蔣中正手諭王寵惠」（1940年6月7日），〈事略稿本——民國二十九年六月〉，《蔣中正總統文物》，典藏號：002－060100－00141－007。

〔註84〕「顧祝同自上饒電蔣中正號次35312」（1939年9月22日），〈汪僞組織（二）〉，《蔣中正總統文物》，典藏號：002－090200－00023－167。

〔註85〕「軍令部抄上海來電」（1939年6月18日），〈英日東京談判與租界問題〉，《外交部檔案》，檔號：013.1／0026，館藏號：11－01－02－11－01－036。

〔註86〕「顧祝同自上饒電蔣中正號次26791」（1939年7月12日），〈汪僞組織（二）〉，《蔣中正總統文物》，典藏號：002－090200－00023－241。

不過直到一年後，1941 年 10 月 3 日，太平洋戰爭爆發前夕，李士群電告汪兆銘：「制裁租界內渝方報館事，頃間影佐少將、晴氣中佐復來關說，謂日美關係異常嚴重，務請從緩進行，免生他變。職不得已允從其請，延期實施」。〔註 87〕說明日方並不樂見寧方的肅清行動，危及日美關係，因此制裁報館一事，就在影佐禎昭與晴氣慶胤的阻止下，臨時喊停。

由此觀之，儘管對汪兆銘而言，是期待著日軍以武力接收租界。但事實上，當時上海租界並不屬於日本所控制，日本也不願意在中日戰場外節外生枝，因此未正面回應汪兆銘。武力接收租界一事，出現在日軍空襲珍珠港、隨之攻佔上海公共租界之後，汪日雙方始得就租界問題，重新進行交涉。

第三節　太平洋戰爭與汪政府

（一）太平洋戰爭爆發

1940 年 11 月，汪政府與日本簽訂《中日基本關係條約》後，雖然獲得日本當局的正式承認，但外交路線亦僅能追隨日方，對於未來戰況，感到更加混沌與徬徨。周佛海在日記中即寫道：「惟此舉是福是禍，人非上帝，未有能預言者」、「最好汪、蔣之間，能有默契及了解，一參加日德意陣線，一參加英美陣線。將來無論兩陣線誰勝誰敗，中國均有辦法；否則雙方孤注一擲，實甚危險。惟兩公雖均有此遠見，惟無此雅量耳」。〔註 88〕延至 1941 年 6 月，聞德蘇開戰，周佛海又認為，目前存在著重慶與南京兩個「中國政府」的情形，係「腳踏兩只船，無論勝敗誰屬，中國不至吃虧，雙方當局均應有此諒解，不可眞演成國內之爭也」。〔註 89〕

由此觀之，周佛海以為在日汪關係確立之後，中國是進入了一種無論未來戰況如何發展，皆已立於不敗之地的狀態；不認為南京與重慶是位處在兩

〔註 87〕「李士群自上海電汪兆銘號次 100053」（1941 年 10 月 3 日），〈民國 31 年各方為「清鄉工作」致汪精衛之函電（2）〉，《汪兆銘史料》，典藏號：118－010100－0018－039。

〔註 88〕周佛海著，蔡德金編著，《周佛海日記全編》（上），頁 386，1940 年 11 月 30 日條。

〔註 89〕周佛海著，蔡德金編著，《周佛海日記全編》（上），頁 484，1941 年 6 月 29 日條。

個極端，「腳踏兩只船」的策略，只是爲了戰爭結束後的中國利益，並不樂見雙方走向眞正的分裂。

但當戰火來襲時，「誰勝誰敗，皆有辦法」、「勝敗誰屬，中國不至吃虧」的想法，已無法如之前那般輕鬆。1941 年 12 月 7 日，日軍攻擊珍珠港，太平洋戰爭爆發。8 日，金雄白自上海前往南京，詢問周佛海，美日開戰之後汪政府的態度。周佛海表示，汪兆銘對於日本未先通知一事，感到震怒。周佛海隨即約陳公博討論，陳公博也對此事感到憂慮，認爲若日本在太平洋的戰事順利，軍人氣燄高張，將對汪政府之態度更顯壓迫。〔註 90〕

同日，周佛海「旋赴中儲，商安定金融辦法」，並「召集各商業銀行領袖，商安定金融各項問題」，爲戰爭擴大所可能引發的金融危機，提前準備。但日方態度，也使周佛海感到納悶，「在此戰爭期間，國民政府爲自身立場及利害計，自應與日本充分協力；惟日方似不願我政府立於表面，未知用意何在」；遂記下「來日大難，何以克服耶」之語。〔註 91〕

周佛海之擔憂，亦不無道理。此時，日軍已進駐租界，9 日「傳日方擬於租界設立特別行政組織，離開國民政府，而以舊軍閥何某主其事，日方意見極爲複雜」；金融方面，雖然「各銀行界領袖均願服從中儲指導」，但「日方似另有用心」。〔註 92〕直到 14 日，日本駐華公使堀內干城遣人向周佛海解釋，「關於上海金融直接由日軍處理，係一時權宜之計，並非不信任中儲，更非不信任余〔周佛海〕本人，請勿消極。將來金融管理監督權，必交回國民政府」。〔註 93〕12 日，周佛海猶記下：「日方關於上海租界，以軍占領爲名，不使我國民政府參加；即金融方面亦直接處理，不使中儲預聞，殊令人懷疑日本強化國民政府之誠意也」。〔註 94〕

13 日，周佛海、陳公博與日本陸軍少將影佐禎昭會面，討論「日美戰爭後，國民政府今後應如何做法、做何事，對重慶應如何使之傾向和平」，周佛

〔註 90〕朱子家（金雄白），《汪政權的開場與收場》（上），頁 207～208。

〔註 91〕周佛海著，蔡德金編著，《周佛海日記全編》（上），頁 548，1941 年 12 月 8 日條。

〔註 92〕周佛海著，蔡德金編著，《周佛海日記全編》（上），頁 548～549，1941 年 12 月 9 日條。

〔註 93〕周佛海著，蔡德金編著，《周佛海日記全編》（上），頁 551，1941 年 12 月 14 日條。

〔註 94〕周佛海著，蔡德金編著，《周佛海日記全編》（上），頁 550，1941 年 12 月 12 日條。

海抱怨道：「中國對於驅逐英美勢力，自應以全力協助日本，但目前似要幫忙而幫不〔上〕忙」。〔註 95〕21 日，周佛海再與影佐會談，討論對英、美宣戰問題：「如渝方不對日本宣戰，余主張我政府不必對英、美宣戰，以免將來統一及全面和平又多一障礙；但渝方如對日宣戰，我必對英、美宣戰。今渝已參戰，我方不宜不宣戰也」。〔註 96〕

日本協助汪兆銘成立新政府的目的與原因眾多，但不包括一個與美國正面交鋒的中國。日本在淪陷區成立一代表「中國」的新政權，與其交涉，係證明和談是日方的選項之一，欲藉此打擊重慶政府的抗戰主張，也因此日本並不希望汪政府捲入軍事紛爭。故對汪兆銘主動表達參戰意見，影佐僅表示：「日使領及軍部亦有此意見，當回東京陳述，惟不知道東京意見如何」。〔註 97〕然就事實的發展而言，需至 1942 年 8 月，日本在瓜達康納爾島（Guadalcanal）戰役失利，太平洋戰事越顯告急之後，東京才開始考慮汪政府參戰一事。〔註 98〕

（二）汪政府對英美宣戰

日本雖然主動轟炸珍珠港，引發太平洋戰爭，但對汪政府關係，仍是相對保守，並未有軟化的跡象。不僅不願後者對英美宣戰，即使日軍佔領公共租界之後，亦未照《中日基本關係條約》所應允的，將租界交還汪政府。汪政府就此，與日方多有交涉，卻遲遲未有實際進度。直至瓜達康納爾島戰役失利，日軍在太平洋優勢逆轉，才迫使其重新思考對華政策。

1942 年 9 月 15 日，日本重新就「1.最初的講和條件、2.近衛聲明和治外法權問題、3.美國政府的解釋、4.日華基本條約和治外法權問題」等四點問題，試圖以舊有談判結果，制定新的對華政策。〔註 99〕但由於時機失之他晚，日

〔註 95〕周佛海著，蔡德金編著，《周佛海日記全編》（上），頁 550，1941 年 12 月 13 日條。

〔註 96〕周佛海著，蔡德金編著，《周佛海日記全編》（上），頁 554，1941 年 12 月 21 日條。

〔註 97〕周佛海著，蔡德金編著，《周佛海日記全編》（上），頁 554，1941 年 12 月 21 日條。

〔註 98〕石源華，〈汪僞政府對英美「宣戰」論述〉，《軍事歷史研究》，4（南京，1999），頁 41。

〔註 99〕「159.治外法権撤廃問題の政治的観察（調査報告書第七号）」（1942 年 9 月 15 日），〈外務省記録〉，《本邦対内啓発関係雑件／講演関係／日本外交協会講演集：第十一巻》，外務省外交史料館，アジア歴史資料センター藏，レファレンスコード：B02030932800。

本內部也存在著另一種聲音，認爲此並非爲「新政策」，而僅只是舊有政策付諸執行而已。〔註 100〕

新政策的實行，使得汪日之間的關係更加唇亡齒寒，徵候之一，就是 1943 年 1 月 9 日，汪政府對英、美宣戰。有關宣戰問題，自 1941 年 12 月 7 日，太平洋戰爭爆發後，汪政府是否跟進宣戰一事，由於日本抱持保留態度，汪政府僅能反覆宣傳與日本將「同甘共苦」，〔註 101〕但汪方並未因此放棄爭取參戰。

1942 年 7 月，周佛海訪日，17 日先與日本軍部討論參戰問題，軍部對於此事表示贊成，惟日本外相東鄉茂德卻持有異議，認爲參戰「足以妨礙全面和平」，周佛海則回應「全面和平與中國參戰無關，中國參戰至少不妨礙全面和平，而於強化國民政府頗有效力」。〔註 102〕而後數日，周佛海持續會見日方要人，積極遊說參戰一事，包含外務省調查部長田尻愛義、〔註 103〕陸軍大將阿部信行、〔註 104〕首相東條英機，東條亦表示基本贊成，〔註 105〕周佛海甚至表示不僅要「同甘共苦」，甚至要「共存共亡，同生共死」。〔註 106〕29 日，再與東鄉就參戰一事會談，相較於前次會面，東鄉此次態度相對保守，並謂「國際情形變化極快，中日兩國須急研究中國參戰問題，以便隨時可以應付」，周佛海判斷，東鄉應仍在觀察德蘇戰事之戰果。〔註 107〕

而除了外務部觀望國際情勢之外，使得日本對於汪政府參戰一事持保守態度外；另一方面，日本軍部原計劃直攻重慶，逼和重慶政府，但至同年 10 月，日軍在太平洋的戰情持續惡化，遂決定放棄此計劃，29 日，決議讓汪政府參戰。〔註 108〕

〔註 100〕今井武夫，《今井武夫回憶錄》，頁 201。

〔註 101〕石源華，〈汪偽政府對英美「宣戰」論述〉，頁 40。

〔註 102〕周佛海著，蔡德金編著，《周佛海日記全編》（下）（北京：中國文聯，2003，初版），頁 627，1942 年 7 月 17 日條。

〔註 103〕周佛海著，蔡德金編著，《周佛海日記全編》（下），頁 627，1942 年 7 月 18 日條。

〔註 104〕周佛海著，蔡德金編著，《周佛海日記全編》（下），頁 628，1942 年 7 月 20 日條。

〔註 105〕周佛海著，蔡德金編著，《周佛海日記全編》（下），頁 629～630，1942 年 7 月 24 日條。

〔註 106〕石源華，〈汪偽政府對英美「宣戰」論述〉，頁 40～41。

〔註 107〕周佛海著，蔡德金編著，《周佛海日記全編》（下），頁 631，1942 年 7 月 29 日條。

〔註 108〕石源華，〈汪偽政府對英美「宣戰」論述〉，頁 41。

至 12 月 5 日，汪兆銘召見陳公博與周佛海，周憶及「兩周前永井大佐回東京前一日，曾特來訪談，據云日本認中國參戰時機已熟，日本正研究中國宣戰時，日本以何項英、美在華權益交回中國也」，認爲汪的召見，應與參戰問題有關；〔註 109〕8 日，周佛海與陳公博面見汪兆銘，「果爲參戰問題」，汪表示日本希望其於 20 日前往日本，商討相關事宜。〔註 110〕

20 日，汪兆銘抵日後，隔日先與日本大東亞大臣青木一男會晤，青木表示目前日本之方針，「一、過去日本對國府僅談原則此次重在實行；二、過去東京方針，對在華日當局不能貫徹，今後務求貫徹；三、對華政治決不干涉」；午後，汪方一行人與日相東條英機開始就參戰一事會談，東條果然釋出善意，「宣戰時機盼於明年一月中旬後，由我〔汪方〕擇定適當時機實行，日本決不乘中國參戰，對國府加以束縛，反將盡速取消租界及領事裁判權；對於處理英、敵產，將以好意與我洽商」。〔註 111〕22 日，周佛海訪青木一男，青木再度表示「此次下最大決心矯正日本在華各種不合理之設施，東條亦以最大決心支持；下級人員及在華當局如不服從，即當更動。望余〔周〕今後事實證明，此時不必多談」。日本積極並友善的態度，使周認爲，「察各方空氣，日本對華政策確將大變也」。〔註 112〕

25 日，汪兆銘返國前發表演講，內容提及「決與友邦日本共同協力，共安危，同生死」，使「大東亞戰爭得到最後勝利」，〔註 113〕暗示即將參戰一事。周佛海返國後，對於參戰之事記道：「中國方面必多懷疑。爲國家計，余以爲此舉有利無害，蓋不僅共苦，且可取得同甘之保障」，否則「資本須拿出，損失須負擔，而不能取得股東資格，有利益時不能分紅，則只有共苦，不能同甘也」。〔註 114〕

〔註 109〕周佛海著，蔡德金編著，《周佛海日記全編》（下），頁 676，1942 年 12 月 5 日條。

〔註 110〕周佛海著，蔡德金編著，《周佛海日記全編》（下），頁 677，1942 年 12 月 8 日條。

〔註 111〕周佛海著，蔡德金編著，《周佛海日記全編》（下），頁 681～682，1942 年 12 月 21 日條。

〔註 112〕周佛海著，蔡德金編著，《周佛海日記全編》（下），頁 682，1942 年 12 月 22 日條。

〔註 113〕石源華，〈汪僞政府對英美「宣戰」論述〉，頁 41。

〔註 114〕周佛海著，蔡德金編著，《周佛海日記全編》（下），頁 684～685，1942 年 12 月 30 日條。

周佛海的想法，反應出汪政府內部之一種思考方向，即此場戰爭中，日本或許未必敗於英美，倘若日本得勝，汪政府卻未宣戰，必然影響戰後地位。而除此之外，對於汪政府名義下之轄區，擴及華北及蒙疆一帶，但事實上而言，此二處之主管機關「華北政務委員會」與「蒙疆政務委員會」具有相當程度之自主性，以中央政府之姿，向英、美宣戰，除可藉此由日本手中收回英、美租界，及撤廢治外法權，亦可提升中央政府之威望；且汪兆銘認爲，即便不宣戰，若英、美得勝，也不可能無視處於軸心陣營的汪政府，〔註 115〕有鑑於此，宣戰似乎已是必要之舉。

由於定於宣戰之日的 1 月 15 日將屆，隨著時間逼近，汪政府對於收回租界及撤廢治外法權一事，也開始有積極動作。1 月 6 日，周佛海謁見汪兆銘「商對英、美宣戰及中、日共同協力戰爭兩宣言，以及將與日本訂定之撤銷治外法權、交還租界、處理敵產等協定草稿」；〔註 116〕7 日，再與汪兆銘商議「對英、美宣戰後，我方應有之處置」、「陳述關於調整機構之意見」；〔註 117〕但同日晚上，出現了一些插曲，重光葵向汪兆銘言道：「接東京電，英、美、重慶已知我將對英、美宣戰，大肆破壞工作，可否將宣戰時期提前等語」，於是雙方決定提前於 9 日發表宣戰佈告，8 日，周佛海訪重光葵「談宣戰後國府應做之事，對於日本退回租界及撤銷治外法權之進行步驟，尤詳細商討」。〔註 118〕

9 日，汪政府正式向英、美宣戰，周佛海憶及 1942 年 7 月訪日時，日方對於參戰一事的保留態度，與今對照之下，態度可謂急轉之下，周佛海認爲箇中原因，應係日本天皇曾指責軍部對華政策不當，因此軍部將汪政府參戰一事，做爲改正此問題之做法。因此周佛海也明白「故日本對於中國參戰以後之如何眞正協力戰爭，實未抱過份之期待，故亦必無過份之苛求也」。〔註 119〕宣戰一事，固然汪政府在軍事上使不上力，但在政治上具有象徵意義，包含

〔註 115〕石源華，〈汪僞政府對英美「宣戰」論述〉，頁 42。

〔註 116〕周佛海著，蔡德金編著，《周佛海日記全編》（下），頁 690，1943 年 1 月 6 日條。

〔註 117〕周佛海著，蔡德金編著，《周佛海日記全編》（下），頁 691，1943 年 1 月 7 日條。

〔註 118〕周佛海著，蔡德金編著，《周佛海日記全編》（下），頁 691，1943 年 1 月 8 日條。

〔註 119〕周佛海著，蔡德金編著，《周佛海日記全編》（下），頁 692，1943 年 1 月 9 日條。

租界及治外法權亦如是，惟除了早於重慶一日宣布，使得蔣中正跳腳之外，戰爭所帶來之外交成果，必然免不了其不良影響。

（三）汪日收回租界之交涉

蓋汪政府對英、美宣戰，已偏離日本最初所主張之「日滿華共榮」，甚至是「大東亞共榮」之和平構想；也使得當初以和平為出發點，而與日本「提攜」的汪兆銘，對於日本首相東條英機就徵兵一事「爭持甚烈」。緣因戰爭進行至後期，日本在兵源的補充上亦顯捉襟見肘，在汪政府向英美宣戰，正式與日本站在同一戰線之後，日本對於兵源補充的策略做出調整，東條英機要求汪兆銘在華北徵兵：「東條除迫令偽府對英美宣戰外，并征調壯丁兩千萬參加作戰」；但汪兆銘對徵兵一事與東條「爭持甚烈」，最終「嗣經疎解為四百萬，華北二百萬，華中華南各一百萬，現已開始征調，準備三個月訓練完成」。

蔣中正聞知此事，立命見縫插針，表示：「此甲項〔徵兵〕應作公開宣傳，□□在敵區前方之部隊□□淪陷區□對民眾積極宣傳」。〔註 120〕日本要求已經參戰的汪政府，能在管轄範圍內進行徵兵，以期減輕日本在兵源上的壓力，卻使汪政府落了一個讓重慶政府在輿論上能夠大作文章的口實。即便日本同時表現出對中國進一步的善意，包含重訂新約、保證撤兵、交還租界及撤廢治外法權等，但已無法抹去覆蓋在汪政府上的一層陰影。

之後，日本也與汪政府開始租界交還與廢除治外法權的工作，〔註 121〕汪政府先於 1 月 6 日成立「接收租界及撤廢治外法權委員會」；11 日，再將此委員會分為「接收租界委員會」與「撤廢治外法權委員會」，但雙方在會談地點、交涉窗口等問題上，齟齬不斷。〔註 122〕

例如日汪雙方的談判窗口並不「對等」。1940 年《中日基本關係條約》簽訂時，汪政府代表為汪兆銘（行政院長，最高行政首長），日方代表則是阿部信行（特命全權大使），尚無問題；但至租界交還與治外法權廢除談判

〔註 120〕「張蔭梧電蔣中正」（1943 年 2 月 3 日），〈革命文獻——偽組織動態〉，《蔣中正總統文物》，典藏號：002－020300－00003－059。

〔註 121〕「租界還付及治外法権撤廃等ニ関スル日本国中華民国間協定ヲ公布ス」（1943 年 1 月 9 日），〈公文類聚・第六十七編・昭和十八年・第六十三巻・外事一・国際一〉，《内閣》，国立公文書館，アジア歴史資料センター藏，レファレンスコード：A03010108200。

〔註 122〕「周佛海電汪兆銘」（1942 年 2 月），〈民國 31 年汪精衛與廣州等地往返函電（1）〉，《汪兆銘史料》，典藏號：118－010100－0025－070。

時，汪政府代表已分別「降格」爲接收租界委員會主委褚民誼（外交部長兼任）與撤廢治外法權委員會主委羅君強（司法行政部長兼任），日方代表則仍是駐華大使館。日本對此感到不滿，要求雙方談判窗口可以較爲「對等」。〔註 123〕

事實上，汪日關係中，雙方對等職銜，卻從來沒有對等職權。日本駐華大使，擁有與汪政府直接簽訂外交條約的權力；但反觀汪政府駐日大使，卻無此權力。即以交還租界一事爲例，1943 年 1 月，日汪簽訂了《關於交還租界及撤廢治外法權之協定》，但汪政府駐日大使館的工作報告，要直到同年 8 月，租界交還一事方有紀錄：「八月廿日，訓令。外交部訓令。准宣傳部函知：關於友邦交還上海租界之宣傳演講一案，令仰尊辦由□遵辦」。〔註 124〕

1943 年 1 月 9 日，日汪簽訂《關於交還租界及撤廢治外法權之協定》新約，隔日美國也宣告將與重慶政府重新簽約。但事實上，重慶的《中美新約》與日汪所訂定之新約，有相當程度之雷同：

表一：《中美新約》大要與《關於交還租界及撤廢治外法權之協定》比較

	《中美新約》大要。〔註 125〕	《關於交還租界及撤廢治外法權之協定》。〔註 126〕
撤廢治外法權	（一）美國人民在中國領土內，應依照國際公法之原則，及國際慣例，受中華民國政府之管轄。	第六條：「日本國政府對於日本國在中華民國國內現今所有之治外法權，業經決定速行撤廢」。
北京使館行政權	（二）光緒二十七年（一九〇一）中國政府與美國政府在北京簽訂之議定書應行取消，凡該議定書及其附件給予美國之一切權利，應予終止。美國同意將北平使館界之行政與管理，連同使館界之一切官有資產與官有義務，移交與中國政府。	第五條：「日本國政府應承認中華民國政府迅速收回北京公使館區域行政權」。

〔註 123〕「汪兆銘電周佛海」(1943 年 2 月 26 日)，〈民國 32 年汪精衛致周佛海函電〉，《汪兆銘史料》，典藏號：118－010100－0030－004。

〔註 124〕〈大使館工作報告〉（1943 年 8 月 20 日）《中華民國國民政府（汪政權）駐日大使館檔案》，東洋文庫藏，請求記號：22744。

〔註 125〕秦孝儀編，《總統蔣公大事長編初稿》（卷五上冊），頁 259～260，1943 年 1 月 11 日條。

〔註 126〕中央檔案館、中國第二歷史檔案館、吉林省社會科學院編，《汪僞政權》，頁 871～873。

	《中美新約》大要。〔註125〕	《關於交還租界及撤廢治外法權之協定》。〔註126〕
租界歸還	（三）美國將上海及廈門公共租界之行政與管理歸還中國政府。	第一條「日本國政府，應將日本國在中華民國國內現今所有之專管租界行政權交還中華民國政府」、第四條「日本國政府依據另行協議所定，應承認中華民國政府盡速收回上海公共租界及廈門鼓浪嶼公共租界行政權」。
財產問題	（四）美國人民（包括公司及社團）或政府，在中國領土內之不動產，應受中國徵收捐稅徵用土地及有關國防各項法令之約束，非經中國政府之明白許可，不得轉移於第三國政府或人民（包括公司及社團）。	《關於交還專管租界實施細目及了解事項》。實施項目第三條：「中華民國政府應按照原狀，尊重並確認日本國政府及臣民在專管租界地域內所有不動產及其他之權利利益，並應對此取必要之措施」。
僑務問題	（五）雙方同意兩國人民在本國境內有旅行居住及經商之權利，關於各項法律手續司法事件之處理，及各種租稅之徵收，與其有關事項，不低於所給本國人民之待遇。	第三條：「中華民國政府於依據前兩條租界交還實施後，在該地域內施政時，關於日本國臣民之居住、營業及福祉等，至少應維持向來之程度」。
外交官權益	（六）雙方同意得在對方口岸及城市駐紮領事，應有與其本國人民會晤通訊以及指示之權。兩國之領事官應享有現代國際慣例所給予之權利特權與豁免。	
貿易問題	（七）雙方同意對敵戰爭結束後，至遲於六個月內進行談判，簽訂一現代廣泛之友好通商航海設領條約。	

兩相對照之下，可以略見除了財產問題、外交官權益及貿易問題，在《關於交還租界及撤廢治外法權之協定》中未及討論之外，其餘有關治外法權、租界與僑務問題，日本與美國願意釋出的在華權益，相差無幾。而財產問題，日本也於3月9日增訂了《關於交還專管租界實施細目及了解事項》，將其列入。

接著10月30日，汪政府與日本重新訂定《中日同盟條約》，將原本遭受非議的《中日基本關係條約》廢除；並於附屬議定書中，同意在戰爭結束後，完全放棄北京議定條款（辛丑和約）的在華駐兵權。〔註127〕按：撤兵問題一

〔註127〕秦孝儀編，《中華民國重要史料初編——對日抗戰時期：第六編傀儡組織》（三），頁413～414。

直是日本與中國之間的重大障礙，因此對汪政府而言，廢除遭受非議的舊約，並且爭取到日本撤兵的保證，在面子上而言，或許可謂有重大的外交突破。當然，撤兵的前提是回到「和平狀態」之後，對日本而言，若能夠在這場戰爭中取得勝利，自然不需要駐軍來確保日本在「大東亞新秩序」的盟主地位；若戰敗，撤兵本也是理所當然。因此，日汪重新訂約，對雙方皆是惠而不費的生意，宣示意義遠大於實質影響。

由於公共租界早經日方佔領，在汪日新約簽訂後，要交還予汪政府，並非難事。但法租界方面，則另經過一番周折。1943 年 1 月 22 日，日本駐汪政府大使重光葵與戈斯默對於法國在華租界一事，展開會談，戈斯默表示：「鑑於中國今日之情勢，以法國而言，當與日本完全合作。關於租界與治外法權問題，將視日本之如何處置而追隨其後」。但也坦承：「現感困難者，爲與重慶之關係」。蓋「從政治方面考慮，與重慶絕交固未爲不可」，只是「與重慶絕交或維持現狀，甚至不與重慶絕交而在實際上承認南京政府問題之解決」，也「僅有等待東京、維琪間交涉之結果」。關於租界及治外法權問題，「可先用致一般中國國民之宣言形式，以表示意旨；而與南京方面締結協定，於事實上承認南京政府，並在南京設立領事館；自己亦時臨其地，與南京政府保持接觸。總之，將惟貴大使之命是從之」。〔註 128〕

至此，法國維琪政府在對於中國問題的立場上，已逐漸趨向跟隨日本承認汪政府。1943 年 2 月 26 日，法國對租界及治外法權問題，有了進一步的表示，廣州市長陳耀祖電告汪兆銘：「關於法國退還租界、撤銷治外法權，遂經飭由周特派員向駐粵法領事致謝」。〔註 129〕同日，法國開始撤離駐重慶使節，〔註 130〕爲 8 月間與重慶的斷交留下伏筆。

（四）收回租界之迴響

事實上，日汪《關於交還租界及撤廢治外法權之協定》與重慶的《中美新約》比較，無論是對日本或是英美，宣示意義都大於實質意義。對日本而言，

〔註 128〕「截獲日本電報譯文號次 202」（1943 年 1 月 23 日），〈敵僞組織（二）〉，《蔣中正總統文物》，典藏號：002－080103－00010－082。

〔註 129〕「陳耀祖電汪兆銘」（1943 年 2 月 26 日），〈民國 32 年汪精衛與廣州各方往返函電之 2〉，《汪兆銘史料》，典藏號：118－010100－0028－005。

〔註 130〕「戈思默電駐渝大使館」（1943 年 2 月 26 日），〈革命文獻——對法外交〉，《蔣中正總統文物》，典藏號：002－020300－00045－082。

上海公共租界本非其主要勢力範圍，而是以武力所奪取之，因此將上海公共租界這項「戰利品」轉送汪政府，僅是一借花獻佛之行為。同樣的，對英美而言，公共租界已淪陷於日本之手，英美喪失實質的治權，即便宣告歸還中國，也僅是口惠實不至，英美對重慶的保證，必須在戰爭勝利之後才能兌現。

也因此，蔣中正所在意的，乃是以訂約時間的早晚為主。對於《中美新約》晚於日汪訂約一事，感到耿耿於懷：「美國對新約一再延擱，以致寇偽先行發表廢除不平等條約，宣傳計畫大受影響，殊為遺憾。一般人士雖明知其偽約為兒戲，然而新約繼其後而發表，未免因之減色」。〔註131〕相反的，在一個中國內部，存在著兩個政府競合的情形之下，的確印證了周佛海於1940年日記所提及之「一參加日德意陣線，一參加英美陣線，將來無論兩陣線誰勝誰敗，中國均有辦法」的情況。〔註132〕

值得玩味的是，隨著日軍在太平洋戰場的逐步失利，約以1942年8月，瓜達康納爾島戰役為分界，日汪關係確實有了不同的發展。一方面，汪政府採取了若干自主自發的措施；另一方面，日本被迫做了某些鬆綁的相應動作。諸如早在1942年12月12日，日汪簽訂《關於交還租界及撤廢治外法權之協定》新約之前，李士群電告汪兆銘：「日軍中下層聯絡酬對工作已畢」，其任務除了酬謝日軍以外，也開始在租界內設立行轅：「租界內行轅事，已囑由晴氣中佐、小笠原少佐等積極辦理」，為可能接收租界一事做準備。〔註133〕

因此，租界與治外法權一事的解決，對汪政府產生了正面的影響，也增加了汪兆銘改組的信心，在欲成立與重慶政府相仿之「國防最高會議」，展現對軍事上改組的企圖：「汪逆精衛於子〔1月〕佳〔9日〕對英美宣戰後，與敵訂立平等條約收回租界、撤銷治外法權、成立戰時最高國防會議。并定丑〔2月〕寒〔14日〕刪〔15日〕銑〔16日〕等日，召集偽軍旅長以上主官到寧，商討政編、整訓、作戰、國防，及維護交通綫等問題。等情謹聞」。〔註134〕

〔註131〕呂芳上主編，《蔣中正先生年譜長編》（七）（臺北：國史館，2015，初版），頁278，1943年1月10日條。

〔註132〕周佛海著，蔡德金編著，《周佛海日記全編》（上），頁386，1940年11月30日條。

〔註133〕「李士群電汪兆銘」（1942年12月12日），〈民國31年各方為「清鄉工作」致汪精衛之函電（2）〉，《汪兆銘史料》，典藏號：118－010100－0018－059。

〔註134〕「蔣鼎文自洛陽電蔣中正」（1943年2月11日），〈汪偽組織（三）〉，《蔣中正總統文物》，典藏號：002－090200－00024－253。

蔣中正也意識到，汪政府的改組，與日本對汪政府的鬆綁有一定程度的關係，「僞組織軍事加強，華北傀儡王揖唐撤換，繼之者爲朱琛，可知敵寇對各僞組織之放鬆，以表示其對華方針之轉變也」。〔註 135〕當時在租界與治外法權問題解決之後，汪兆銘接著便欲取消華北政務委員會，強化南京政府的控制力，但受到華北方面軍司令，陸軍大將岡村寧次的反對而未能成案。〔註 136〕

綜觀汪政府成立後之外交行爲，與日本確立國交自然爲先，但汪政府自 1940 年 3 月成立後，日本仍持續進行桐工作，尚未有承認汪政府之盤算。直到 8 月間，日軍開始南進，攻佔法屬越南，並隨之與德義簽訂《三國同盟條約》，再加之桐工作又遲遲未有成果，至此，日本自認在各方面皆取得優勢之後，停止與重慶談判，並於同年 11 月 30 日正式承認汪政府。

而汪政府與日本建立國交後，卻無法立即與其他國家發展更進一步之外交行爲。就軸心陣營而言，領頭的德、義介於與重慶政府的舊誼，在非必要的情形之下，不願在對華政策上多生事端，此態度亦影響了軸心陣營其餘國家；而英美陣營方面，雖曾對於汪政府的成立抱持著觀望態度，惟至汪政府成立後，卻連軸心陣營都未與之建立國交。就事實上而言，汪政府的成立，並未對重慶政府造成太大的打擊，也使得原本即以自身在華利益爲考量，希望中日停戰的英美陣營，維持原有對華政策。

汪政府在國際關係上的的突破口，首現於 1941 年 6 月，德國進攻蘇聯。德國爲拉攏日本，爭取日本北進的可能，遂於 7 月 1 日正式承認汪政府，德國的表態，也使得軸心陣營跟進承認汪政府，汪政府並於同年 11 月 25 日，加入簽署《國際反共產協定》，正式進入軸心陣營。

兩週後，日本空襲珍珠港，並於隔日攻入上海租界，雖未立即遵照原本對汪政府之承諾，交還租界及廢除不平等條約，但至 1942 年 8 月時，日軍在太平洋逐漸失勢，方始重新思考對華新政策，汪政府的存在，也讓日本在對華談判上有了一個窗口。首先於 1943 年 1 月 9 日，日汪對於租界及治外法權問題，簽定《關於交還租界及撤廢治外法權之協定》；同年 10 月 30 日，再簽訂《中日同盟條約》，對撤兵做出承諾。汪兆銘等人係對英美的介入感到悲觀，

〔註 135〕秦孝儀編，《總統蔣公大事長編初稿》（卷五上冊），頁 273，1943 年 2 月 11 日條。

〔註 136〕「蔣鼎文自洛陽致蔣中正電號次 16844」（1943 年 7 月 6 日），〈汪僞組織（三）〉，《蔣中正總統文物》，典藏號：002－090200－00024－231。

因而出走進行和平運動，但努力五年的和平運動能夠略有小成，卻又是在美日開戰後，才換取得之，不免使得汪政府的立場略顯難堪。

但另一方面而言，日汪在交涉的過程，亦有其之意義所在。就中華民國的外交史而言，這種「唱雙簧」般的外交行為，並非首例。如 1920 年代，中國南北政府分立，南方的國民政府對於列強的不平等條約，以「廢約」做為主要方針；北方的北洋政府則以原有條約，做為「修約」的基礎。南北二府之外交行為，看似為兩種不同方向，實際上，卻能夠在無形之中互相牽引。〔註 137〕

至 1940 年代，狀況雖與 1920 年代略有不同，不過細究其中，日、汪與重慶、英美兩陣營，在交還租界及廢除不平等的簽訂上，內容幾乎相同；且重慶與英美有簽訂，日汪未有簽訂之處，日本方面也隨之增補；另外簽訂時間上，日本在掌握重慶與英美的簽約時間後，先一日與汪政府訂約，也使得蔣中正為之氣結。由此略可觀之，汪日對於廢約的談判，的確造成了英美與重慶，在廢約談判上，無論是條約的內容、或是簽訂時間的壓力。

〔註 137〕有關 1920 年代之「雙簧外交」，可參見唐啓華，〈北京政府與國民政府對外交涉的互動關係（1925～1928）〉，《興大歷史學報》，4（臺中，1994），頁 [illegible]～120。

第四章　汪政府的財金措施與戰後結束

隨著抗戰期間，日本在中國佔領地的擴大，親日政府陸續樹立，為穩定控制區之金融秩序和打擊重慶政府之法幣，隨即而來的，便是於親日政府內發行新貨幣。其中包含了 1938 年 3 月，華北「臨時政府」，所發行之「聯銀券」；1939 年 5 月，華中「維新政府」之「華興商業銀行券」（下稱「華興券」）；而至汪政府成立後，再於 1941 年 1 月 6 日，發行「中儲券」。

而本章將著重於汪政府成立後，建立自有財政系統之經緯，包含建立「中儲行」以及所發行之「中儲券」，進而一窺有關汪政府之稅收等問題；另外探討中儲券與汪政府旗下之「華北政務委員會」，其轄區所沿用臨時政府之聯銀券，以及和法幣之相互關係，最終延伸至終戰後，對於重慶政府之接收進行一併探討。

第一節　中儲行的成立與中儲券之波動

（一）中儲行的成立

在汪政府正式成立之後，有關施政之重大議題，係由「中政會」討論並決議之，財政問題也包含於其中。惟中政會主席「得為便宜之處置，交由國民政府執行」，意即在汪兆銘允許之下，有關財政問題，財政部在制定與執行政策上，得以先斬後奏。於此規定之下，由行政院副院長兼任財政部長的周佛海，雖對內部而言，在財金政策上擁有相當程度的自主權；但對外方面，貨幣政策卻無法擺脫日本的影響。

新政府成立當天，1940年3月30日發表了《國民政府政綱》，將重建中央銀行一事納入其中：「振興對外貿易，求國際收支之平衡，並重建中央銀行，統一幣制，以奠定金融之基礎」。〔註1〕但此時，汪政府尚未建立屬於自身的中央銀行及貨幣系統，中央銀行遲至隔年1月方才開業。

其中緣由，係汪政府即將成立之時，沒有充份的財政準備，稅收又無法確實掌握。因此早於1939年9月，汪兆銘就曾向日本，就日佔區的中國海關關稅問題，提出交涉。希望於新政府成立前，日本能由原保管中國關稅之正金銀行，以借款形式，貸出4,000萬元予汪方；並且希望新政府成立以後，日本能將沒入之原中國關稅，移交回新政府。〔註2〕

此案經由日本特派大使阿部信行隨員犬養健的接洽，於1940年3月29日，新政府正式成立的前一日，向做為日本外匯銀行的正金銀行借入4,000萬日幣，以做財政準備。在3個月內分4期的方式提領，即3月30日1,500萬元、4月30日1,000萬元、5月30日1,000萬元、6月30日500萬元，〔註3〕但款項僅能以當時華中流通的「華興券」及日本軍票提領之。

所以汪政府成立後，若欲動用中國關稅，須與正金銀行以「借款」方式交涉。表面上此借款條件相當寬鬆，日本以無息方式貸出，10年償還，且償還時間可視情形再做彈性調整。〔註4〕但遲至1940年4月24日，經汪政府向正金銀行交涉之下，始取得成立後首月之1,500萬元關稅，得以進行基本運作。〔註5〕對於此時的汪政府而言，仍未能確實掌握關稅，稅收不足的情形之下，也延遲了中央銀行成立。

〔註1〕「《國民政府政綱》」，黃美眞、張雲編，《汪精衛國民政府成立》（上海：上海人民，1984，初版），頁823。

〔註2〕「中國方面第二要求——有關中央政府財政問題對日本方面的希望」，今井武夫，《今井武夫回憶錄》（上海：上海譯文，1978，初版），頁345～346。

〔註3〕「12.国民政府財政部長周仏海ト岸波正金上海支店支配人トノ間ニ於ケル4千万弗借款契約」（1940年4月3日），〈本邦ノ中央政府ニ対スル借款売掛代金其他ノ債権関係雑件〉，《外務省記録》，外務省外交史料館，アジア歴史資料センター藏，レファレンスコード：B08060999700。

〔註4〕「対支4000萬元借款契約書写送付の件」（1940年4月4日），〈昭和15年「陸支密大日記第15号1／3」〉，《陸軍省大日記》，防衛省防衛研究所，アジア歴史資料センター藏，レファレンスコード：C04122022200、周佛海著，蔡德金編著，《周佛海日記全編》（上）（北京：中國文聯，2003，初版），頁271，1940年3月29日條。

〔註5〕周佛海著，蔡德金編著，《周佛海日記全編》（上），頁284，1940年4月24日條。

有關通貨問題，鑒於日本軍票在華中無限制的發行，長時間下來必然造成惡性的通貨膨脹，周佛海即以此做爲理由，向日本爭取成立中央銀行並發行官方貨幣，以圖穩定經濟。由於汪政府自身稅收不足，財政準備須仰日本之鼻息而過活，因此，日本之態度，也左右了中央銀行的建立。其中日方的顧慮，來自於自身外匯短缺，和維持軍票信用。

緣因日汪仍在擬議中的中央銀行，係將日本在「華興商業銀行」中的 5,000 萬美金外匯，以借款方式資助汪政府。但此時日本外匯短缺，若汪政府成立央行，抽出 5,000 萬美金外匯，必然使得日圓信用受到衝擊。〔註 6〕因此周佛海計畫以日本之借款，收購黃金及英美外匯，做爲新貨幣之發行準備。〔註 7〕

至於軍票信用問題，最終在汪政府的力爭之下，1940 年 7 月 15 日，日本中國派遣軍司令部擬定《新中央銀行設立後通貨處理綱要》，提及「不論何時，如果發現新幣有妨害軍票的作用時，要對新中央銀行的經營或新通貨的形態，作必要修正」，即日本同意在不破壞軍票信用的前提下，同意中央銀行的成立，並得發行新貨幣；但若新貨幣對軍票發生影響，日本亦得對新中央銀行，保留進行干預的最後權力。

同年 12 月 17 日，日汪簽定《關於設立中央儲備銀行之覺書》，正式決議成立中央銀行，並定名爲「中央儲備銀行」，於翌年 1 月 6 日正式開幕，由周佛海兼任中儲行總裁。接著汪政府通過《整理貨幣暫行辦法》，發行官方貨幣「中央儲備銀行券」，取代前「維新政府」在 1939 年 5 月發行的「華興券」，成爲汪政府在華中及華南的法定貨幣。〔註 8〕

（二）汪政府主要財源

汪政府中央銀行之成立，之所以延宕近一年方得建立，還得須靠日方借款，方能補足財政準備金，此與稅收無法確實入帳有莫大關聯。汪政府成立後之主要稅收，以關稅、鹽稅、統稅爲主，此三稅於 1941 年上半年，佔了總稅收的 69.04%，下半年則達到 76.10%；1944 年仍佔有 49.81%，〔註 9〕所佔比例之重，可見一斑。

〔註 6〕林美莉，〈抗戰時期的貨幣戰爭〉（臺北：國立臺灣師範大學歷史學系博士論文，1994），頁 253。

〔註 7〕朱子家（金雄白），《汪政權的開場與收場》（上），（臺北：風雲時代，2014，初版），頁 141。

〔註 8〕林美莉，〈抗戰時期的貨幣戰爭〉，頁 253～254。

〔註 9〕潘健，〈汪僞政府財政研究〉，頁 41。

1. 關稅收入

關稅方面，雖然關務署長張素民為周佛海所欽點，但事實上另有一主管機關「中國海關總稅務司」（下稱總稅務司），負責關稅之稅收。此官署自清末設立之始，由於當時清廷對於海關業務並不熟悉，因此至太平洋戰爭爆發前，皆由英國籍人士擔任司長。其間由於北洋政府時期，南北政府分立，海關管轄權出現爭議，因此英國提出「海關中立」，並由總稅務司長全權負責海關行政，得到北洋政府之同意。南北統一後，在當時的南京國民政府交涉之下，1932 年 3 月 1 日，英國同意將關稅匯入南京中央銀行；但仍保有海關之行政權，並得繼續管理關餘，以做為清末賠款的抵押。〔註 10〕

直至抗戰爆發，1938 年 5 月 3 日，英國駐日大使克萊琪（Sir Robert Leslie Craigie）與日本締結關稅協定，英國允諾日軍佔領區內之中國海關，其關稅得改存正金銀行；但日本仍須繼續支付海關之行政經費以及中國對外賠償之款項。惟日本並未遵守條約規定，戰爭賠償仍由重慶政府支出。〔註 11〕

由於日本保管中國關稅，所須負責之連帶責任，係須定期償還中國之外債及賠款；而至 1939 年 1 月時，重慶政府已還清當期的外債及賠款，日本保管已無必要，因此汪兆銘向日本要求，應將自 1938 年 5 月，至 1939 年 1 月之中國關稅，交予汪方，以做新政府之財政準備。〔註 12〕但日本僅答應「借款」，對於「歸還關稅」問題，以牽涉到與英國之海關協定，及汪政府國庫制度尚未完善為由，加以拒絕。〔註 13〕

1940 年 5 月 10 日，周佛海就「借用」中國關稅一事，感歎道：「與正金銀行上海經理借用四月份關餘契約。每月動用關餘，須用借款形式，不可謂財政獨立」；但周佛海也瞭解，關餘雖然是由日本代管，但負責關稅管理的仍是英國，「然此係受英日關稅協定之束縛，其責在英」。〔註 14〕因此，汪政府成立後，一度將交涉對象，轉向實質掌握海關行政權的總稅務司。周佛海與時任總稅務司長的梅樂和（Sir Frederick William Maze）就收回行政權一事進

〔註 10〕 潘健，〈汪偽政府財政研究〉，頁 43。

〔註 11〕 潘健，〈汪偽政府財政研究〉，頁 44。

〔註 12〕 「中國方面第二要求——有關中央政府財政問題對日本方面的希望」，今井武夫，《今井武夫回憶錄》（上海：上海譯文，1978，初版），頁 345～346。

〔註 13〕 「日本方面回答要旨（1939 年 10 月 30 日興亞院聯絡委員會決定）」，黃美真、張雲編，《汪精衛國民政府成立》，頁 419。

〔註 14〕 周佛海著，蔡德金編著，《周佛海日記全編》（上），頁 292，1940 年 5 月 10 日條。

行交涉；但經梅樂和以穩定稅收、繼承國民政府舊制，以維持汪政府的法統為由，說服了周佛海，使汪政府並未順利取回海關行政權。〔註 15〕

延至 1941 年 1 月中儲行成立，汪政府建立國庫制度後，日本仍未將關稅權交還。需到 1942 年中，隨著太平洋戰事逆轉，日本進行「對華新政策」後，方於 1943 年 1 月，由汪政府向總稅務司接管。〔註 16〕此時，總稅務司長雖仍由日人擔任，但汪政府已不用再以「借款」方式，向日本「借出」自己的關稅。在扣除外債及賠款之後，即可繳入汪政府國庫。〔註 17〕

2. 鹽稅收入

鹽稅方面，隨著抗戰爆發，日本逐漸進佔沿海地區，並掌握沿海的鹽場之後，分別於華北和華中成立鹽業公司實行專賣，並且在稅收上給予相當大的優惠，甚至「幾不納稅」。以 1938 年華中為例，鹽收達 8,500 萬法幣，但日本僅分配約 2,900 萬予「維新政府」；1939 年，天津鹽收 1,804 萬，日本也僅分配 1,300 萬予「臨時政府」。〔註 18〕

汪兆銘為此，於 1939 年向日本提出「鹽稅為新中央政府之重要財政基礎，而現在全無收入。華中設有通源公司，但作為日本人經濟的食鹽運輸販賣機關，如所周知，並不納稅」；因此希望在新政府成立後，關於鹽稅之稅務行政及納稅辦法，能夠「以事變前的狀態為基礎，予以恢復」。〔註 19〕不過汪政府成立後，日軍將鹽列為戰略物資，仍實施專賣，僅將 30％鹽餘分配汪政府。〔註 20〕

日佔區之主要鹽場，有河北長蘆鹽場、山東鹽場以及江蘇的海州鹽場，此三大鹽場佔全中國產量的 2／3。但由於長蘆鹽場與山東鹽場位於華北，

〔註 15〕張志雲，〈分裂的中國與統一的海關：梅樂和與汪精衛政府（1940～1941）〉，周惠民編，《國際法在中國的詮釋與運用》（臺北：政大，2012，初版），頁 126～127。

〔註 16〕1941 年 12 月 7 日，珍珠港事件後，隔日，梅樂和遭受日本軟禁，日本指派岸本廣吉接任總稅務司，直至戰爭結束。見張志雲，〈分裂的中國與統一的海關：梅樂和與汪精衛政府（1940～1941）〉，周惠民編，《國際法在中國的詮釋與運用》，頁 126～127。

〔註 17〕潘健，〈汪偽政府財政研究〉，頁 52。

〔註 18〕潘健，〈汪偽政府財政研究〉，頁 58。

〔註 19〕「中國方面第二要求——有關中央政府財政問題對日本方面的希望」，今井武夫，《今井武夫回憶錄》，頁 346。

〔註 20〕中央檔案館、中國第二歷史檔案館、吉林省社會科學院編，《汪偽政權》（北京：中華書局，2004，初版），頁 248。

由華北政務委員會所轄。汪政府於華中所能掌握之鹽場，除了海州鹽場外，還包括杭州灣沿岸的松江鹽場、浙東沿岸的兩浙鹽場與舟山鹽場，所佔產量，亦有全中國的 30%，〔註 21〕其中海州鹽場即獨佔了 20%。鑒於抗戰爆發後，沿海鹽場接連遭受到兵禍及天災，〔註 22〕汪政府乃先就產鹽數量開始著手。

1940 年 11 月，汪政府設立「海州鹽場委員會」，進行海州鹽場的重建，由財政部常次、鹽務署長、鹽務管理局長和鹽務經營者共同組成。該年度鹽產量爲 280 餘萬擔，經過重建後，1941 年度產量達 490 餘萬擔，與 1940 年度比較，增幅約 70%。1942 年至 8 月止，已達 471 餘萬，與 1941 年產量相去不遠；9 月後產量不佳，但全年的產量仍達 500 萬擔。〔註 23〕

在修復鹽場、提升鹽產量後，鹽場利潤隨之增加，汪政府才就專賣問題向日本交涉。華中的鹽專賣，係由日本「通源鹽業公司」統一收購後，再分別售予鹽商。此一壟斷行爲，引得汪政府不快，先於 1940 年 10 月 15 日命令舊鹽商，至財政部申請復業。但因登記成效不彰，截止期限一延再延，由原訂 12 月 15 日延至隔年 7 月底。經召回部份鹽商之後，汪政府開始與日本交涉；終於 1941 年 12 月，以「通源鹽業公司」未經合法手續取得經營權爲由，取消其在華經營權。接著與國內舊鹽商合作，組織「裕華公司」，接收「通源公司」之業務。〔註 24〕

而有關鹽的運輸，在華中原由日本的「華中鹽業公司」壟斷，該公司的運輸船，無論數量或噸位，皆不足以應付所需。汪政府原欲藉此理由，另組運輸公司，與「華中鹽業公司」並行經營，並將所運之鹽集中官倉，以便商人納稅領銷。但隨著日軍在太平洋戰事逐漸失利，車、船的管制更爲嚴格之後，即便 1943 年汪政府取消了「華中鹽業公司」，由官方成立「中華鹽業公司」取代，運鹽的效率已難有效提升。

有關鹽收之鹽務署，署長阮毓祺係由周佛海欽點，雖在鹽稅無法收回的情形之下，無法確實掌握稅源；但改在鹽產量及專賣權上著手，與日本交涉略有小成，也與華中當地部份舊鹽商進行合作，使得鹽收尙能入庫，獲得了一定成效。

〔註 21〕潘健，〈汪僞政府財政研究〉，頁 57。
〔註 22〕潘健，〈汪僞政府財政研究〉，頁 60。
〔註 23〕潘健，〈汪僞政府財政研究〉，頁 60～61。
〔註 24〕潘健，〈汪僞政府財政研究〉，頁 61～62。

3. 統稅收入

統稅方面，1937 年 12 月日軍攻陷南京後，隔年 1 月爲便於華中統稅之徵收，成立「蘇浙皖三省稅務總局」（下稱「三省稅務總局」），任命邵式軍爲局長。3 月 28 日「維新政府」成立後，將此局併入稅務署，但僅名義上管轄，事實上大部份稅收仍交由日本支配，「維新政府」僅能得到約 20％之稅收。

而「三省稅務總局」月收入約達 500 萬元，上繳「維新政府」之額，以 20％試算之，即 1 個月約 100 萬元。「維新政府」於 1938 年 3 月 28 日成立，至年底的 9 個月份內，「三省稅務總局」上繳「維新政府」之統稅即佔約 900 萬，而「維新政府」該年度實質總收入亦不過僅 1,634 萬元，「三省稅務總局」上繳之統稅，即佔「維新政府」稅收的 55％；意即以 1938 年度而計，「三省稅務總局」1 個月有 400 萬元未上繳，但「維新政府」該年平均月收入，卻僅約 180 萬元，可見統稅之收入，相當可觀。

但負責統稅的稅務署，署長由日本指派「三省稅務總局」局長邵氏軍兼任。據金雄白回憶，邵式軍上繳之稅收數字，多以不實數字虛報；未上繳之餘額，部份中飽私囊、部份則交予日本，統稅之入帳並不確實。因此在關稅及鹽稅由日本掌握之下，「維新政府」曾極力爭取統稅的完整徵收權；惟直至「維新政府」解散前，仍未取得進一步成果。〔註 25〕

有鑑於此，1939 年 9 月，汪兆銘即已向日本方面要求，「中央政府成立時，該局〔三省稅務總局〕將由財政部接收，諸如稅收納入國庫，希望預先能予以諒解」。〔註 26〕日本原本答應，但 10 月 30 日興亞院聯絡委員會卻推翻原議，拒絕交還統稅徵收權。此後汪政府在建制上並未完全放棄此事，仍於財政部下設置稅務署；惟在日方的堅持下，該署署長仍由「三省稅務總局」局長邵式軍兼任。直至 1942 年中，太平洋戰事逆轉，日本改採對華新政策後，才廢除「三省稅務總局」，將統稅徵收權交還汪政府。〔註 27〕

4. 其他收入

除了以上三稅外，日本於抗戰期間，在中國專賣鴉片之利潤，8 年所得高達 21 餘億日元。〔註 28〕鴉片稅徵收權係在前清實業家盛宣懷之姪盛文頤與日

〔註 25〕朱子家（金雄白），《汪政權的開場與收場》（上），頁 139。
〔註 26〕「中國方面第二要求——有關中央政府財政問題對日本方面的希望」，今井武夫，《今井武夫回憶錄》，頁 346。
〔註 27〕潘健，〈汪僞政府財政研究〉，頁 69。
〔註 28〕潘健，〈汪僞政府財政研究〉，頁 80。

人合作的「宏濟善堂」手中，並由日本在華浪人李劍甫（原名里見甫）進行管理，汪政府原本無權過問。

直到太平洋戰爭爆發之後，汪政府方才成立「禁菸總監部」，由陳公博擔任總監，收回鴉片稅務自主權，但鴉片稅稅收若干，則未見汪政府資料公開。〔註29〕禁菸總監部既以「禁菸」為名，為了杜絕菸毒，汪政府另外發佈了《禁烟辦法大綱》，以1944年3月30日至1947年3月29日三年為限，以期杜絕菸毒。〔註30〕或許可說，汪政府本亦不打算將此稅收做為長久之計。

（三）中儲券之發行與困境

汪政府建立中央銀行，以及發行官方貨幣之政策，係周佛海對於日方要求成立新政府的條件之一。因此在發行之初，乃藉由日本的金援，進而大量收購黃金及英美外匯，始得成為一全新面貌之通貨。〔註31〕但中儲券做為一種新貨幣，其初民間與銀行對其信心不足，發行量曾在1週內減少了42餘萬元，迫使汪政府通令警告上海金融界不得拒收，以挽救中儲券之信用。〔註32〕而民間方面，甚至出現民眾以中儲券購買車票，遭到日本職員撕毀之情事。

上海英、美等外商銀行，對於新發行之中儲券，雖抱持觀望，未表態支持，表示將視民間接受程度再定；不過法租界工部局則認為「容忍」中儲券，殆為必然趨勢。公共租界之百貨商店，則已接受中儲券之流通，發行狀況相對良好。〔註33〕延至1941年3月5日時，重慶轄下之中國銀行及交通銀行，迫於環境，已分別以不支息方式，接受10萬元之中儲券存款。

中儲券發行後，由於時處戰時，加上背景特殊，因此幣值並不穩定。首先，流通區域受到日本之限制，僅得於江蘇、浙江、安徽三省及上海、南京

〔註29〕朱子家（金雄白），《汪政權的開場與收場》（上），頁139。

〔註30〕「行政院訓令水利署建總一字第2171號」（1944年3月11日），〈關於法幣運使各項法令〉，《汪政府經濟部門》，中央研究院近代史研究所檔案館藏（下未標註者同），館藏號：28－05－01－008－05。

〔註31〕犬養健著，任常毅譯，《誘降汪精衛秘錄》（江蘇：江蘇古籍，1996，初版），頁62。

〔註32〕秦孝儀，《中華民國重要史料初編——對日抗戰時期：第六編傀儡組織》（四），頁1262～1263；「孔祥熙電蔣中正」（1941年1月24日），〈敵僞組織（一）〉，《蔣中正總統文物》，國史館藏（下未標註者同），典藏號：002－080103－00009－025。

〔註33〕秦孝儀，《中華民國重要史料初編——對日抗戰時期：第六編傀儡組織》（四），頁1257。

二市；徐海、武漢、安慶、華南及海南島等地區，則不在行使範圍。流通範圍不大，且仍任由法幣與之並存的情形之下，中儲券的影響力，始終無法取代法幣，未對市面帶來過大衝擊。

其次，在日軍「以戰養戰」的政策下，中儲券自難免淪爲搜括中國物資的工具。太平洋戰爭爆發後，日本始改以扶持中儲券做爲華中貨幣新政策，主動提出將中儲券與法幣脫勾，停止發行並收回軍票之目標。〔註 34〕惟此舉又引起汪政府的疑慮，1942 年 2 月 16 日，周佛海記道：「蓋就中儲券之流通言，固望軍票收回；但若果如此，則日本軍費之負擔必加諸中儲，而中儲今後之發行，亦必不能自主，而視日本軍費情形爲轉移」，即日本若立即停止軍票之發行，中儲券勢必得於華中獨當一面，則未來包含幣值維持及收回軍票等一切責任，皆須由汪政府負起全責。〔註 35〕

再者，與日本的匯兌問題，也成爲干擾中儲券之因素。1942 年 8 月 12 日，日本與汪政府簽訂《軍用票及中儲券互相存放款條款》，日本正金銀行若需要中儲券時，可用軍票以 18：100 的匯率貸出中儲券；然中儲行若欲索討此筆借項，卻不得以中儲券兌換日本軍票，僅得收受日本以中儲券還款，意即日方不必動用日元或軍票。〔註 36〕這種非常態的單向匯兌，將會使得日本若有中儲券之需要，中儲行就必須多印行鈔券，無異日本在以軍票套匯中儲券，必然造成市面上中儲券流通超過控管數量，進而導致通貨膨脹等情形。

除了上述紊亂金融秩序的因素外，中儲券在軸心陣營戰況不如預期的環境之下，持續呈現走低姿態。例如 1943 年 6 月，上海黑市之匯率爲 1 元中儲券，兌換 2.3 元法幣，尚高於汪政府官方法定 1 元中儲券兌換 2 元法幣匯率。但到了 7 月，義大利戰情不佳，總理墨索里尼（Benito Amilcare Andrea Mussolini）下台，上海黑市中儲券價格瞬間暴跌，1 元中儲券僅能兌換 0.2 元法幣。10 月，國民黨駐港澳總支部主任陳素向秘書長吳鐵城報告，廣州灣一帶的中儲券信用已受影響：「〔廣州〕灣敵〔日本〕使〔用〕之中儲〔券〕，因信用日差，市民多因拒收，時生紛爭」。延至 1944 年 1 月時，上海黑市之中儲券與法幣之匯率，已跌至 1：1.08，雖稍有回穩，但已遠低於法定 1：2 之

〔註 34〕林美莉，〈抗戰時期的貨幣戰爭〉，頁 257。

〔註 35〕周佛海著，蔡德金編著，《周佛海日記全編》（下）（北京：中國文聯，2003，初版），頁 574，1942 年 2 月 16 日條。

〔註 36〕潘健，〈汪僞政府財政研究〉，頁 179～180。

比例。〔註 37〕

較爲特別的，是汪兆銘個人的身體狀況，也連帶影響著外界對於中儲券之信心。1944 年 3 月 3 日，汪兆銘病重赴日就醫，〔註 38〕4 月即傳「近兩週廣州中儲券暴跌，每元僅值國幣〔法幣〕七角五，曾低至三角五，查其原因，乃汪逆病重」。〔註 39〕11 月 10 日，汪兆銘過世後，12 月「汪逆死後，廣州流言，盛傳僞中儲券暴跌，現每 100 元僅值國幣〔法幣〕22 元」。〔註 40〕

在中儲券面臨通貨膨脹、幣值大跌的情形之下，1945 年春，周佛海要求日本運送國庫金條來華，以挽救中儲券之頹勢。爲逼迫日本答應其要求，周佛海以停止辦公的「罷工」手段，並拒絕所有日本之說客。在其強硬態度之下，日本允諾運送金條來華，使得周佛海得以用預售黃金的方式，收回市面上發行量過大的中儲券，以穩定幣值，直到 8 月終戰爲止，仍有未「交貨」之黃金，可見其銷售量頗佳。〔註 41〕只是成效越豐，越反映出民眾對中儲券之信任感低下。

綜而言之，中儲券流通的 4 年 7 個月之間，除了外在的環境因素，如戰爭、走私等，在內部，也有不少因素影響。包括甫發行時，幣值與法幣掛勾，或多或少影響了金融單位與民間之信心；而日本以中儲券兌換軍票，也影響了中儲券之幣值；甚至連汪兆銘的健康狀況，對於幣值也發生一定程度之影響。而包括華北流通的聯銀券，也在貨幣市場上，與中儲券出現了鬩牆之情形。

（四）中儲券與聯銀券之關係

先是 1941 年底，太平洋戰爭爆發，戰事的擴大使得原有的發行準備，顯得相對不足。因此汪政府爲穩定中儲券之信用，在政策上也開始做出調整。1942 年 7 月，爲加強貨幣發行準備，周佛海赴日，向日本銀行商討借貸 1 億

〔註 37〕〈淪陷區進出記之九：談僞幣〉，《重慶大公報》、1943 年 11 月 11 日；「陳素致吳鐵城等微電」（1943 年 10 月 5 日），《特種檔案》，國民黨黨史館藏（下未標註者同），館藏號：特 21／1.189。

〔註 38〕周佛海著，蔡德金編著，《周佛海日記全編》（下），頁 860，1944 年 3 月 3 日條。

〔註 39〕「陳素致吳鐵城支電」（1944 年 4 月 4 日），《特種檔案》，館藏號：特 21／1.122。

〔註 40〕「陳素致吳鐵城冬電」（1946 年 12 月 2 日），《特種檔案》，館藏號：特 21／1.46。按：汪兆銘逝於 1944 年 11 月 10 日，以此檔案內容推論之，此檔案正確年份應爲 1944 年。

〔註 41〕朱子家（金雄白），《汪政權的開場與收場》（上），頁 149。

元日幣，〔註 42〕並中儲行之人事及金融業務等。〔註 43〕最終日本銀行決定借出此款項，並以五年做爲償還期限。〔註 44〕但借款仍無法有效提高中儲券之地位，爲此，汪政府再就整併其餘貨幣，進行新政策。

由於在華中，江蘇、安徽二省部份的日佔區，原係由汪政府轄下的「華北政務委員會」所管轄。委員會之前身，即原「臨時政府」，因此該區仍沿用「臨時政府」時期，華北「中國聯合準備銀行」所發行之「聯銀券」。但基於地緣關係，1942 年 2 月，日本將此區整併爲「蘇淮特別行政區」（下稱蘇淮特區），並移交汪政府直轄。〔註 45〕

在汪政府接手蘇淮特區後，爲維持當地之金融秩序，避免一時之間流入大量的中儲券，以致遭到套匯，因此汪政府先於 1943 年 7 月起，發佈了《准運鈔票護照辦法》，限制中儲券的跨省流通，如攜帶超過 5 萬元，需得到汪政府財政部允許，方得發照運行，發照費 10 元及印花稅 2 元也必須自付。在此之後，1944 年 4 月，除了將限制金額放寬至 10 萬元，領照費用從 10 元上升爲 20 元；〔註 46〕12 月，領照費漲至 50 元、印花稅漲至 10 元以外，未有大幅更動。〔註 47〕

運行鈔票除了在金額設定上限之外，移動的範圍及關卡也有所限制。所謂「運鈔口岸」，根據《准運鈔票護照辦法》第八條之規定：「指定江蘇省之上海、南京、蘇州、鎮江、揚州、□□、浦口；安徽省之蚌埠、安慶、蕪湖；浙江省之杭州、寧波、嘉興爲實施口岸」。1944 年 4 月，再增加廣州與汕頭二市。〔註 48〕

〔註 42〕周佛海著，蔡德金編著，《周佛海日記全編》（下），頁 626～627，1942 年 7 月 16 日條。

〔註 43〕「5.周財政部長訪日ノ際話題トナルベキ事項ノ応待資料」（1942 年 7 月 11 日），〈支那事変関係一件：第十三巻〉，《外務省記録》，外務省外交史料館，アジア歴史資料センター藏，レファレンスコード：B02030536100。

〔註 44〕「中央儲備銀行に対する 1 億円借款供与の件」（1942 年 8 月 5 日），〈昭和 17 年「陸支密大日記第 30 号」〉，《陸軍省大日記》，防衛省防衛研究所，アジア歴史資料センター藏，レファレンスコード：C04123657700。

〔註 45〕「周佛海函汪兆銘」（1942 年 2 月 5 日），〈周佛海致汪精衛函件（3）〉，《汪兆銘史料》，國史館藏，典藏號：118－010100－0033－021。

〔註 46〕「行政院訓令水利署建總一字第 2715 號」（1944 年 4 月 21 日），〈關於法幣運使各項法令〉，《汪政府經濟部門》，館藏號：28－05－01－008－05。

〔註 47〕「行政院訓令水利署建乙字」（1944 年 12 月 9 日）、「行政院訓令水利署 1447 號」，〈關於法幣運使各項法令〉（1944 年 12 月 14 日），《汪政府經濟部門》，館藏號：28－05－01－008－05。

〔註 48〕「行政院訓令水利署建總一字第 2114 號」（1944 年 4 月 21 日），〈關於法幣運

在陸續制訂出限制中儲券大量跨省份流動的辦法之後，1943 年 12 月，汪政府基於金融流通及物資調節之考量，對蘇淮特區的貨幣政策開始進行調整。爲維持當地使用習慣，決定先以中儲券及聯銀券兩種通貨並行；等到有相當成效之時，再停止聯銀卷之發行，分期實行全面交換，俾中儲券成爲唯一通貨。幣值比例設爲中儲券 100 元，兌換聯銀券 18 元；但在公款收支方面，則統一由中儲券辦理之。〔註 49〕

1944 年 2 月 1 日，蘇淮特區改制爲淮海省。到了 3 月份，鑒於上項辦法施行三個月來，「淮海省之金融流通、物資調節因之愈臻便利，成績尚称〔稱〕不恶」；且中儲行將於 20 日在徐州增設支行，有助於當地金融調節。因此 3 月 1 日起，汪政府全面停止聯銀券在淮海省發行，金融機關亦停止使用，有關存款、借款、匯兌等項目，全面改成中儲券；惟市面上仍可收受聯銀券，且已以聯銀券訂立之契約，仍得以聯銀券處理。〔註 50〕

停止發行聯銀券之後，4 月份爲了收回聯銀券，並使中儲券成爲唯一的官方貨幣，淮海省財政廳與中儲行特別設立兌換所，計畫在 5 月起，包括國營機關在內，全面停止聯銀券的使用。並於 4 月 10 日至 4 月 30 日，以聯銀券 18 元兌換中儲券 100 元之匯兌比例，限期兌換；原以聯銀券訂立之債務契約，亦以同比例兌換爲中儲券。〔註 51〕

但原訂 4 月 30 日的兌換期限已屆，由於「該省轄境遼濶，偏遠各地人民扭〔狃〕於積習，一時尚未能依限換竣」，因此汪政府將徐州市、海州、宿縣、連雲港四座主要城市之兌換期限，延至 5 月 31 日，6 月起停止聯銀券之使用；其餘地區則延至 9 月 30 日，10 月起停止使用聯銀券。〔註 52〕

延後淮海省的兌換期限之後，除經財政部特許仍得使用之外，「該省各地區之中國聯合準備銀行券，自應一律禁止使用；倘有故違，除將其聯銀券沒

使各項法令〉，《汪政府經濟部門》，館藏號：28－05－01－008－05。

〔註 49〕「行政院訓令水利署建字第 997 號」（1943 年 12 月 1 日），〈關於法幣運使各項法令〉，《汪政府經濟部門》，館藏號：28－05－01－008－05。

〔註 50〕「行政院訓令水利署建總一字第 2091 號」（1944 年 3 月 6 日），〈關於法幣運使各項法令〉，《汪政府經濟部門》，館藏號：28－05－01－008－05。

〔註 51〕「行政院訓令水利署建總一字第 2600 號」（1944 年 4 月 15 日），〈關於法幣運使各項法令〉，《汪政府經濟部門》，館藏號：28－05－01－008－05。

〔註 52〕「行政院訓令水利署建總甲字第 176 號」（1944 年 5 月 11 日），〈關於法幣運使各項法令〉，《汪政府經濟部門》，館藏號：28－05－01－008－05。

收充公外，並按情節之輕重依法懲處」。〔註53〕嚴禁包括（一）物品之買賣；（二）費用之支付；（三）債務之清償；（四）貨幣之交換；（五）存款及担保之使用；（六）借貸及贈與之使用等行爲。甚至「遇有假借攜帶或搬運之名以圖使用聯銀券者，仍應處罰」。〔註54〕

但在整併華中的聯銀券之後，並無助於中儲券止跌，於是1944年又有再度向日本借貸四億圓之情事。該年9月19日，陳素向吳鐵城報告：「寧僞府設法穩定儲券慘跌，派周逆佛海赴日與敵訂立四萬萬元借款，申東〔9月1日〕已簽約」。〔註55〕由此可以見得，汪政府雖力爭在政治上的主權，以及與日本在外交上對等的交涉立場；但在財政問題上，仍必須仰賴日本的鼻息過活。

在戰爭結束前，中儲券的暴跌，也連帶影響了聯銀券的崩潰。1945年7月，聯銀券與中儲券的匯率，從原本法定的18：100，跌至10：100。爲防止聯銀券的持續走跌，華北政務委員會也開始限制南京中央匯兌的額度。重慶國民黨中央宣傳部致財政部函稱：「（一）北僞通知寧僞，六月六日起限制郵滙，六月中不能超過聯鈔券一三〇萬元；七月間將有更進一步之限制；（二）聯鈔與中儲之折合，最近北僞以中儲已陷於不可收拾之境，已抬高爲十對百之比」。〔註56〕由此略可觀之，即便「華北政務委員會」，無論在政治或是財政上，有其獨特之自主性，看似不受汪政府之管轄；惟至大難臨頭時，不但無法獨善其身，所受到的波及，亦不下於汪政府中央。

第二節　汪政府對法幣的鬥爭

（一）寧渝二府之金融特務工作

中儲行於1941年1月6日開幕，並發行新紙幣中儲券後，由於自汪政府成立至中儲行成立的時間，已將近一年，在貨幣競爭互有消長的情形之下，寧、渝二政府爲期有進一步成效，開始在上海暗殺對方金融工作人員。

〔註53〕「淮海省區禁止使用聯銀券辦法」（1944年6月1日），〈關於法幣運使各項法令〉，《汪政府經濟部門》，館藏號：28－05－01－008－05。

〔註54〕「行政院訓令水利署建總甲字第581號」（1944年6月5日），〈關於法幣運使各項法令〉，《汪政府經濟部門》，館藏號：28－05－01－008－05。

〔註55〕「陳素致吳鐵城刪電」（1944年9月19日），《特種檔案》，館藏號：特21／1.79。

〔註56〕「中宣部致財政部函」（1945年7月21日），《特種檔案》，館藏號：特4／50.50。

3月16日，周佛海日記中提及：「中儲分行行員張永鋼家，又被暴徒入內狙擊，幸傷足部。暴徒猖獗，行員人心未免動搖，可慮之至」。〔註57〕24日，汪政府特工也以炸彈回擊渝方銀行：「本日我方運送炸彈至渝方在滬中行與農行，聞均爆炸，死傷甚眾」。這一連串互相攻擊的暗殺行為，除了引發雙方的恐慌之外，甚至上海外國銀行界也要求寧、渝雙方適可而止。周佛海回應道，「余已電令停止行動」；但也強調事端並非由汪政府所挑起：「今後如何，仍視渝方也」。〔註58〕

但事態的發展，顯示寧、渝二方對於外國銀行界的要求置之不理。3月曾逃過死劫的中儲行員張永鋼，仍遭負責暗殺行動的軍統局之追殺。4月16日，周佛海又記：「分行會計課主任張永剛〔鋼〕前被渝方襲擊傷腿，昨在大華醫院將腿切斷。本日暴徒七人入醫院，將其擊斃」。此舉再度引起周佛海的報復行動：「渝方如此殘酷，令人髮指，當令滬同志于渝系銀行職員中，本晚殺三人以報復。殺以止殺，情非得已，雖心有所不安，而勢不能不行」。〔註59〕

周佛海「殺以止殺」，真正目的仍是希望雙方停止暗殺行為。17日記曰：「我同志奉余令，昨晚槍決中國銀行課主任階級之職員三人。心實不安，對死者遺族尤覺遺憾」；惟「如能因此做到雙方停止暴行，則死者犧牲亦未始無代價也」。在暗殺行動的陰影之下，果然稍後「聞中、中、交、農本日均停業，電渝無復〔函〕，將總辭職」。〔註60〕

對於四大銀行的停業，周佛海故示從容，表示已有金融準備。18日自擬說明稿：「余之金融政策，則〔即〕安定法幣；對於中、中、交、農撤退，說明無足輕重，中央儲備銀行有充分準備及實力，足以維持金融」。〔註61〕20日，周佛海接見上海金融要人葉扶霄等，告以「余之主張已詳於昨日談話中，甚盼金融能超越政治，以謀安定」；並云「余對四行行員決不無故加害，日前犧

〔註57〕周佛海著，蔡德金編著，《周佛海日記全編》（上），頁437，1941年3月16日條。

〔註58〕周佛海著，蔡德金編著，《周佛海日記全編》（上），頁440，1941年3月24日條。

〔註59〕周佛海著，蔡德金編著，《周佛海日記全編》（上），頁451，1941年4月16日條。

〔註60〕周佛海著，蔡德金編著，《周佛海日記全編》（上），頁451，1941年4月17日條。

〔註61〕周佛海著，蔡德金編著，《周佛海日記全編》（上），頁451～452，1941年4月18日條。

牲三人，尚擬與其遺族以恤金」。自記道：「群感威服。余告以四行營業恢復營業，余不反對，惟須再待四五日，以促重慶之反省」。〔註62〕

有關此案，疑即 19 日軍統特工〔註63〕報告戴笠所提及之張養義暗殺行動：「張養義係中央儲備銀行會計主任，□滬一區，於三月十六日執行制裁未死；昨獲僞電謂：張在醫院再度被刺斃命等情」。同電並且向戴笠表示，希望擴大對於中儲行的破壞行動：

> 吾人對上海行動工作，必須盡量發揚神聖無上之權威，予敵僞以嚴重之打擊；對敵軍官佐憲兵及重要與次要漢奸，必須加緊制裁；對僞中央儲備銀行之行動，必須予以有計劃與澈底之破壞，而成功一轟轟烈烈之偉舉。拟〔擬〕將□□電告固重、林格切遵辦，□將僞中儲重要人員姓名電告，以便決定制裁與否。□多□行動路綫，並準備對該僞中儲之整個破壞工作，候令發動。□否乞核示。

但中、中、交、農四行停業，四行代表鍾可成，在與汪政府接觸之後，轉述其態度予重慶方面，希望暗殺行動不要波及銀行行員：「周〔佛海〕、李〔士群〕等逆曾說：制裁敵人彼可不問，但求勿與儲備銀人員爲難，稍保彼等〔周、李〕顏面」；對此，戴笠也釋出善意：「對敵軍官憲應加緊制裁；重要漢奸□如之僞中央儲備銀行不易澈底破壞也」，〔註64〕對於繼續暗殺中儲行相關人等，不置可否，並未再下達進一步之指示。

中、中、交、農四行停業，對於金融帶來衝擊，已嚴重影響重慶政府在華東僅存的金融據點。但雙方之暗殺行爲卻仍然餘波盪漾，21 日周佛海又聽說：「中儲稽核厲鼎模赴中南飯店吃鴉片，爲渝暴徒狙死。行爲不檢，自作自受，但渝實以〔亦〕可惡。惟對四行行員如再作報復，未免不近人情，擬將中儲各案被捕之兇手，明日一律槍決」。〔註65〕

「以殺止殺」的策略，似乎間接地取得成果，互相攻擊金融人員之行爲，某種程度上，的確影響了重慶政府。23 日，宋子文發電蔣中正，告知由於周

〔註62〕周佛海著，蔡德金編著，《周佛海日記全編》（上），頁 452～453，1941 年 4 月 20 日條。

〔註63〕該電報告者姓名爲「鏞」，疑爲杜月笙。

〔註64〕「戴笠批張養義斃命案」（1941 年 4 月 19 日），〈戴公遺墨——行動類（第 5 卷）〉，《戴笠史料》，國史館藏（下未標註者同），典藏號：144－010106－0005－081。報告者姓名爲「鏞」，疑爲杜月笙。

〔註65〕周佛海著，蔡德金編著，《周佛海日記全編》（上），頁 453，1941 年 4 月 21 日條。

佛海 17 日下令槍決中國銀行三名行員之後，四行在上海已不能營業；在沒有四行的牽制下，中儲行得以藉機大力推行中儲券。因此四行要人希望重慶方面，可以停止暗殺行動，以安定在滬金融人員之心理，並得藉此向汪政府談判四行復業。〔註 66〕

25 日，重慶方面派遣鍾可成與時任實業部農本局理事的張佩紳，〔註 67〕與周佛海就四行復業與停止暗殺一事商談。周佛海記道：「渠等爲四行疏通，盼允其復業。余告以余并非壓迫其撤退，如渝方不加害我中儲行員，自不成問題，因允其下星期一復業」。且「渠出示蔣先生之電，謂已令渝特務人員停止工作」，但周佛海對蔣中正停止暗殺的命令，卻表示「實令人不能置信也」。〔註 68〕

儘管周佛海表示不信任，但事實上，蔣中正的確傳達：「我方特務人員對沪〔滬〕任何金融人員，决〔絕〕不妨礙也」。〔註 69〕而主持暗殺工作的戴笠，也回報蔣中正：「對上海僞中央儲備銀行行員及上海租界之不甚重要漢奸，已遵命電令滬區停止行動，□此固我中央有必不得已之苦衷也」。但戴笠仍對停止工作後之影響感到擔憂，「吾人停止對僞銀行行員之制裁，此風聲定必外洩，不僅影響我淪陷地區工作同志殺敵除奸之情緒」；且暗殺工作既已被汪政府作國際宣傳，則停止一事，「適中其奸計，對我抗戰不無影響也」。

而在滬各行，戴笠認爲：「總觀當前國際之情勢與敵方□□圖，與上海租界當局應付敵僞之態度，生〔戴笠〕意：我中中交農各行斷難在上海再維持多久也」，爲四行而停止制裁，似無必要。強調暗殺行動已取得一定成果，因此對方「請鈞座令行停止對上海特工對僞銀行行員之行動」，實係反應汪政府金融單位在遭受破壞後，「作苟延殘喘之圖」，已是所謂「魚游釜中、燕巢幕上，不知死期之將至也」。

就結果諸之，暗殺行動的確對汪政府內部，達到製造恐慌之效。汪政府統稅署長邵式軍，原係國府江蘇省政府菸酒稅局長，由於「近來我方〔重慶〕

〔註 66〕「宋子文自華盛頓電蔣中正」（1941 年 4 月 23 日），〈敵僞組織（一）〉，《蔣中正總統文物》，典藏號：002－080103－00009－025。

〔註 67〕張朋園、沈懷玉編，《國民政府職官年表（1925～1949）》（一），臺北：中央研究院近代史研究所，1987，頁 540。

〔註 68〕周佛海著，蔡德金編著，《周佛海日記全編》（上），頁 455，1941 年 4 月 25 日條。

〔註 69〕「宋子文自華盛頓電蔣中正」（1941 年 4 月 23 日），〈敵僞組織（一）〉，《蔣中正總統文物》，典藏號：002－080103－00009－025。

□殺其僞稅局重要僞員」，「邵逆極感恐慌」，乃輾轉向軍統局輸誠，「願每月獻金五萬圓，由我上海工作人員轉呈鈞座，請求□其□往之妄想」。但戴笠希望邵式軍能有更具體的貢獻：「生對邵逆每月獻金五萬圓之圖已予拒絕；惟已電告蔣□□，如邵逆果有誠意悔□，由其擬具破壞僞方整個財政之切實計劃；並供給僞組織財政方面看重人員行動之確實綫索，則中央當准其將功贖罪也」。戴笠對此策反行動，抱持樂觀，「或藉此有更大之收獲也」。〔註 70〕

由此可見，雙方爭奪上海租界主導權甚烈。惡意報復之行爲雖有可議空間，甚至使得外商銀行介入調停，但就成效而言，周佛海「以殺制殺」的策略，的確嚇阻了重慶政府。不過雙方停止暗殺行動之後，所製造出的恐懼感，卻讓重慶政府在策反上，產生了一定程度之助力。綜而論之，金融特工行動方面，汪政府於「主場作戰」的優勢之下，對於遏止重慶的暗殺，取得了一定的成果，但「殺敵一千，自損八百」，以暴制暴的行爲，對汪政府內部，也產生了不良影響。

（二）收購法幣和破壞行爲

1940 年 12 月，中儲行成立前夕，重慶政府以宋子文、孔祥熙、貝祖貽、英籍顧問羅傑士（Cyril Rogers）爲首，曾計畫策動上海的中國銀行與外商銀行拒收中儲券，以期抑制中儲券的流通。〔註 71〕但由於上海法租界的法院已被汪政府接收，汪府掌握司法權，因此中儲券發行後，法租界內的中國銀行仍出現以不支付利息，接受儲存中儲券之行爲。重慶政府爲此，計畫將中國銀行由法租界遷往公共租界，企圖遏止外商銀行收受中儲券，進而影響汪政府之貨幣政策。〔註 72〕

同樣的，汪政府在尚未發行中儲券之前，即已視法幣爲主要對手，先收購小額的法幣輔幣券，緊縮法幣之小面額貨幣流動量；一旦市場上之小額零錢短缺，民眾生活不便，便會陸續前往中儲行兌換輔幣，汪政府就可在中儲券大量印行以前，先發行中儲券之輔幣券。

〔註 70〕「戴笠呈蔣中正」（1941 年），〈戴公遺墨——行動類（第 5 卷）〉，《戴笠史料》，典藏號：144－010106－0005－094。

〔註 71〕「宋子文自華盛頓電蔣中正」（1940 年 12 月 13 日），〈敵僞組織（一）〉，《蔣中正總統文物》，典藏號：002－080103－00009－025。

〔註 72〕「孔祥熙電蔣中正」（1941 年 1 月 24 日），〈敵僞組織（一）〉，《蔣中正總統文物》，典藏號：002－080103－00009－025。

同時，將輔幣券交由賣報員使用，由於賣報員騎乘單車賣報，交易結束後隨即離開，民眾無法追趕；兩貨幣形式相似，容易誤收，且面額小，民眾接受後也僅能自認倒楣。接著中儲行再融入公共運輸，將輔幣券運用在公車找零上，強迫民眾接受。此業務至 1942 年 3 月 11 日止，中儲行已兌換出 2,300 餘萬元，除了推行中儲券之使用習慣，得到成效，也在回收法幣上得到些許效果。此後，中儲行再陸續將流通面額提高。

而日本有鑒於中儲券尚無法成爲強勢之官方貨幣，爲了「物盡其用」，遂設法將中儲券用以兌換法幣；再將所兌法幣，投入上海匯市，套取重慶之外匯。〔註 73〕但如此又造成中儲券與法幣之連動關係，套匯雖能得利，並打擊法幣之幣值，惟中儲券也隨之受害。爲此，周佛海對於與法幣脫勾一事曾陷入長考：「此時新法幣即與舊法幣脱離，時機實覺太早；如果脱離，流通額勢必減少。然舊法幣日益跌落，爲安定財政及幣值計，新法幣又不能不另定水準」。〔註 74〕

1941 年 7 月，由於英、美等國封存中、日兩國之黃金，使得日本在匯市套取法幣之策略受阻，乃轉而在黑市收購法幣。9 月，中儲行規定中央稅收一律以中儲券收受；並且規定清鄉範圍內，民眾購買物資也須一律使用中儲券，對於法幣之鬥爭，才取得了一定成效。但由於日本套取重慶外匯之舉動，使得與法幣連動之中儲券價值日益跌落，在幣值上產生危機。〔註 75〕

中儲券幣值開始跌落，導致民間對中儲券之信心動搖，爲保護中儲券價值的穩定，便開始較爲嚴格的管制。1942 年 5 月 31 日，汪政府公布《整理舊法幣條例》，正式與法幣脫勾，規定以 2：1 的比率收購舊法幣，企圖壓制法幣之幣值；舊有簽訂之債務債權，也以同樣比例改由中儲券繼承；但舊法幣公債部份，可以相同比例視之。同日，另外發布了《安定金融公債條例》，預計舉 15 億圓公債，以年息 5%，每半年償還一次。前十年只付利息，第 11 年起，每半年以抽籤方式決定還款順序，預計 1972 年 5 月還清。〔註 76〕

除此之外，汪政府也在 1943 年 9 月 18 日，就幣制統一，開始進行一系列政策。首先由長江中游漢口、宜昌沿岸一帶，未經實施新舊幣交換等區域，

〔註 73〕林美莉，〈抗戰時期的貨幣戰爭〉，頁 255～256。

〔註 74〕周佛海著，蔡德金編著，《周佛海日記全編》（上），頁 532～533，1941 年 10 月 28 日條。

〔註 75〕林美莉，〈抗戰時期的貨幣戰爭〉，267～268。

〔註 76〕《國民政府公報》，第參參柒號。中國第二歷史檔案館編，《汪僞國民政府公報》（六）（江蘇：江蘇古籍），1942 年 6 月 3 日條。

限期 3 週，依《整理舊法幣條例》，著手收回舊法幣。並自 10 月 8 日起，根據《禁止使用舊幣辦法》，禁止法幣使用、攜帶、保存及持有。〔註 77〕

而除了收購、套匯等破壞法幣之辦法外，中日雙方亦有互相僞造通貨以破壞對方金融秩序之辦法。有關僞鈔問題，事實上早於戰前，日本即已在翻印中國、中央兩銀行之僞鈔，目的在於擾亂金融及破壞中央銀行之信用。〔註 78〕甚至國民政府官方授權印鈔的中華書局，也有印製自家僞鈔等相關情事，〔註 79〕可謂防不勝防。

到了抗戰期間，日本方面仍然繼續印製重慶政府之法幣，但由於無法通過金融單位之審核，進以套取外匯，因此在功能上，係以擾亂重慶金融秩序、採購重慶物資爲主。〔註 80〕而在防制自身貨幣被僞造上，首先於 1942 年 11 月，華北政務委員會對於貨幣進行了更嚴格的管控，只要攜帶重慶政府法幣超過 20 元以上者，即處死刑；〔註 81〕而在華中華南方面，汪政府中央也隨之跟進，1943 年 9 月 9 日，發布《戰時僞造法幣治罪暫行條例》，第一條即言明：「意圖供行使之用而僞造法幣者，處死刑、無期徒刑或七年以上有期徒刑，得併科十萬元以下罰金」。〔註 82〕但也有例外，如 1943 年 7 月，日軍佔領河南新鄉後，形成法幣與聯銀券混合流通的局面，最初法幣 1 元可折換聯銀券 1 角。〔註 83〕

重慶政府有關防制僞鈔一事，戴笠向蔣中正報告：「查近來前後方迭破獲利〔？〕製造中中交農四行僞鈔之機關，雖尚未發現受敵指使之憑證，但據生推測，此必敵謀以僞法幣，吸取我後方物資，與破壞我法幣信用之毒辣陰謀也」；因此建議：「吾人爲針對敵僞是項之陰謀計，亦應仿造敵在我淪陷地

〔註 77〕「行政院訓令水利署建總字第 3875 號」（1943 年 9 月 18 日），〈關於法幣運使各項法令〉，《汪政府經濟部門》，館藏號：28－05－01－008－05。

〔註 78〕「李秉中電蔣中正支電轉電孔祥熙」（1935 年 1 月 4 日），〈親批文件——民國二十四年一月至民國二十四年一月（二）〉，《蔣中正總統文物》，典藏號：002－070100－00039－050。

〔註 79〕「蔣中正電吳鐵城曾養甫」（1937 年），〈一般資料——民國二十六年（四）〉，《蔣中正總統文物》，典藏號：002－080200－00279－024。

〔註 80〕林美莉，〈抗戰時期的貨幣戰爭〉，頁 130～131。

〔註 81〕「張蔭梧電蔣中正」（1942 年 11 月 21 日），〈汪僞組織（三）〉，《蔣中正總統文物》，典藏號：002－090200－00024－189。

〔註 82〕「行政院訓令水利署建字」（1943 年 10 月 8 日），〈關於法幣運使各項法令〉，《汪政府經濟部門》，館藏號：28－05－01－008－05。

〔註 83〕「蔣鼎文自洛陽電蔣中正號次 16844」（1943 年 7 月 6 日），〈汪僞組織（三）〉，《蔣中正總統文物》，典藏號：002－090200－00024－231。

區使用之軍用票，與敵僞組織所發行之聯銀券、儲備券等，藉以吸收淪陷地區之物資，與撥付特務工作之經費，亦可以破壞敵僞之金融也」。

戴笠並請求與中國銀行副總經理貝祖貽合作，同樣以僞製貨幣反制：「據貝淞孫之面告，現英美方面，渠均有友人願助吾國辦理此事」。〔註 84〕所以 1942 年，戴笠曾請美國代印中儲券及聯銀券，分東南及華北二路進行貨幣滲透，進而購買淪陷區物資。當時與軍統局合作印製僞鈔之單位，即爲「中美合作所」（Sino-American Coperative Organization），〔註 85〕包括策反汪政府將領，甚至派駐敵後的幹員之薪水，也用此筆僞鈔，可見印製之數量相當可觀。〔註 86〕

而除了官方互相印製對方僞鈔，大打貨幣戰，民間也有不肖商人，藉此大發戰爭財。如 1943 年，華中出現中儲券僞鈔流通的情事，渝方判斷係日軍與「浪人」在華北所印製者。但當時印製僞鈔的走私商，由於賄賂不力，受到查緝而被處決者，也不在少數。〔註 87〕

中儲券發行之際，由於爲避免造成金融秩序波動，並未有過大動作，僅是以「新法幣」之姿與「舊法幣」並行，造成市面上兩種貨幣並行之狀態。但爲了打擊重慶法幣，日汪決定將中儲券與法幣脫勾，並將官方所訂定之中儲券與法幣的匯兌比，由 1：1 改爲 1：2；並除收兌以外，積極印製法幣僞鈔，此舉亦引起重慶方面，同樣以印製中儲券僞鈔之手段反制。雙方之行動，看似僅是兩個政府之間的金融戰，但對民生而言，卻非利事。最終在戰後，移交予重慶政府之中儲券的發行數量，總共到達了 3 兆 7 千億元。〔註 88〕雙方大量濫發通貨的情形，也間接印證中國在戰爭結束時，貨幣崩潰的程度。

〔註 84〕「戴笠呈蔣中正」（1940 年 1 月 16 日），〈全面抗戰（十七）〉，《蔣中正總統文物》，典藏號：002－080103－00050－009。

〔註 85〕林美莉，〈抗戰時期的貨幣戰爭〉，頁 143～144。

〔註 86〕沈醉、文強，《戴笠其人》（北京，文史資料，1980，初版），頁 215～216。

〔註 87〕齊春風，《中日經濟戰中的走私活動：1937～1945》（北京：北京人民，2002，初版），頁 125。

〔註 88〕「周佛海呈蔣中正」（1945 年 09 月），〈日本投降（三）〉，《蔣中正總統文物》，典藏號：002－080130－00066－004。

第三節　政權的結束和清算

（一）戰後投降京滬接管

1944 年 11 月，汪兆銘病逝於東京，汪政府由陳公博接任主席，直至日本於隔年 8 月 15 日投降爲止。屆此，以對日議和爲政策主軸的汪政府，已無存在之正當性。但由於雙方分治五年有餘，仍需要時間進行整合；再加之日本自投降至重慶政府進行接收的空窗期，共產黨的軍隊也開始自行接收日佔區，並進而引發零星衝突，使得局面越加混亂。

8 月 18 日，陳公博就日本撤軍等情事，向蔣中正報告，表明日本對撤軍一事，展現出相當的秩序以及誠意，希望不要過加催促：

> 日軍解除武裝撤退之事，經連日探討，日軍決定將小隊歸中隊，中隊歸大隊，逐漸集合於杭州、上海、南京、徐州等地。俟與鈞座所派人員接洽後，由鈞座派員點收武器，即行由海道回國。似此態度尚佳，惟望能得從容撤退，使地方得以安堵。

陳公博希望日軍能夠「從容撤退」的想法，在日汪雙方合作五年有餘的情況下，自然不會使人意外。但複雜的是，在日軍投降以後，京滬一帶的共軍也隨之蠢蠢欲動，趁著日本準備撤軍，已無法展開主動攻擊的情形之下，強行接收汪政府的領地，並搶佔日軍據點。這使得汪政府產生了莫大危機，由於日軍對於共軍的進攻，尚有反擊能力與嚇阻之效果，因此陳公博希望在各戰區正式接收前，仍由日軍暫時留駐，以避免製造多餘的衝突：「日軍表示在雙方未定辦法以前，祇有暫駐原防，逐漸撤退。並希國軍逐漸接防，以免意外糾紛，是否應令各戰區注意，亦請鈞裁」。〔註 89〕

除了日軍無法有效掩護汪政府，汪政府的軍隊也由於自身實力不足，無法單獨阻擋共軍的進逼，使得京滬一帶戰況告急：

> 日軍對於奸匪已不採攻擊，祇採取自衛態度。因此凡國軍未駐之地，又趁日軍逐漸撤退之時，紛搶據點，且奪城邑。例如含山，當日方未接受和議之前，不敢來襲，今則試行攻擊，日軍爲避免戰事自引退。奸匪在江北揚言進攻六合；江南岸則宣城被攻，高淳且有失守

〔註 89〕「陳公博電蔣中正」（1945 年 8 月 18 日），〈汪僞組織（一）〉，《蔣中正總統文物》，典藏號：002－090200－00022－348。

消息，十五旅兩團，一團覆沒，一團恐亦潰散。此間兵力單薄，南京岌岌可危，如此其他地方恐亦不堪設想。〔註90〕

京滬地區之秩序，尚能得以藉由日軍維持；但日軍卻無法對掛上國軍番號的共軍進行攻擊。此時的上海，已被約 1 萬 2 千名共軍包圍，並有零星駁火的情形；浙東的萬餘共軍，也渡海至上海城郊的浦東，汪政府由稅警迎擊，抵抗得相當吃力。周佛海爲此，請顧祝同向重慶政府反應「即派國軍火速來滬」，顧祝同卻只「復囑轉告日軍，在國軍未到京滬前，□應送照鈞座〔蔣〕電令，保持原有態勢，維持地方秩序」。〔註91〕

24 日，江蘇一帶的共軍接連進擾，並且配合政治作戰，製造民眾與日本人的衝突：「連日奸匪緊動〔？〕奪地繳械，江都、高郵、寶應、六合、繁昌、高醇〔淳〕等縣，鈞〔均〕被匪軍佔領；蕪湖、浦鎮奸匪鼓動民眾與日人衝突，互有死傷；揚州附近奸匪與寇衝突至烈；首都水西門內外，奸匪密佈，意圖衝動城內外，遍發傳單」。

此時，準備華中一帶接收的重慶政府軍隊，與汪政府的溝通也不順暢，陳公博鑒於各軍自行其是，建議蔣先一律收編，未來再分別處理：

南京所屬部隊側□多有受各戰區長官委任；然亦有部屬受委而長官未曾接洽者；亦有一團受委，而他團不知者。步驟不一，恐爲奸匪所乘，若有自危之心，無路可投，必走奸匪自固。公博之意，似宜均應予以番號，一俟大局初定，再行分別改編復員。

另外在內部，重慶政府爲期順利接收，委任周佛海爲「京滬行動總指揮」，以示安撫。〔註92〕然而，原在京滬外圍的國軍游擊隊，如軍統局的「行動總隊」、「忠義軍」等，都躍躍欲試，想分食接收大餅。軍統局少將周鎬，宣稱做爲「前進指揮」，負責南京接收相關事宜，但由於作風強悍，因而製造了衝突。〔註93〕陳公博爲此，特請顧祝同報告蔣中正：「南京民心亟待安定，乞速派大員來京主持一切。今日有京滬便衣總隊南京區指揮官周鎬君，行動稍涉誤會，

〔註90〕「陳公博電蔣中正」（1945 年 8 月 18 日），〈汪僞組織（一）〉，《蔣中正總統文物》，典藏號：002－090200－00022－348。

〔註91〕「顧祝同電蔣中正轉呈陳公博周佛海未巧電」（1945 年 8 月 22 日），〈汪僞組織（一）〉，《蔣中正總統文物》，典藏號：002－090200－00022－344。

〔註92〕朱子家（金雄白），《汪政權的開場與收場》（中），（臺北：風雲時代，2014，初版），頁 90。

〔註93〕今井武夫，《今井武夫回憶錄》，頁 250。

以致人心惶惶，秩序頗亂，幸尚未釀事端。目前治安事實仍賴日軍維持，如何□理，尤懇訊〔迅〕示機宜」。〔註94〕

但事實上，衝突規模，應非僅僅是「稍涉誤會」。由於周鎬與周佛海交好，不但同住周佛海自宅，並且到任之後，首先佔領的，便是周佛海所主持的中儲行。而依恃的武力，也是周佛海的財政部稅警總團。17 日，周鎬召集汪政府要人，要求發誓服從，司法行政部長吳頌皋、南京市長周學昌不從，即遭逮捕；陸軍部長蕭叔宣更因此槍擊身亡。周鎬一連串的舉動，引起陳公博率領南京軍官學校學生，與之對峙，築起防禦工事，相互駁火。最終在日軍的介入之下，解除了周鎬的武裝。〔註95〕

而原任職於第五戰區的何民魂也指稱：「前作〔？〕二日並有稱軍委會京滬行動総隊周鎬等至內捕人，秩序極形混亂。日軍出而干涉，陳公博令拘捕行動總隊十餘人」；並向蔣中正請纓：「如此情景，若不斷然處理，東南大局勢必遭遇極大騷亂，務懇鈞座火速□民〔魂〕，以前拟民〔魂〕義〔意〕，以便協助有關方面鎮壓奸匪，控制各地僞軍，以策安全」；另外也開始於京滬地區，宣傳此事，並積極請示蔣對其之指示：「民〔魂〕留京辦理或逕赴各地指揮僞軍，一切立候訓示」。〔註96〕

另外在軍紀問題上，自日本 8 月 15 日投降後，蔣中正即電日本「中國派遣軍」總司令官岡村寧次，應停止軍事行動，並派代表至江西玉山，接受中國陸軍總司令何應欽之指揮；同時手諭何應欽，待岡村代表至，亦應停止對日之軍事行動。〔註97〕但軍隊並未遵守指示，甚至擅自要求日軍繳械，此舉引起日本對美國抗議。表面上，蔣中正對於日本之指責，認爲「日軍有意誣衊我軍」，並向岡村寧次提出嚴重警告，「不得以此惡意毀傷我軍譽之宣傳爲要，並令其切實答覆」。〔註98〕但私下於 22 日記曰：「對日本降使今井〔武夫〕到芷江投降事，指示敬之〔何應欽字〕通電話數次。我軍游擊隊與忠義軍等，

〔註94〕「顧祝同電蔣中正轉呈陳公博周佛海未巧電」（1945 年 8 月 22 日），〈汪僞組織（一）〉，《蔣中正總統文物》，典藏號：002－090200－00022－344。

〔註95〕今井武夫，《今井武夫回憶錄》，頁 250～252。

〔註96〕「何民魂電蔣中正」（1945 年 8 月 24 日），〈增編（九）〉，《蔣中正總統文物》，典藏號：002－090300－00224－388。

〔註97〕呂芳上主編，《蔣中正先生年譜長編》（八）（臺北，國史館，2014，初版），頁 147～148，1945 年 8 月 15 日條。

〔註98〕呂芳上主編，《蔣中正先生年譜長編》（八），頁 155，1945 年 8 月 22 日條。

皆不自爭氣，不遵命令，擅向敵軍要求繳械，以致日本向麥克阿瑟元帥抗議，軍譽國格皆爲之受其影響，不勝痛憤」。〔註 99〕並手諭提醒何應欽和各戰區司令長官，「希切實研究剿匪手本與嚴令所部恪遵，毋稍怠忽」。〔註 100〕

重慶政府本身存在著軍紀不彰的情形之下，接收情形更顯混亂，且美方消息，謂「日政府正式投降於八月三十一日始能式簽字；中國戰區接受岡村之正式投降，須待東京總投降簽字及大軍空運南京、上海已開始後，始可在南京簽字」，因此，預計約須至 9 月 4 日或 5 日，方能受降簽字，在此之前，中、美僅能於南京布置聯絡及交通人員，和專門技術顧問。〔註 101〕

9 月 1 日，除游擊軍外，南京方面亦有軍紀不佳之情事，蔣中正發電陸軍南京前進站主任冷欣，對其行爲怒責之：「聞你們到了南京，一般官兵驕傲放蕩，令人難堪。尤其是你們平時素無修養，到了此時得意忘形，莫名其妙。你須知革命將士如何犧牲所得今日之代價，你們應如何自重自愛，寶愛此種勝利，勿使喪失在你們之手」，若再有相關情事，「皆唯你主任一人是問」。〔註 102〕

蔣中正鑒於南京情勢混亂，9 月 3 日，手諭行政院秘書長蔣夢麟，指派一部長級人員，前往芷江襄助何應欽，有關京滬接收相關事宜。蔣夢麟因而指派社會部長谷正綱爲「陸軍總司令部各級黨政接收計劃委員會」副主任，率領相關部會及國民黨部各派 1 至 3 人爲委員；另外安排財政、經濟、交通及糧食四部，各派數十人分批直飛南京。〔註 103〕

9 月 5 日，汪政府於南京之 800 餘軍隊與 500 餘警察，主動向國民黨中央統計調查局表示欲接受整編，由於裝備精良，蔣中正電囑何應欽，將此二隊整編之業務，交由冷欣接洽，並增編做爲當地之維安部隊。〔註 104〕9 日，何應欽至南京，接受岡村寧次簽署降書，重慶政府方始完成京滬之接收。〔註 105〕

〔註 99〕《蔣中正日記》，1945 年 8 月 22 日。
〔註 100〕呂芳上主編，《蔣中正先生年譜長編》（八），頁 155，1945 年 8 月 22 日條。
〔註 101〕呂芳上主編，《蔣中正先生年譜長編》（八），頁 155，1945 年 8 月 23 日條。
〔註 102〕呂芳上主編，《蔣中正先生年譜長編》（八），頁 165，1945 年 9 月 1 日條。
〔註 103〕呂芳上主編，《蔣中正先生年譜長編》（八），頁 168，1945 年 9 月 3 日條。
〔註 104〕呂芳上主編，《蔣中正先生年譜長編》（八），頁 171，1945 年 9 月 5 日條。
〔註 105〕呂芳上主編，《蔣中正先生年譜長編》（八），頁 173～174，1945 年 9 月 9 日條。

（二）汪政府人員金融之接收

有關戰後京滬地區之接收，蔣中正原指派第三方面軍司令官湯恩伯負責。〔註 106〕惟日本在正式受降前，重慶名義上不得派遣有關接收人員進駐，因此在此空窗期，戰後蔣中正指示周佛海負責維持京滬地區秩序，以待重慶之接收。至 1945 年 9 月 9 日，重慶正式受降後，周佛海亦基本上將金融、防共與維持治安等問題作一交代，自稱「一切尚無隕越」，而由於「中央軍政大員均已抵滬，職之任務已告完畢，懇准解除上海行動總隊司令名義」，並將軍警部分，除警察及保甲人員已交市府外，有關軍隊移交：「正由雨農〔戴笠字〕兄商承湯〔恩伯〕總司令分別改編」。〔註 107〕

而重慶政府也在接收告一個段落之後，開始準備對汪政府之人員開始進行處置，9 月 28 日，蔣中正電毛人鳳：「希即密電戴局長笠，周逆佛海可即密解來渝」。〔註 108〕10 月 1 日，蔣中正開始與戴笠討論有關汪政府人員後續處理事宜：「下午雨農來報甯、滬漢奸處置方法，甚不妥也，乃致函敬之更正之」。〔註 109〕

對於有關所謂「漢奸」之處置，11 月 23 日，重慶政府公布《處理漢奸案件條例》，當中第一條：「處理漢奸案件，依本條例之規定，本條例無規定者，適用其他法律」，將漢奸以此法特別審理之。而漢奸之定義，在第二條：「對於左列漢奸，應厲行檢舉」的規定下，總共制定了包含第一項：「曾任僞組織簡任職以上公務員，或荐任職之機關首長者」、第二項：「曾任僞組織特務工作者」在內等十項。〔註 110〕

但由於此涵蓋範圍甚廣，加之汪政府成立五年有餘，若以上述標準定義漢奸，數量相當可觀，如由普通法院各別審理，在案件消化上的負擔過重，也容易造成同罪不同罰的情形。因此在 1946 年 1 月 9 日，戴笠、章士釗建議蔣中正，應再組織一特別法庭審理之：「各地漢奸案件，如由各該當地司法機關審判，恐難有統一之尺度，易生同罪異罰之弊，爲表示政府對

〔註 106〕呂芳上主編，《蔣中正先生年譜長編》（八），頁 151，1945 年 8 月 18 日條。

〔註 107〕「周佛海呈蔣中正」（1945 年 9 月），〈汪僞組織（一）〉，《蔣中正總統文物》，典藏號：002－080130－00066－004。

〔註 108〕「蔣中正電王〔毛〕人鳳」（1945 年 9 月 28 日），〈汪僞組織（一）〉，《蔣中正總統文物》，典藏號：002－090200－00022－346。

〔註 109〕《蔣中正日記》，1945 年 10 月 1 日。

〔註 110〕《國民政府公報》，1945 年 11 月 23 日，政府公報資訊網。

處理漢奸案件嚴正慎重起見，擬懇組織特別法庭，負審判與覆核漢奸之責」。

而在《處理漢奸案件條例》第二條，必須「厲行檢舉」的規定之下，自《處理漢奸案件條例》制定兩個月以來的檢舉案件，也出現邀功獻媚或挾怨報復等不實檢舉，加之數量過於龐大，拖延了審判的進行，戴笠、章士釗二人也另外建議蔣中正，應明令禁止檢舉，儘快將此事做一了結：

> 竊見檢舉漢奸，南北各地，大致就緒，惟法序遲滯，巨□多未受審，天下惑焉，如積疑成謗，由謗生怨，後患堪虞，似宜設置特別法庭，專司其事，又近來告訐之案，雲湧飈發，私仇宿怨，均假靖獻之名，亟望漢奸案件，得一總結束，並明令禁止公私檢舉，庶幾社會得以安定，憲政得以推行。〔註 111〕

3 月 7 日，總共補獲的漢奸總共 3378 名，由於人數眾多，拖延審理進度，因此包含陳公博在內等重點人物，遲遲未送審，戴笠為此呈報蔣中正，認為應儘速就重點人物送審，並已將受審人之財產陳列清單，準備移交：

> 均經遴選偵訊人員，分赴各地，予以初步審訊，確定其罪行，清理其財產，準備分別移送審判機關，依法辦理，前擬將陳逆公博等九四名，依照處置漢奸案件條例第五條，移送審判機關訊辦，均滋疑慮，默察情勢，似不可再緩，擬請准將已捕獲之各地漢奸，分別解送各地法院或軍法機關辦理，及將已清理之漢奸財產，移交行政院在各地之敵偽產業處理局處理，並將上兩項造具清冊呈報備查。

關於戴笠所呈之事，蔣中正表示同意：「擬令移送各地法院或軍法機關審理」、「擬准移交行政院各地敵偽產業處理局處理」，〔註 112〕並且在有法可依的情形之下，對於漢奸的相關案件持續表示關心，9 月，蔣中正發電上海市長吳國楨，叮囑逮捕漢奸必須由法院正式發布逮捕令方得逮捕，不可擅自違法逮捕。〔註 113〕蔣中正對於漢奸審理的態度之所以會如此審慎，除了擔心挾怨報復使得冤案過冗，導致司法單位在審理上的困難，另一方面，由於特務機關未經審判即扣予漢奸罪名於一般民營產業，使得民營工廠接連遭受波及，進而導致工

〔註 111〕「戴笠章士釗呈蔣中正」（1946 年 1 月 9 日），〈革命文獻——偽組織動態〉，《蔣中正總統文物》，典藏號：002－020300－00003－073。

〔註 112〕「戴笠電蔣中正」（1946 年 3 月 7 日），〈革命文獻——偽組織動態〉，《蔣中正總統文物》，典藏號：002－020300－00003－074。

〔註 113〕「蔣中正電吳國楨」（1946 年 9 月 8 日），〈革命文獻——偽組織動態〉，《蔣中正總統文物》，典藏號：002－020300－00003－077。

廠關閉，影響從業人員之民生，另外也連帶產生以肅清漢奸爲藉口，實則進行搜刮勒索等舞弊情事。〔註 114〕

至 1948 年 2 月 27 日，蘇州高等法院檢察署公佈了漢奸受理案件，自終戰始計，總共 5826 件，其中 3819 件不予起訴，剩餘 2007 件全部予以公訴，但當中有 567 件在逃，除此之外，未偵結之件數僅剩 45 件。但 17 日的行政院政務會議，本欲將未經偵察案件停止檢舉，惟該檢察署由於未接到司法行政部的命令，仍得接受檢舉案件。〔註 115〕

爲了法統性，重慶政府除了須對汪政府的人員進行清算以外，回到實際層面，戰火綿延八年，重慶政府陸續失去了包含華北、華中及華南沿海等地區之控制權，影響了關稅與鹽稅之收入，使得財政受到嚴重影響，因此除了政治上「清算」汪政府人員外，重慶政府也另外準備「清算」財產。1944 年 7 月 31 日，在戰爭結束前，重慶政府國防最高委員會，已先對戰後接收做出《復員計劃綱要》，對於未來可能會遇到的金融接收問題，先計畫「散在收復區之敵僞鈔票及公債、社債等，應立即停止其流通，限期收集，分別清理」，對於金融單位則「應一律予以封閉，由政府接收清理」。〔註 116〕

8 月 15 日，日軍宣布投降後，16 日，蔣中正與財政部長俞鴻鈞討論中儲券之處置。定案在法幣未普及於淪陷區前，得准面額 100 元以下的中儲券繼續流通；19 日，行政院長宋子文就法幣與中儲券問題電呈蔣中正，除了暫准中儲券的流通外，也先不規定收兌的比例，以避免擾民，宋子文的提議，得到了蔣中正同意，隔日自記，「決定對僞幣暫時通用方針」。〔註 117〕

9 月，對於戰後之接收，進一步發佈《收復區各項緊急措施辦法》，其中有關中儲券及聯銀券之處理，規定「除小額僞鈔得於政府規定期限內，按照規定折合率暫准流通外，其餘敵僞鈔票一律禁止行使」，但對於所謂「小額」之定義，由各區財政金融特派員向財政部核定公告，惟不得與銀行進行存匯；其餘未照准流通之汪政府貨幣，則應向銀行申報，「以備對敵清算賠償」；而包含中儲行等汪政府設立之銀行，「應由政府即予關閉，並指定國家行局接收

〔註 114〕郭廷以，《現代中國史綱》（臺北：南天，1994，三版），頁 755。

〔註 115〕「兩年餘受理漢奸案統計」，《申報》，1948 年 2 月 27 日。

〔註 116〕秦孝儀，《中華民國重要史料初編——對日抗戰時期：第七編戰後中國》（四）（臺北：國民黨黨史會，1981，初版），頁 360～361。

〔註 117〕呂芳上主編，《蔣中正先生年譜長編》（八），頁 154，1945 年 8 月 20 日條。

之」，經汪政府核准成立之金融機關，須立即停止營業。〔註 118〕而根據周佛海的報告，中儲行最終移交的中儲券，總發行額約 3 兆 7 千萬元；發行準備則有黃金 5 萬餘條、白銀 760 萬餘兩、銀元 33 萬元及美金 550 萬元。〔註 119〕

10 月 27 日，重慶政府再對於有關接收範圍做出劃分，首先行政院先設立「全國性事業接收委員會」，再分區設立「處理敵僞產業審議委員會」及「敵僞產業處理局」，京滬一帶，於 1945 年成立「上海區處理敵僞產業審議委員會」及「上海敵僞產業處理局」，原業務範圍爲上海及沿京滬線上海至常州之各地；1946 年 1 月 16 日，將範圍擴大至上海、南京二市和江蘇、浙江、安徽三省，並更名爲「蘇浙皖區處理敵僞產業審議委員會」和「蘇浙皖區敵僞產業處理局」。〔註 120〕

1946 年 3 月 4 日，重慶政府財政部長俞鴻鈞於國民黨六屆二中全會上，報告有關財政接收問題。其中在貨幣方面，財政部以「僞鈔予以收換，敵鈔予以登記」爲原則，著手計劃收回中儲券及聯銀券。中儲券部份，兌換期限爲 1945 年 11 月 1 日至 1946 年 3 月 31 日，但適當收兌比例，卻眾說紛云。

中儲行副總裁錢大櫆所認爲之比例爲 1 元法幣兌換 28 元中儲券；周佛海則認爲 1 元法幣可兌換 78 元中儲券；重慶方面，軍事委員會國際問題研究所主任，並參與接收工作的邵毓麟，則提出 1 元法幣兌換 100 元中儲券之提議；經濟部次長何廉建議以三年來重慶與上海之物價比，做爲中儲券與法幣之兌換基礎，以終戰前的物價觀之，1945 年 6 月上海物價指數已達重慶之 55.63 倍，何廉提議以 1 元法幣兌換 60 元中儲券之比例，應最爲合理，但最終定案之比例卻爲 1 元法幣兌換 200 元中儲券。〔註 121〕且 1946 年 1 月時，南京物價指數，尚仍低於重慶，但至中儲券收兌期限屆期的 1946

〔註 118〕秦孝儀，《中華民國重要史料初編——對日抗戰時期：第七編戰後中國》（四），頁 386～387。

〔註 119〕「周佛海呈蔣中正」（1945 年 9 月），〈汪僞組織（一）〉，《蔣中正總統文物》，典藏號：002－080130－00066－004。

〔註 120〕秦孝儀，《中華民國重要史料初編——對日抗戰時期：第七編戰後中國》（四），頁 136。

〔註 121〕秦孝儀，《中華民國重要史料初編——對日抗戰時期：第七編戰後中國》（四），頁 486～487；朱子家（金雄白），《汪政權的開場與收場》（上），頁 142；邵毓麟，〈勝利前後〉（四），《傳記文學》，10：1（臺北，1967.1）頁 47～48；郭廷以，《現代中國史綱》，頁 755；潘健，〈汪僞政府財政研究〉，頁 206。

年 3 月後，南京物價指數卻超越重慶。〔註 122〕可見未對應物價之收兌行爲，確爲戰後華中物價飛漲元兇之一；聯銀券方面，則以 1946 年 1 月 1 日至同年 4 月 30 日做爲兌換期限，收兌比例則爲 1 元法幣兌換 5 元聯銀券，〔註 123〕但由於業務範圍龐雜，直至 1946 年 5 月 28 日，中儲券與聯銀券之收換一事，仍未順利完成。〔註 124〕

但持平而論，收兌所涵蓋之因素龐雜，非一言所能蔽之，制定適當之收兌比例，實非易事。包括華中與華北當局，對於法幣的強勢收兌，或有大量印行鈔券以因應之情事；發行量的清查，也可能出現誤差；市面流動的僞鈔，亦會影響收兌比例之制定。且除了民間鈔券的收兌外，接收日本在華金融單位，所連帶接收之負債、以及接收人員貪污、國共內戰等問題，對於整體接收皆會造成一定程度之影響。

1946 年 3 月 7 日，日本在華之金融單位，由重慶政府接收，並對其產權得以沒收，但日商銀行之庫存不足以應付債務，而在日本投降之際，多數主持人員作鳥獸散，因此留下一燙手山芋予重慶政府。重慶政府對此，僅能試

〔註 122〕有關上海與重慶之物價指數比，本研究轉引潘健，〈汪僞政府財政研究〉頁 755，所引黃美眞編，《日僞對華中淪陷區經濟的掠奪與統制》（北京：社會科學文獻，2005），頁 575 之數據；1946 年後之南京與重慶物價指數比，則轉引林桶法《從接收到淪陷：戰後平津地區接收工作之檢討》（臺北：東大，1997，初版），頁 254，所引之張其昀等編，《中華民國開國五十年史論集》（二）（臺北：國防研究院，1962），頁 858～863 之數據。上述資料皆以 1937 年，抗戰爆發前夕之物價指數做爲基準，並以 100 做爲基數。黃美珍之數據，1944 年底上海物價指數 250,970；重慶 54,860，上海物價指數約爲重慶之 4.57 倍，至 1945 年 6 月，上海物價指數飆升至 8,640,000；重慶 155,300，上海物價指數飆升至重慶之 55.6 倍。張其昀之數據，1946 年 1 月，南京物價指數爲 170,158；重慶 209,561。若上述數據皆無誤，南京之物價指數，此時僅約爲重慶之 81%。地理位置相近之京、滬，物價指數落差程度，於半年間之波動，應不至於如此之大，惜本研究未能窺得其他數據資料，以做進一步之佐證。因此筆者僅能大膽判斷，1944 年底至 1945 年 6 月的半年間，上海物價指數飆升之現象，或與 1944 年底的汪兆銘離世，及日本戰況越趨不利有關；至 1946 年 1 月，南京的物價回穩，則或許係抗戰勝利，帶來的「勝利行情」所影響之。

〔註 123〕秦孝儀，《中華民國重要史料初編——對日抗戰時期：第七編戰後中國》（四），頁 486～487；朱子家（金雄白），《汪政權的開場與收場》（上），頁 143；邵毓麟，〈勝利前後〉（四），《傳記文學》，10：1（臺北，1967.1）頁 47～48；郭廷以，《現代中國史綱》，頁 755；潘健，〈汪僞政府財政研究〉，頁 206。

〔註 124〕秦孝儀，《中華民國重要史料初編——對日抗戰時期：第七編戰後中國》（四），頁 50。

圖追回債權，暫時擱置債務，本欲等日本戰後之賠款，再解決債務問題，〔註125〕惟 1952 年 4 月 28 日簽訂的《中日和平條約》之議定書，放棄了《舊金山和約》中的賠款，〔註 126〕意即重慶政府所承接之債務，最終結果僅得自行吸收。

但此時，重慶政府對於日商銀行之債務，仍暫抱以無視之態度，因此短期內尚不至於受到太嚴重之影響，惟業務繁雜的接收行爲，也進而引發了貪污問題。1945 年 11 月 20 日，中國戰區美軍司令魏德邁（Albert Coady Wedemeyer）中將也爲貪污問題向蔣中正提出警訊：「國民政府的胡作非爲已經引起接管區當地人民的不滿，此點甚至在對日戰事一結束後，國民政府即嚴重地失去大部分的同情」；28 日，魏德邁再對蔣中正報告華北的貪污情況，使蔣中正相當無地自容，29 日，於日記中記下：「昨魏德邁來見，告我以中央派往華北人員之如何貪污不法，失卻民心，聞之慚惶無地，不知所止」。

因此蔣中正爲因應貪污情事，開始於憲兵體系下增設「特偵貪污隊」，對於貪汙人員進行查緝；12 月 8 日，核定《整理黨務方案》與《肅清貪汙運動大綱》，將貪污問題視爲當務之急；1946 年 8 月 26 日，制訂《收復區人民約言》，並設置告密箱，鼓勵收復區民眾檢舉貪污情事，只要貪污達 1 萬元以上者即槍斃，但此一連串的防貪措施，以結果論之，蔣的意志並未完全貫徹至下屬，貪污問題未顯好轉。〔註 127〕戰爭結束後，收復淪陷區，使得分裂的中國得以統一，看似已撥雲見日、擺脫戰爭的陰霾；但在接收的過程中，貪汙情事使得接收效率不佳、金融秩序連帶受其影響，接收不力進而使得民心大失，原爲統一中國而進行的接收動作，反而再度埋下使中國分裂的種子。

〔註 125〕秦孝儀，《中華民國重要史料初編——對日抗戰時期：第七編戰後中國》（四），頁 47～48。

〔註 126〕秦孝儀，《中華民國重要史料初編——對日抗戰時期：第七編戰後中國》（四），頁 700、1065。

〔註 127〕楊天石，〈蔣介石槍斃孔祥熙親信及其反貪願望〉，《找尋眞實的蔣介石——蔣介石日記解讀》（三）（香港：三聯，2014，初版），頁 289～291。

第五章　結　論

本研究自近衛文麿發表首次對華聲明後，對中國內部引起的漣漪做爲探討之開端。近衛聲明的發表，推動了汪兆銘投身與日本合作，而無論汪兆銘之動機，是抱懷著所謂「烈士情結」，或是出自於對列強介入的悲觀，「和平」是汪兆銘在抗戰期間一直主打之旗號。因此日本在與汪兆銘的合作上，雖非一拍即合，但只要有助於和平，即便這種和平僅能在半個中國內實現，汪兆銘在與日本的交涉上，願意嘗試妥協與讓步，其中包含承認滿洲國、避談日本撤軍問題等被視爲賣國行爲之舉動。

但由日本其它對華工作觀之，可以發現與汪兆銘合作，並非最主要之選項。日本的計劃，除了拉攏國民黨內「鴿派」的代表人物汪兆銘以外，也試圖接觸其餘非國民黨人士。其中包含曾於 1920 年代，叱吒一時的吳佩孚，並以此二人爲首，與華北「臨時政府」和華中「維新政府」作一結合，以做爲對蔣中正談判之籌碼。不過吳佩孚對於日本的拉攏，態度始終曖昧不明，使得日本對於吳佩孚出山協助一事，僅止於等待與想像，直至吳佩孚離世，日本始終未等到吳佩孚的明確表態。

不贊成與日本和談或合作之中國人，係對日本人的信用抱持著存疑的態度。除了吳佩孚以外，以首先提出「以汪代蔣」計劃的高宗武亦如是。就結果論之，這種疑慮並非全無所本，如汪政府成立後，日本並未隨即承認汪政府；太平洋戰爭爆發後，也未立即兌現將租界交還予中國、撤廢治外法權等承諾。

但細觀「吳佩孚工作」或是「桐工作」等日本對華工作內容，中國對日本也多有欺瞞矇騙之行爲。雖在外交戰場折衝樽俎當中，爾虞我詐之情事本屢見不鮮，不過在這種各懷異心的情形之下，日本無法完成對華政策之藍圖，實踐經濟提攜、共同合作等富有理想性之目標。就結果論之，無論是臨時、維新二政府的成立，或是對汪、吳之工作，僅變成單純的「以華制華」，以及與重慶談判和談之籌碼。

回溯近衛聲明當中所提及之「期待足與日本眞正提攜之新興政權成立與發展，與之調整兩國國交」，原本僅爲威嚇重慶與之談判之聲明，至此，似乎已不得不確實爲之。新組政府一事，對汪陣營部份人士而言，已超出原有計劃，因此首先提出「以汪代蔣」的高宗武，於新政府即將成立之際，與陶希聖離開汪陣營，將汪日合作之細項提前公開曝光，引發了「高陶事件」，〔註1〕對隨後成立的汪政府，蒙上了一層陰影。

此時的汪陣營，除須處理內部人員的叛逃所帶來之影響，對外而言，還得面臨與日本之間的信任危機。在新政府即將成立之際，日本游移的態度，使得蔣中正注意到日本並非眞心扶持汪兆銘，對於與重慶和談，仍抱有一定程度之希望，也因此使得重慶深信，自身才是日本眞欲談判之對象，態度反而越顯強硬。

但自 1938 年 1 月首次近衛聲明，宣稱「爾後不以國民政府爲對手」而後，導致日本僅能私下透過非官方管道，間接地與重慶談判，不敢在檯面上公開。不過無論私下或是公開，顯見日本在表面的強硬立場之下，並不願放棄和談的機會。而重慶方面，對於日本之信用亦存有疑慮，加之渝日之間對於日本撤兵以及滿洲國問題爭持不下，談判並無法順利進行。

綜觀在風雨飄搖中成立的汪政府，外交政策的自主性上，受到日本不少干涉。且由於係以「中華民國國民政府」之姿重組政府，自身實力亦相當有限，對於原與重慶政府有邦交之國家，實無必要爲了承認汪政府，而破壞與重慶之外交。因此汪政府在外交上，僅能靜待國際情勢之變遷。就事實上而言，包含德蘇戰爭與太平洋戰爭，的確使得汪政府無論在國際承認上，以及對日廢約上取得一定程度之外交成果。

細觀汪政府之整體外交政策，略可粗分爲四個階段。第一階段，首先於 1938 年 12 月 18 日汪兆銘出走，至 1940 年 3 月 30 日汪政府成立。此時，汪派之目的，仍以促成中日和談爲主。但此態度由 1940 年 1 月 25 日，「青島會

〔註 1〕犬養健著，任常毅譯，《誘降汪精衛秘錄》（江蘇：江蘇古籍，1996，初版），頁 227～229。

談」對於組府一事大勢底定之後，雖仍能夠看到其與日本方面討論未來對重慶之工作，〔註 2〕不過態度已逐漸動搖。〔註 3〕

第二階段，係自 1940 年 3 月 30 日，汪政府成立後，至 11 月 30 日之間，得到日本承認。此段期間之目標，自然爲爭取日本承認，以開啓做爲「中國」合法代表之開端。汪政府成立之後，始終未得到日本的正式承認，其中之主因即是日本未放棄與重慶和談。不過在談判觸礁後，8 月，日軍開始南進，進佔越南；並與德國、義大利簽訂《三國同盟條約》，自認在軍事及外交上皆取得優勢後，對華政策之槓桿，逐漸偏向汪政府。11 月 30 日，汪政府與日本簽訂《中日基本關係條約》，雙方建立正式國交。

惟軸心陣營除了日本以外，德國與義大利兩個軸心大國，卻對於新盟友的到來不甚歡迎，皆未予以承認。第三階段，則爲日本承認汪政府後，至太平洋戰爭爆發。此段期間之目標，爲爭取國際承認。外交上的突破，首先來自於 1941 年 6 月 22 日，德國準備進攻蘇聯。爲爭取日本支持，7 月 1 日正式承認汪政府，並連帶引起其餘軸心國家的承認潮。11 月 25 日，汪政府受邀簽署《國際反共產協定》，正式進入軸心陣營。此段期間，所獲得的國際承認，成爲了汪政府在外交戰場上，建立起合法性之基礎，只是在外交情勢上看似好轉的汪政府，卻未完全得到日本的信任。

第四階段，則是 12 月 7 日，太平洋戰爭爆發。在日軍以武力攻佔租界後，並未兌現原有承諾，交還租界及廢除治外法權；且對於汪政府參戰一事，持反對態度。汪政府於此段期間之外交政策，即爲努力向日本交涉，完成日本原有對華承諾，包含交還租界及廢約。

1942 年 8 月，瓜達康納爾島戰役，美軍逆轉了太平洋的劣勢，日本信心動搖的情況之下，爲穩定後方，開始對汪政府之政策鬆綁，重啓原有的對華親善政策，包含 1943 年 1 月 9 日，允諾汪政府參戰、交還租界及廢除不平等條約。此舉亦且帶給重慶政府與英美陣營壓力，10 日，重慶政府始與英美分別就同樣問題簽訂新約。至此，無論此場戰爭勝敗誰屬，在租界及不平等條約上，中國已確定必能得利。此後，日汪再於同年 10 月 30 日，廢除《中日基本關係條約》，重訂《中日同盟條約》，將中日雙方爭執不下的撤兵問題納

〔註 2〕周佛海著，蔡德金編著，《周佛海日記全編》（上）（北京：中國文聯，2003，初版），頁 237～238，1940 年 1 月 27 日條；頁 238，1940 年 1 月 28 日條。

〔註 3〕周佛海著，蔡德金編著，《周佛海日記全編》（上），頁 239，1940 年 1 月 29 日條。

入其中。至此，晚清以降所簽訂之不平等條約，在形式上完全廢止了，但戰事的持續進行，卻掩蓋了這些外交成果。

而支撐一個政府運作最重要的根本，即爲財政問題。「還都」時，汪政府雖將中央銀行的建立，置入新政府的政綱當中；但組府一事對於日、汪而言，皆爲不得已之非常手段。因此新政府在一根基不穩之情形下組建，隨即面臨財庫空虛等問題，僅得以日本之借款應急，但此亦非長久之計。因此在貨幣政策及稅收方面，汪政府也做了一定程度的努力。

首先是建立自身財政系統，即 1941 年 1 月，中儲行之成立，以及中儲券的發行。中儲券先是以「新法幣」之姿登場，幣值上連結重慶法幣，意欲取代重慶法幣的地位；並且在實質上取代了原維新政府所發行「華興券」，成爲華中之官方通貨。不過發行之始，並未強制收回市面上所流通之法幣；且除法幣外，亦有日本軍票在市面上流通，使得華中地區通貨使用情形相當混亂。另外，由於日本對重慶包含套匯等鬥爭，雖然影響了法幣的幣值，卻也連帶影響中儲券；加之中儲券之通行，僅止於華中一帶，華北方面之通貨，仍沿用原臨時政府所使用之「聯銀券」。

汪政府曾嘗試與強制收回統治區內之法幣及聯銀券，並與法幣脫勾，也因此使得中儲券之幣值，曾短暫走揚。惟汪政府成立時，財政準備短缺，因此僅得在日本的支援下，勉強維持。到了抗戰後期，日本戰況越顯吃緊，能給予汪政府的支援有限，另外包含重慶方面印製中儲券僞鈔、法幣流通於黑市、甚至是汪兆銘個人的健康狀況等問題，皆使得中儲券之幣值受到連帶影響。整體而言，中儲券在貨幣市場上的生存，顯得相當困難。

稅收問題，中國最大宗之關稅、鹽稅與統稅，在隨著華北、華中以及沿海一帶淪陷之後，日本實質掌握了徵收權。汪兆銘雖於新政府成立之前，即已向日本交涉，試圖收回徵收權，但結果並不順利。包含關稅與統稅，直至 1942 年，日本開展對華新政策後，才將此二稅陸續交還汪政府。

而相較於此二稅，汪政府在對於鹽稅方面的交涉，則較爲成功。日本雖以鹽爲軍用物資爲由，亦未立即將徵收權交還，仍由日本先行徵收，再分配予汪政府。但汪政府試圖另闢途徑，首先重建遭受戰亂及天災重創的鹽場，先提高鹽產量，再與日本的交涉，成功取回了鹽的專賣權以及運輸權。在稅收無法入帳之下，此爲汪政府少數主動出擊交涉，而使日本妥協之案例，並且也實質提升了國庫收入。

兩國交戰時，在軍事佔有優勢之一方，攻佔劣勢方之領土以後，理應完全掌握佔領地資源及稅收的主導權，就中日戰爭初期而言，事實的演變也的確如此。但日本除了一方面在軍事上向重慶政府施壓；另一方面，爲「維持形象」，又在中國扶持汪政府，做爲與中國談判之窗口，企圖在輿論上，將重慶方面不願談判之動作，塑造成戰爭的禍首。但日本卻未料，汪政府的存在，就結果論之，或可謂是「養癰爲患」之比。

首先是新政府人員之核心，係由汪兆銘爲首的幾個「鴿派」人士組成。汪陣營當中，無一人有實質軍事實力，皆爲赤手空拳，在既無兵亦無錢的情況之下，與日本合作組府。日本唯一得借助的，僅有汪兆銘個人的號召力，惟就事實的發展觀之，汪兆銘的口才與文才，並無法動搖抗日之輿情。

因此，在汪政府幾乎一無所有的情形之下組建，使得日本在扶持其建立的過程中，爲證明日本對「中國」親善的誠意，必須不斷挹注資金，以維持汪政府的運作。至戰爭後期，甚至將稅收權奉還汪政府，相對消耗了以戰養戰的資本。

就前人對汪政府的財金研究而言，或著重於將中儲券及汪政府本身之稅收做爲核心；或著重於僅將中儲券視爲一戰時貨幣，探討其於戰時之功用。惟「財政」與「金融」之互動，絕非各自爲政。另外有關戰時金融，除了戰局的演變會影響其中，其餘包含本文所提及之華北與汪政府競合之政治問題；或汪兆銘個人身體狀況等細節，皆對於金融造成一定程度之衝擊。若完全以數據做爲財金研究之根本，難以完全窺之全貌。

綜而觀之，汪政府在日本未盡全力支持下而建立，其根基相當不穩；但爲了政府的生存及運作，在部份政策上仍積極爲之。包含本研究所述，從與日本建立國交開始，積極爭取國際承認，以加強其合法性，並藉由國際變局從中得利；財政金融上，也建立了一套自身的財政系統，雖然戰時金融無法避免受到戰局變遷的影響，且在日本與重慶的貨幣鬥爭之下，中儲券連帶遭受其害，幣值極不穩定；但中儲券做爲華中之通貨，對於穩定當地金融，亦有其貢獻所在。

從古至今，有許多國家或政權，由於政治或歷史因素，因而造成分裂等情形，導致其合法性遭受質疑。惟近年有關汪政府之研究，已多不以「僞政府」視之，汪政府合法性之「眞僞」或有討論空間，但存在之事實，已無「眞僞」之辯。因而本研究即不探討汪政府之「眞僞」，而試圖將探討核心，著重於在國家分裂的情形之下，身為較弱勢一方的汪政府是如何打著「中華民國國民政府」之旗號，在國際上爭取生存空間，冀望得以補足近年國內對汪政府研究稍有不足之處。

圖一：抗戰時期親日政權簡易分布圖〔註 4〕

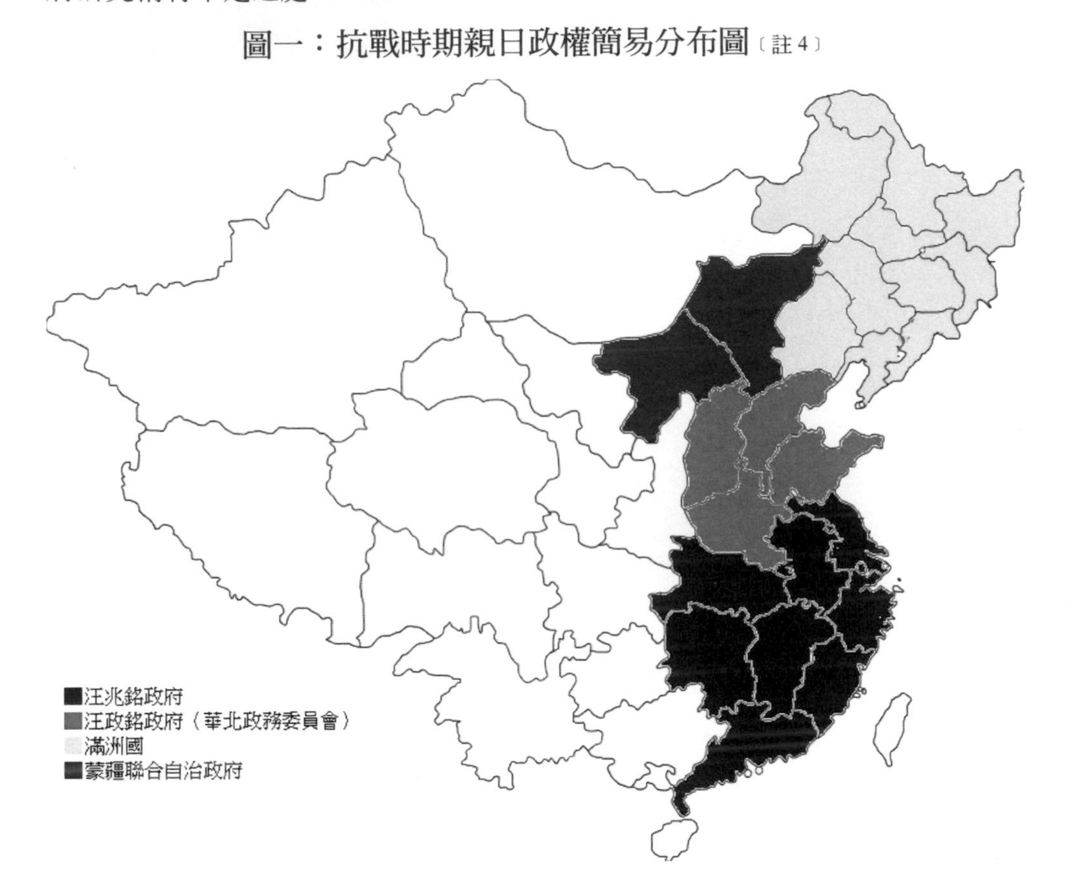

〔註 4〕 汪政府部份（含華北），參照《汪偽政府所屬各機關部隊學校團體重要人員名錄》（臺北：學海，1998，初版）及劉壽林編，《民國職官年表》（北京：中華書局，1995，初版）二著當中，汪政府有任派任省長之行政區；滿、蒙部份，參照網路資料自繪而成。

徵引書目

（一）檔案文電

（1）國史館藏

1. 蔣中正總統文物

1. 典藏號：002－020300－00003－005，〈革命文獻——偽組織動態〉。
2. 典藏號：002－020300－00003－006，〈革命文獻——偽組織動態〉。
3. 典藏號：002－020300－00003－017，〈革命文獻——偽組織動態〉。
4. 典藏號：002－020300－00003－020，〈革命文獻——偽組織動態〉。
5. 典藏號：002－020300－00003－021，〈革命文獻——偽組織動態〉。
6. 典藏號：002－020300－00003－023，〈革命文獻——偽組織動態〉。
7. 典藏號：002－020300－00003－024，〈革命文獻——偽組織動態〉。
8. 典藏號：002－020300－00003－047，〈革命文獻——偽組織動態〉。
9. 典藏號：002－020300－00003－048，〈革命文獻——偽組織動態〉。
10. 典藏號：002－020300－00003－056，〈革命文獻——偽組織動態〉。
11. 典藏號：002－020300－00003－059，〈革命文獻——偽組織動態〉。
12. 典藏號：002－020300－00003－073，〈革命文獻——偽組織動態〉。
13. 典藏號：002－020300－00003－074，〈革命文獻——偽組織動態〉。
14. 典藏號：002－020300－00003－077，〈革命文獻——偽組織動態〉。
15. 典藏號：002－020300－00045－071，〈革命文獻——對法外交〉。
16. 典藏號：002－020300－00045－082，〈革命文獻——對法外交〉。

17. 典藏號：002－060100－00141－007，〈事略稿本——民國二十九年六月〉。
18. 典藏號：002－060200－00006－010，〈困勉記初稿（六）〉。
19. 典藏號：002－070100－00039－050，〈親批文件——民國二十四年一月至民國二十四年一月（二）〉。
20. 典藏號：002－080102－00039－004，〈特種情報——軍統（五）〉。
21. 典藏號：002－080103－00009－025，〈敵偽組織（一）〉。
22. 典藏號：002－080103－00010－082，〈敵偽組織（二）〉。
23. 典藏號：002－080103－00050－009，〈全面抗戰（十七）〉。
24. 典藏號：002－080130－00066－004，〈日本投降（三）〉。
25. 典藏號：002－080200－00279－024，〈一般資料——民國二十六年（四）〉。
26. 典藏號：002－080200－00522－101，〈一般資料——呈表彙集（九十五）〉。
27. 典藏號：002－080200－00522－118，〈一般資料——呈表彙集（九十五）〉。
28. 典藏號：002－080200－00528－002，〈一般資料——呈表彙集（一〇一）〉。
29. 典藏號：002－080200－00528－082，〈一般資料——呈表彙集（一〇一）〉。
30. 典藏號：002－090103－00014－229，〈對英法德義關係（四）〉。
31. 典藏號：002－090200－00022－011，〈汪偽組織（一）〉。
32. 典藏號：002－090200－00022－344，〈汪偽組織（一）〉。
33. 典藏號：002－090200－00022－346，〈汪偽組織（一）〉。
34. 典藏號：002－090200－00022－348，〈汪偽組織（一）〉。
35. 典藏號：002－090200－00023－145，〈汪偽組織（二）〉。
36. 典藏號：002－090200－00023－167，〈汪偽組織（二）〉。
37. 典藏號：002－090200－00023－189，〈汪偽組織（二）〉。
38. 典藏號：002－090200－00023－234，〈汪偽組織（二）〉。
39. 典藏號：002－090200－00023－241，〈汪偽組織（二）〉。
40. 典藏號：002－090200－00024－189，〈汪偽組織（三）〉。
41. 典藏號：002－090200－00024－231，〈汪偽組織（三）〉。
42. 典藏號：002－090200－00024－253，〈汪偽組織（三）〉。
43. 典藏號：002－090300－00224－388，〈增編（九）〉。

2. 汪兆銘史料

1. 典藏號：118－010100－0005－067，〈民國 27 年汪精衛與本黨（指中國國民黨）有關之各項函電（1）〉。
2. 典藏號：118－010100－0007－106，〈總裁致汪精衛等函電〉。
3. 典藏號：118－010100－0015－037，〈民國 30 年汪精衛與各僞機關首長往返函電（1）〉。
4. 典藏號：118－010100－0018－039，〈民國 31 年各方爲「清鄉工作」致汪精衛之函電（2）〉。
5. 典藏號：118－010100－0018－059，〈民國 31 年各方爲「清鄉工作」致汪精衛之函電（2）〉。
6. 典藏號：118－010100－0025－070，〈民國 31 年汪精衛與廣州等地往返函電（1）〉。
7. 典藏號：118－010100－0028－005，〈民國 32 年汪精衛與廣州各方往返函電之 2〉。
8. 典藏號：118－010100－0030－004，〈民國 32 年汪精衛致周佛海函電〉。
9. 典藏號：118－010100－0033－021，〈周佛海致汪精衛函件（3）〉。
10. 典藏號：118－010100－0044－032，〈汪精衛與陳公博往返函電〉。
11. 典藏號：118－010100－0056－002，〈國際各有關方面致汪精衛函電〉。
12. 典藏號：118－010100－0056－004，〈國際各有關方面致汪精衛函電〉。
13. 典藏號：118－030100－0015－042，〈汪兆銘招待記者會活動照片〉。

3. 戴笠史料

1. 典藏號：144－010106－0001－015，〈戴公遺墨——情報類（第 1 卷）〉。
2. 典藏號：144－010106－0001－058，〈戴公遺墨——情報類（第 1 卷）〉。
3. 典藏號：144－010106－0004－001，〈戴公遺墨——行動類（第 4 卷）〉。
4. 典藏號：144－010106－0005－021，〈戴公遺墨——情報類（第 5 卷）〉。
5. 典藏號：144－010106－0005－081，〈戴公遺墨——行動類（第 5 卷）〉。
6. 典藏號：144－010106－0005－094，〈戴公遺墨——行動類（第 5 卷）〉。
7. 典藏號：144－010113－0003－025，〈戴公遺墨——一般指示類（第 3 卷）〉。

（2）中央研究院近代史研究所藏

1. 國民政府外交部

1. 館藏號：04－02－011－03－075，〈德應不會承認僞組織〉。

2. 館藏號：04－02－015－06－027，〈部長與潘使談德義日三國同盟協定〉。
3. 館藏號：04－02－015－06－032，〈德義日三國同盟後蘇之態度與感想〉。
4. 館藏號：04－02－015－06－037，〈關於日本汪逆訂約事〉。
5. 館藏號：04－03－003－02－016，〈據亞洲司長稱彼近告日代辦汪日組織僞政府將使中國政府態度硬化且將引起民主國家之反感與誤會日代辦謂不便轉達〉。

2. 外交部檔案

1. 館藏號：11－01－02－11－01－036，〈英日東京談判與租界問題〉。
2. 館藏號：11－06－01－05－01－001，〈汪精衛成立僞組織〉。

3. 汪政府經濟部門

1. 館藏號：28－05－01－008－05，〈關於法幣運使各項法令〉。

（3）中國國民黨文化傳播委員會黨史館藏

1. 特種檔案

1. 館藏號：特 4／50.50，〈中宣部致財政部函〉。
2. 館藏號：特 9／26.12，〈潘公展函葉楚傖〉。
3. 館藏號：特 21／1.46，〈陳素致吳鐵城冬電〉。
4. 館藏號：特 21／1.79，〈陳素致吳鐵城刪電〉。
5. 館藏號：特 21／1.122，〈陳素致吳鐵城支電〉。
6. 館藏號：特 21／1.189，〈陳素致吳鐵城等微電〉。

2. 敵方廣播新聞紀要

1. 館藏號：敵廣 0173，〈敵方廣播新聞紀要重慶版第 173 號〉。

（4）東洋文庫藏

1. 中華民國國民政府（汪政權）駐日大使館檔案，請求記號：22744，〈大使館工作報告〉。

（二）出版史料

1. 中央檔案館、中國第二歷史檔案館、吉林省社會科學院編，《汪僞政權》，北京：中華書局，2004 年，初版。
2. 中國第二歷史檔案館編，《汪僞國民政府公報》（六），江蘇：江蘇古籍。
3. 秦孝儀編，《中華民國重要史料初編——對日抗戰時期：第六編傀儡組織》（三），臺北：國民黨黨史會，1981 年，初版。

4. 秦孝儀編，《中華民國重要史料初編——對日抗戰時期：第六編傀儡組織》（四），臺北：國民黨黨史會，1981 年，初版。
5. 秦孝儀編，《中華民國重要史料初編——對日抗戰時期：第七編戰後中國》（四），臺北：國民黨黨史會，1981 年，初版。
6. 國史館編，《蔣中正總統檔案：事略稿本》（42），臺北：國史館，2010 年，初版。
7. 國史館編，《蔣中正總統檔案：事略稿本》（44），臺北：國史館，2010 年，初版。
8. 黃自進、潘光哲編，《蔣中正總統五記——困勉記》（下），臺北：國史館，2011 年，初版。
9. 黃美眞、張雲編，《汪精衛國民政府成立》，上海：上海人民，1984 年，初版。

（三）年譜、日記、回憶錄

1. 今井武夫，《今井武夫回憶錄》，上海：上海譯文，1978 年，初版。
2. 犬養健著，任常毅譯，《誘降汪精衛秘錄》，江蘇：江蘇古籍，1996 年，初版。
3. 呂芳上主編，《蔣中正先生年譜長編》（五），臺北：國史館，2014 年，初版。
4. 呂芳上主編，《蔣中正先生年譜長編》（六），臺北：國史館，2014 年，初版。
5. 呂芳上主編，《蔣中正先生年譜長編》（七），臺北：國史館，2015 年，初版。
6. 呂芳上主編，《蔣中正先生年譜長編》（八），臺北：國史館，2015 年，初版。
7. 沈醉、文強，《戴笠其人》，北京：文史資料，1980 年，初版。
8. 周佛海著，蔡德金編著，《周佛海日記全編》，北京：中國文聯，2003 年，初版。
9. 朱子家（金雄白），《汪政權的開場與收場》，臺北：風雲時代，2014，初版。
10. 胡蘭成，《山河歲月》，臺北：遠景，2003 年，三版。
11. 胡蘭成，《今生今世》，臺北：遠景，2009 年，五版。
12. 胡蘭成，《戰難和亦不易》，臺北：遠景，2001 年，初版。
13. 徐永昌，《徐永昌日記》，臺北：中央研究院近代史研究所，1981 年，初版。

14. 秦孝儀編，《總統蔣公大事長編初稿》（卷四上冊），1978年。
15. 秦孝儀編，《總統蔣公大事長編初稿》（卷四下冊），1978年。
16. 秦孝儀編，《總統蔣公大事長編初稿》（卷五上冊），1978年。
17. 曹汝霖，《曹汝霖一生之回憶》，臺北：傳記文學，1980年，再版。
18. 影佐禎昭著，陳鵬仁譯，《汪精衛降日秘檔》，臺北：聯經，1999年，初版。
19. 蔡德金編，《七十六號：汪僞特工總部口述秘史》，北京：團結，2007年，初版。

（四）專著

1. 卜正民（Timothy Brook）著，林添貴譯，《通敵：二戰中國的日本特務與地方菁英》，臺北：遠流，2015年，初版。
2. 王克文，《汪精衛．國民黨．南京政權》，臺北：國史館，2001年，初版。
3. 石源華，《陳公博全傳》，臺北：稻香，1999年，初版。
4. 李志毓，《驚弦：汪精衛的政治生涯》，香港：牛津，2014年，初版。
5. 林桶法，《從接收到淪陷：戰後平津地區接收工作之檢討》，臺北：東大，1997年，初版。
6. 芮納．米德（Rana Mitter）著，林添貴譯，《被遺忘的盟友》，臺北：遠見天下文化，2014年，初版。
7. 唐啓華，《被「廢除不平等條約」遮蔽的北洋修約史（1912～1928）》，北京：社會科學文獻，2010年，初版。
8. 唐德剛著，中國近代口述史學會編，《民國史抗戰篇：烽火八年》，臺北：遠流，2014年，初版。
9. 張憲文、張玉法編，張同樂、馬俊亞、曹大臣、楊維眞著，《中華民國專題史》（十二），江蘇：南京大學，2015年，初版。
10. 許育銘，《汪兆銘與國民政府：1931至1936年對日問題下的政治變動》，臺北：國史館，1999年，初版。
11. 郭廷以，《現代中國史綱》，臺北：南天，1994年，三版。
12. 陶涵（Jay Taylor）著，林添貴譯，《蔣介石與現代中國的奮鬥》（上），臺北：時報文化，2010年，初版。
13. 楊天石，《找尋眞實的蔣介石——蔣介石日記解讀》（二），香港：三聯，2010年，初版。
14. 楊天石，《找尋眞實的蔣介石——蔣介石日記解讀》（三），香港：三聯，2014年，初版。

15. 楊維眞，《從合作到決裂：論龍雲與中央的關係（1927～1949）》，臺北：國史館，2000年，初版。
16. 聞少華，《汪僞政權史話》，上海：社會科學文獻，2011年，初版。
17. 聞少華，《汪精衛傳》，北京：團結，2016年，初版。
18. 聞少華，《周佛海評傳》，武漢：武漢大學，1990年，初版。
19. 齊春風，《中日經濟戰中的走私活動：1937～1945》，北京：人民，2002年，初版。
20. 劉熙明，《僞軍：強權競逐下的卒子（1937～1949）》，臺北：稻鄉，2002年，初版。
21. 蔡德金，《汪精衛評傳》，成都：四川人民，1988，初版。
22. 魏斐德（Frederic Wakeman, Jr.）著，芮傳明譯，《上海歹土：戰時恐怖活動與城市犯罪（1937～1941）》，上海：上海古籍，2003年，初版。
23. 藤井志津枝，《誘和——日本對華諜報工作》，臺北：文英堂，1997，初版。

（五）專文

1. 石源華，〈汪僞政府對英美「宣戰」論述〉，《軍事歷史研究》，4（南京，1999年），頁40～44。
2. 吳景平，〈抗戰時期天津租界中國存銀問題——以中英交涉爲中心〉，《歷史研究》，3（北京，2012年），頁81～95。
3. 吳學誠，〈汪僞政權與日本關係之研究〉，臺北：中國文化大學日本語文學系碩士論文，1980年。
4. 李振彥，〈日本在華的日文教育政策（1931～1945）〉，臺北：國立政治大學歷史系碩士論文，2004年。
5. 周惠民，〈德國對「滿洲國」及「汪政權」的外交態度〉，《政大歷史學報》，23（臺北，2005年），頁147～170。
6. 林美莉，〈抗戰時期的貨幣戰爭〉，臺北：國立臺灣師範大學歷史學系博士論文，1994年。
7. 邵毓麟，〈勝利前後〉（四），《傳記文學》，10：1（臺北，1967.1），頁44～54。
8. 邵銘煌，〈汪僞政權之建立及覆亡〉，臺北：中國文化大學史學系博士論文，1989年。
9. 唐啓華，〈北京政府與國民政府對外交涉的互動關係（1925～1928）〉，《興大歷史學報》，4（臺中，1994年），頁77～120。

10. 徐吉村，〈地下戰場：戰時重慶國民政府與汪政權的暗鬥〉，臺北：國立政治大學歷史學系碩士論文，2004 年。
11. 張志雲，〈分裂的中國與統一的海關：梅樂和與汪精衛政府（1940～1941）〉，周惠民編，《國際法在中國的詮釋與運用》，臺北：政大，2012 年，初版，頁 113～148。
12. 張展，〈日本承認汪僞政府之經緯〉，《抗日戰爭研究》，3（北京，2014 年），頁 74～86。
13. 張順良，〈陳公博在北伐前後的政治活動〉，臺北：國立政治大學歷史學系碩士論文，1990 年。
14. 梁榮華，〈中年汪精衛之研究（1917～1932）〉，臺中：東海大學歷史學系碩士論文，1991 年。
15. 許育銘，〈汪兆銘與國民政府（1931～1936）〉，臺北：國立政治大學歷史學系碩士論文，1993 年。
16. 陳泓達，〈東亞共同體的想像：日本的「亞細亞」與「近代」〉，臺北：國立政治大學東亞研究所博士論文，2007 年。
17. 游靜敏，〈徘徊於文學與政治之間：胡蘭成研究〉，桃園：元智大學中國語文學系碩士論文，2008 年。
18. 楊天石，〈「桐工作」辨析〉，《歷史研究》，2（北京，2005），頁 96～118。
19. 楊韻平，〈汪政權與朝鮮華僑（1940～1945）——東亞秩序之一研究〉，臺北：國立師範大學歷史學系碩士論文，2004 年。
20. 劉維諭，〈汪精衛政權之清鄉運動〉，臺中：東海大學歷史學系碩士論文，1995 年。
21. 潘健，〈汪僞政府財政研究〉，上海：復旦大學歷史學系博士論文，2008 年。
22. 蕭李居，〈日本的戰爭體制——以興亞院爲例的探討（1938～1942）〉，臺北：國立政治大學歷史學系碩士論文，2001 年。
23. 蕭李居，〈變調的國民政府：汪、日對新政權正統性的折衝〉，《政大歷史學報》，32（臺北，2009.11），頁 125～168。
24. 羅順毅，〈抗戰前期之和平運動——以周佛海爲個案〉，臺北：中國文化大學史學系碩士論文，2010 年。
25. 蘇翊豪，〈超越日本的國家困境：平野健一郎國際文化論視野下的滿洲與東亞觀〉，臺北：國立臺灣大學政治學系碩士論文，2011 年。

（六）報紙

1.《大公報》（重慶）
2.《中央日報》（重慶）

3.《申報》（上海）
4.《東南日報》（金華）
5.《掃蕩報》（重慶）

（七）外文史料

（1）亞細亞歷史資料中心（アジア歷史資料センター）藏

1. 國立公文書館

內閣

1. Reference code：A03010108200，〈公文類聚・第六十七編・昭和十八年・第六十三卷・外事一・国際一〉。

2. 外務省外交史料館

外務省記錄

1. Reference code：B02030519000，〈支那事変関係一件第三卷〉。
2. Reference code：B02030536100，〈支那事変関係一件：第十三卷〉。
3. Reference code：B02030932800，〈本邦対內啓発関係雑件／講演関係／日本外交協会講演集：第十一卷〉。
4. Reference code：B02032955900，〈大東亜戦争関係一件／大東亜会議関係〉。
5. Reference code：B08060999700，〈本邦ノ中央政府ニ対スル借款売掛代金其他ノ債権関係雑件〉。

3. 防衛省防衛研究所

陸軍一般史料

1. Reference code：C11110432100，〈桐工作関係資料綴〉。
2. Reference code：C11110432400，〈桐工作関係資料綴〉。

陸軍省大日記

1. Reference code：C04122022200〈昭和15年「陸支密大日記第15号1／3」〉。
2. Reference code：C04123657700，〈昭和17年「陸支密大日記第30号」〉。

（八）網路資料

1. 政府公報資訊網，http://gaz.ncl.edu.tw/。

（九）工具書

1. 佚名編著，《汪僞政府所屬各機關部隊學校團體重要人員名錄》，臺北：學海，1998 年，初版。
2. 徐友春編，《民國人物大辭典》，河北：河北人民，1991 年，初版。
3. 張朋園、沈懷玉編，《國民政府職官年表（1925～1949）》（一），臺北：中央研究院近代史研究所，1987 年，初版。
4. 劉壽林編，《民國職官年表》，北京：中華書局，1995 年，初版。

陳誠與東北戰場

（1947～1948）

蕭源聖 著

作者簡介

蕭源聖，1986 年生於臺灣屏東。

畢業於國立中正大學歷史系，國立中興大學歷史研究所。

曾於 2014 ～ 2015 年參與國史館外交部檔案的史料建檔、《蔣中正先生年譜長編》校對工作、蔣介石《事略稿本》讀書會，及協助抗戰勝利七十周年國際學術討論會準備工作。

提　　要

抗戰勝利後，在美、蘇兩強互相拉扯，彼此間都不願對方在東北取得絕對的利益，但也都想保障自身的利益的影響下。國內兩大勢力——國民政府與中共在意識型態與實際利益上的衝突，已然浮上檯面，其中尤以接收淪陷區問題為最。1945 年 11 月，國軍進入東北和中共展開全面性的爭鬥，初始國軍曾一度勢如破竹，似能一舉擊潰中共。但 1946 年 6 月，中共利用馬歇爾（George C. Marshall, Jr., 1880 ～ 1959）的調停穩住了局勢、挺住了壓力。

在這段喘息時間內，中共徹底檢討並改正了 1946 年初期失敗的問題，中共在經過整頓後，改善了共軍的組織，終於在 1946 年下半年轉守為攻。反觀國軍卻因戰線拉長，導致兵力不足，加上當時財政經歷八年的抗戰而消耗殆盡，在軍需、彈藥都不足的情況下，無法一鼓作氣擊潰中共，國軍的士氣則日趨低落。

1947 年國府中央試圖扭轉局勢，9 月國府主席蔣中正（1887 ～ 1975）令參謀總長陳誠（1898 ～ 1965）兼任國民政府東北行轅主任，此舉頗表重視東北之意。然陳誠在東北的舉措並不令人滿意，故而若干人認為東北之失，是為陳誠的責任。陳誠在東北，時間僅短短 5 個月，而國共勢力的平衡，卻在這 5 個月間有著相當大的轉變。

過去學者，在探討當時東北的景況，大多是從軍事或外交層面出發，鮮少有論及陳誠個人在東北的作為及其影響。故筆者嘗試以陳誠在東北為主體出發，去探討關於陳誠主政期間之作為與東北敗亡有何關聯，是否東北之丟失為陳誠的責任。期望對學界關於陳誠在東北主政之研究，增添些微貢獻。

目次

第一章　緒　論

一、研究動機與目的

抗戰勝利，中國各界盼望和平有如大旱之望雲霓；然而國內兩大勢力——國民政府（下稱「國府」）與中共在意識型態與實際利益上的衝突，已然浮上檯面，其中尤以接收淪陷區問題爲最。1945 年 11 月，國軍進入東北和中共展開全面性的爭鬥，初始國軍曾一度勢如破竹，似能一舉擊潰中共。但 1946 年 6 月，中共利用馬歇爾（George C. Marshall, Jr., 1880～1959）的調停穩住了局勢、挺住了壓力。

在這段喘息時間內，中共徹底檢討並改正了 1946 年初期失敗的問題：1、在進入東北之初，忽略了東北百姓在抗戰勝利時，對回歸國民政府（正統性）的嚮往，和對共黨的不信任。2、當時共軍爲求快速的擴充實力，強行招募了許多傾向國府的地方武力或是散兵游勇。

而馬歇爾第二次停戰令後，國民政府卻因戰線拉長，導致兵力不足，加上當時財政經歷八年的抗戰而消耗殆盡，在軍需、彈藥都不足的情況下，無法一鼓作氣擊潰中共，國軍的士氣在長久消磨下，自然日趨低落。反觀 1946 年下半年，中共在經過整頓後，改善了共軍的組織，在明確的戰略指導和執行之下，終於轉守爲攻。〔註 1〕

1947 年國府中央試圖扭轉局勢，9 月國府主席蔣中正（1887～1975）令參謀總長陳誠（1898～1965）兼任國民政府東北行轅主任，此舉頗表重視東

〔註 1〕〈關於東北目前形勢與任務的決議〉，《遼瀋決戰（上）》（北京：人民出版社，1988 年），頁 45～48。

北之意。然陳誠在東北的舉措並不令人滿意，故而若干人認爲東北之失，是爲陳誠的責任。〔註 2〕陳誠在東北，時間僅短短 5 個月，而國共勢力的平衡，卻在這 5 個月間有著相當大的轉變。關於其主政期間之作爲，與東北敗亡有何關聯，此議題歷來著作多一筆帶過，甚而幾無研究論述，因此筆者對於陳誠在東北主政期間的作爲與影響極感興趣。

因此本文旨在探討陳誠到東北後，所面臨的政治、經濟、軍事的困境，以及他大刀闊斧、雷厲風行的整飭裁編。重點包括：1、陳誠的政治角色，並討論陳誠接任東北行轅主任是否眞像一些回憶錄中所言，是爲了挽回聲譽？〔註 3〕還是迫於無奈？2、在僞軍的編收上，是否眞如一般記載，是因陳誠拒絕收編，而導致東北內戰的失敗？3、人事整飭上，最令人非議的陳明仁（1903～1974）撤職一案，究竟是陳誠因自己派系利益，而將陳明仁撤職，抑或只是貫徹了蔣中正的意志？

二、研究回顧

僅就筆者所見，以往專論東北戡亂的學術著作，多以遼瀋戰役或東北整體軍事情況討論，對於陳誠在東北主政的過程，大多一筆帶過，而未詳加探討。所幸陳誠主政東北的資料，大多存在檔案、回憶錄以及後人書寫的傳記。因此本文必須多方蒐集資料，從中摘取，再進行分析。在討論陳誠至東北主政的情形前，筆者先回溯了抗戰勝利後，國共在東北接收初期互相爭鬥的過程，以求對陳誠到東北前的整體背景，有基本的理解，再進到 1947 年陳誠奉派到東北，使論文敘述前後有延續性。

本文資料以專書、論文、期刊三個部分爲主，專書方面，林桶法在其《戰後中國的變局：以國民黨爲中心的探討（1945～1949）》中，〔註 4〕以探討戰後國府內部的情形居多，在經濟、軍政上多有著墨。軍政上以國共雙方的軍

〔註 2〕國民大會期間，白崇禧作軍事報告，各地代表包括杜聿明在內，都大喊：「殺陳誠以謝國人」、「不讓陳誠逃往美國」。山東代表趙庸夫大喊：「陳誠抗戰勝利後不收編僞軍，把三十萬游擊隊逼上梁山」；于歸說：「中央戡亂採取老鼠戰略，如果東北失掉，華北失掉，華南也不保，難道都像陳誠一樣想逃到美國去嗎？」見杜聿明，〈遼瀋戰役概述〉，《遼瀋戰役親歷記（原國民黨將領的回憶）》（北京：中國文史出版社，1987 年），頁 7。

〔註 3〕熊式輝所說：「陳誠在關內指揮作戰都失敗了，想來東北出出風頭，挽回他的面子。」；杜聿明，前引書，頁 2。

〔註 4〕林桶法，《戰後中國的變局：以國民黨爲中心的探討（1945～1949）》（台北：臺灣商務，2003 年）。

力、在談判桌上的角力、接收時國共發生的戰役，作一討論。經濟上則以當時國內通膨、幣制改革爲主，進行研究。令人清楚理解國府內部的各種矛盾，以及國家財政上面臨的困境。筆者認爲：戰後中國的確是關鍵年代，而「三大戰役」的成敗，只是國共長期鬥爭的結果。雖說造成國府失去大陸的直接因素爲軍事上的失敗，但國府在戰後接收復員、派系、中央與地方、通貨膨脹、政治政策的挫敗等，導致喪失了民心，才是輸掉大陸的重要因素。

2011 年蔣永敬、劉維開合著的《蔣介石與國共和戰（1945～1949）》〔註 5〕一書中，以蔣中正在當時的態度爲主軸，去探討國共內戰的變化。東北方面，從 1945 年蔣由於依賴外交，導致整體戰局陷入了泥淖開始，到 1947 年國方軍事上由優勢轉爲劣勢。其中探討到國共重慶會談、政治協商會議，和因受馬歇爾的軍事停戰令影響，國府政策的轉變、整軍方案之簽訂，到停戰協議的過程及失敗。全書是以政治角度出發，探討到當時中國所處的環境，包括 1947 年前國軍在東北所受到的政治影響。至於軍事上，則著墨甚少。

汪朝光所著《1945～1949 國共政爭與中國命運》〔註 6〕也是以國民黨歷史研究爲主，涉及抗戰勝利以後，國民黨對中國政局的掌控，國民黨內對如何因應戰後政局，尤其是國共關係的考量與爭論，國共兩黨對東北地方的爭奪及其成敗得失等方面。書中先談論抗戰勝利後，國民政府的政策，與對共黨方面的反應。對於國共東北爭奪的問題，作者以政治和外交層面，來探討國、共、蘇三方的角力。在內戰上，則是以整個中國的方向，討論國民黨內戰軍事上的失利原因。最後談論人事，但內容是以國府中央內的人事問題爲主。作者認爲國府的失敗，在於離開了民權主義，亦離開了民生主義，在經濟問題上政策不定，既不能保障農民勞工階級，也不能以經濟保護中產階級，只保障了少數人的利益。而政府成爲不能解決問題的政府，失去了民心，也失去了各階層的同情與擁護，故而最終失敗。

戰後國府接收東北，可以包括僞軍編收、國府內部關係、國民黨黨部在東北的活動等各種情況。僞軍編收方面，劉熙明的《僞軍：強權競逐下的卒子（1937～1949）》〔註 7〕，以宏觀的角度，綜論了僞軍的形成，與各個權力

〔註 5〕蔣永敬、劉維開著，《蔣介石與國共和戰（1945～1949）》（台北：臺灣商務，2011 年）。

〔註 6〕汪朝光，《1945～1949 國共政爭與中國命運》（香港：香港中和出版有限公司，2011 年）。

〔註 7〕劉熙明，《僞軍：強權競逐下的卒子（1937～1949）》（台北：稻香出版社，

間的關係，分析了從抗戰時期，僞軍游移於國府、中共和日本之間，如何獲取利益的考量和活動，以及戰後的僞軍在國共兩強的競逐和蘇軍壓力下，逐漸走向瓦解的歷程。在關外的僞軍因蘇聯的因素，他們的命運和戰後關內大肆追究僞軍的叛國罪名大不相同，由此可見東北環境之特殊。作者還探討了僞滿軍戰後的處境和政治立場，蔣中正、熊式輝（1893～1974）、陳誠，乃至中共，如何處置僞滿軍，以及此與國府在東北失敗的關係。具體而微地呈現現代中國的政治權力變動史。

國民黨內部發展方面，陳立文的《從東北黨務發展看接收》〔註 8〕，始則介紹了九一八事變前東北黨務的發展，接著討論了九一八事變、滿州國成立後，黨務工作轉入地下，成立游擊隊和日軍對抗，著重說明了國府對東北黨務的態度、關內東北流亡人士成立外圍組織，及國共兩黨在東北的地下工作與競爭。作者認爲九一八事變後，國府除了要避免刺激日本，且需要國際在外交上處理協調，因而無法給予東北黨務直接的支持。七七事變後，東北黨務雖有進一步發展的機會，但陷於內部派系鬥爭、政府不夠積極、共黨的競爭和日本的壓制下，無法在地方紮下穩定的基礎。〔註 9〕

日本投降後，國府派兵接收東北，爲何三年內就全盤敗退？作者認爲在軍事和外交層面外，黨務接收失敗也是主要原因：1、蘇軍與中共的阻撓。在抗戰勝利後，地下工作黨員、各式組織紛紛浮上檯面，希望爲國效力。但行轅方面爲避免蘇方的抗議，不敢全盤接收地方組織。行轅主任熊式輝甚至要求地方黨部停止活動。2、接收軍政大員的疏離。東北當地黨務人士不被重用，國府所派接收大員、地方縣市首長，皆非東北籍人士，對東北缺乏情感，且生活紙醉金迷，缺乏操守，令地方人士失望。3、黨部內派系分化疏離。東北黨部內，朱家驊派和齊世英派相互傾軋，致使無法形成統一穩固的組織，與軍政單位也不能相互配合，導致了國府在東北的失敗。

從軍事層面探討整個東北戰場局勢的，有程嘉文《國共內戰中的東北戰場》〔註 10〕。其先從國共對東北的爭奪開始談起，在美國於廣島投下原子彈

2002 年）。

〔註 8〕 陳立文，《從東北黨務發展看接收》（台北：東北文獻雜誌社，2000 年）。

〔註 9〕 陳立文，《從東北黨務發展看接收》（台北：東北文獻雜誌社，2000 年），頁 47～52。

〔註 10〕 程嘉文，《國共內戰中的東北戰場》（台北：台灣大學歷史所碩士論文，1997 年）。

後，蘇軍對日宣戰，並於 1945 年 8 月 9 日出兵佔領東北。此舉對國共雙方爭取東北皆造成了影響，共軍在蘇聯默許下，搶先進入東北；而國軍在接收初期進入東北時，卻面臨蘇軍的阻撓。第二章探討到 1946 年國軍大舉出關的勝利，與 1947 年之後共軍漸漸轉入反攻等。而後比較了國共雙方在軍政上的配合、部隊和前線將領的情況、戰略戰術上的不同，以及武器裝備、補給、情報上的差異。最後以雙方指揮官的決策為核心，敘述包括長春圍城、遼瀋會戰和營口、葫蘆島撤退。惟全文對於陳誠在東北時期的作為，僅是點到為止，並未深入討論。

經濟方面探討的，有陳昶安的《東北流通券：戰後區域性的貨幣措施（1945～1948）》〔註 11〕，論文旨在探討「流通券」作為國府戰後接收與金融復員的區域性貨幣措施，其成因、發行過程、作用，和對東北的影響。東北地區脫離國府掌控已長達 14 年，在日人與滿洲國長期的經營之下，和關內的經濟狀況、幣制已大有不同。而流通券作為一項區域性、過渡性的貨幣措施，有其政治、經濟目的，背後包含著主政者對東北經濟產業發展的期待。因此，戰後國府如何接收東北地區，將之與飽受戰爭損害的關內地區進行連結整合，是為本文書寫的主軸。

期刊方面，學者大多以政治、軍事、外交方面著手，其中有以 1945～1948 年整個東北戰場來討論，也有以東北戰場上的單次戰役分別探討。像是金沖及，〈較量：東北解放戰爭的最初階段〉〔註 12〕、張桂華，〈國民政府「外交接收」東北與戰後美蘇關係〉〔註 13〕、于耀洲，〈蘇聯出兵東北對國共兩黨爭奪東北的影響〉〔註 14〕、劉統，〈決戰東北〉〔註 15〕、蔣科林、王虎峰，〈陳雲在東北解放戰爭中的全局戰略觀〉〔註 16〕、楊松奎，〈一九四六年國共

〔註 11〕陳昶安，《東北流通券：戰後區域性的貨幣措施（1945～1948）》（台北：台灣大學歷史所碩士論文，2010 年）。

〔註 12〕金沖及，〈較量：東北解放戰爭的最初階段〉，《近代史研究》，第 4 期（2006 年 8 月）。

〔註 13〕張桂華，〈國民政府「外交接收」東北與戰後美蘇關係〉，《民國檔案》，第 2 期（1998 年 5 月）。

〔註 14〕于耀洲，〈蘇聯出兵東北對國共兩黨爭奪東北的影響〉，《史學集刊》，第 1 期（1996 年 1 月）。

〔註 15〕劉統，〈決戰東北〉，《社會科學論壇》，第 8 期（2012 年 8 月）。

〔註 16〕蔣科林、王虎峰，〈陳雲在東北解放戰爭中的全局戰略觀〉，《世紀橋》（2006 年 12 月）。

四平之戰及其幕後〉〔註 17〕、劉統，〈解放戰爭中東北野戰軍武器來源探討——兼與楊奎松先生商榷〉〔註 18〕、汪朝光，〈簡論 1946 年的國共軍事整編復員〉〔註 19〕。

透過上述兩岸學界對於東北戰役研究的回顧，我們可以發現，學者多半都是從軍事或是經濟層面去探討，對於政治政策方面的研究，也都是從全中國或是整個東北戰場的失敗來作分析。以主政者個人爲主，切入東北的研究，仍相當稀少。因此陳誠在東北主政的政、經、軍各方面，相信仍有相當大的研究空間。

三、研究方法與章節介紹

本文所採用的史料，係從三個方面著手，包括檔案資料、個人撰述、回憶錄、史料編纂集等出版品，以及時人評論、報章雜誌等相關資料。

首先，臺北國史館內，有《蔣中正總統檔案》、《國民政府檔案》、《陳誠副總統檔案》等資料。《蔣中正總統檔案》中有關於戰後東北的部分，以軍事指令與軍情報告的電文居多，也包括了熊式輝、杜聿明（1904～1981）、陳誠等東北接收主政者向蔣中正報告當地情況、接收進程，與蘇聯談判的情況，以及蔣回覆的指示與意見。

《國民政府檔案》中有關於東北部份，多半是人事調配、或東北地方行政事務進展工作簡報、國民參政會東北籍議員對東北問題提出的意見，以及政府參考後所擬訂的辦法。

《陳誠副總統檔案》收藏了陳誠的個人著作、演講文稿、處理國民黨黨務、當時報紙對東北時論，以及歷任國民政府要職時，遺留下的電文、文件。陳誠於 1947 年 9 月接任東北行轅主任，直到 1948 年 2 月離職，任期雖不長，但作爲東北的最高軍政長官，所遺留下的各方建言、人事調配、施政舉措、軍事進展及整編，和國共戰局概況，對了解 1947 年末至 1948 年初，國府控制區域的軍政情況，有相當大的參考價值。

〔註 17〕楊松奎，〈一九四六年國共四平之戰及其幕后〉，《歷史研究》，第 4 期（2004 年 8 月）。

〔註 18〕劉統，〈解放戰爭中東北野戰軍武器來源探討——兼與楊奎松先生商榷〉，《黨的文獻》，第 4 期（2000 年 8 月）。

〔註 19〕汪朝光，〈簡論 1946 年的國共軍事整編復員〉，《民國檔案》，第 2 期（1999 年 5 月）。

其他關於個人撰述、回憶錄、史料編纂集等出版品方面，秦孝儀的《總統蔣公大事長編初稿》〔註 20〕，和國史館發行的《蔣中正總統檔案：事略稿本》〔註 21〕詳細記載了蔣中正在國共內戰時期所發生的各類事情，關於東北方面的內容，包括了政令的傳達、回覆東北地方官員上呈的意見、軍事補給、軍事行動的電文等各方面。近年來國史館出版了一系列陳誠的相關書籍，其中 2005 年出版了《陳誠先生回憶錄——國共內戰》〔註 22〕，是把「石叟叢書」整理後出版，載有陳誠主政東北時的政令與行動。2007 年出版了《陳誠先生書信集——與蔣中正先生往來函電》〔註 23〕，載錄了陳誠和蔣中正間的電文，包括上呈關於東北大體情況，和已實施或擬定的行政措施、人事調整、部隊整補，以及蔣對其電文的回覆。2012 年出版了《陳誠先生回憶錄——六十自述》〔註 24〕，收錄陳誠本人對當時東北事務的感想及檢討，東北行轅任內公主屯會戰的失敗，及卸任後國民大會對他的譴責，做出了反駁。由於本文是以陳誠爲核心，去討論陳誠在東北主政時期的發展概況。因此陳誠本身的這些資料，即十分有參考價値。

在回憶錄方面，前東北行轅主任熊式輝的《海桑集——熊式輝回憶錄 1907～1949》〔註 25〕談及國府在東北時的許多決策，時間從 1945 年國府接收東北後與蘇聯間的外交、接收人員的準備與遇到的困難，到 1947 年四平街戰役勝利後卸下東北職務。在黨部運作方面，有中央研究院近代史研究所發行的《齊世英先生訪問記錄》〔註 26〕和國史館發行的《梁肅戎先生訪談錄》〔註 27〕。齊世英的回憶錄中，詳細描述了東北黨部工作人員和軍政接收大員間的疏

〔註 20〕秦孝儀，《總統蔣公大事長編初稿》（台北：中正文教基金會，2002 年），第六卷～第七卷。

〔註 21〕《蔣中正總統檔案：事略稿本》（臺北市：國史館，2012 年），民國三十六年五月～三十八年九月。

〔註 22〕吳淑鳳編，《陳誠先生回憶錄——國共內戰》（台北：國史館，2005 年）。

〔註 23〕何智霖編，《陳誠先生書信集——與蔣中正先生往來函電》（台北：國史館，2007 年）。

〔註 24〕何智霖編，《陳誠先生回憶錄——六十自述》（台北：國史館，2012 年）。

〔註 25〕熊式輝，《海桑集——熊式輝回憶錄 1907～1949》（香港：明鏡出版社，2008 年）。

〔註 26〕沈雲龍、林泉、林忠勝訪問，林忠勝記錄，《齊世英先生訪問記錄》（臺北：中央研究院近代史研究所，1990 年）。

〔註 27〕梁肅戎口述；劉鳳翰，何智霖訪問，《梁肅戎先生訪談錄》（臺北縣新店市：國史館，1995 年）。

離，雙方無法相互配合。而在梁肅戎的回憶錄中，除記載了當時黨務工作人員和軍政接收大員間的不協調外，還記載了當時黨務內部派系間的鬥爭。這對於筆者處理東北的黨務問題，有很大的參考價值。

另外還有李宗仁口述、唐德剛撰寫的《李宗仁回憶錄》〔註 28〕，關於東北也記錄了對於僞軍的編收問題、李宗仁（1891～1969）和陳誠的對談。中央研究院近代史研究所發行的《張式綸先生訪問記錄》〔註 29〕、《董文琦先生訪問記錄》〔註 30〕、《石覺先生訪問記錄》〔註 31〕、《王鐵漢先生訪問記錄》〔註 32〕以及《劉安祺先生訪問記錄》〔註 33〕，張式綸和董文琦（1902～1988）皆記錄了當時在東北處理的政務，以及東北當時的政經局勢。而石覺（1908～1987）、王鐵漢（1905～1995）、劉安祺則載錄了當時國軍在東北的行動、對僞滿軍編收的看法，以及所面臨的困境。此外劉安祺還提及陳明仁撤職之後，由他接任七十一軍軍長時所面臨的處境。對於整個東北戰局，雖然是較爲零散的記錄，但仍可以從各地情況，看出當時東北國府所面臨的處境。

本文係綜合以上三大類資料，以檔案爲主，其他資料爲輔，再配合上學者的研究著作、論文、期刊等。過去探討戰後國府接收東北，多以軍事、外交層面切入，認爲東北的失陷，是因爲國府在這兩個層面的決策不當、行動失敗所致，並指陳誠爲其罪魁禍首。本文則試圖探討陳誠在東北主政時期所扮演的角色，和陳誠在東北主政時的政、經、軍各方面的舉措，對東北戰局有何影響。

本文研究方面的架構，是以陳誠在東北主政時期的舉措，作爲研究的主軸。內容從陳誠個人切入，去探討其成因與影響。在章節架構及討論的內容方面，第一章爲緒論，第五章則是結論，將利用第二、三、四章進行陳誠在

〔註 28〕李宗仁口述，唐德剛撰寫，《李宗仁回憶錄》（臺北市：遠流出版社，2010 年）。

〔註 29〕陳存恭訪問，官曼莉記錄，《張式綸先生訪問記錄》（臺北：中央研究院近代史研究所，1986 年）。

〔註 30〕張玉法、沈松僑訪問，沈松僑記錄，《董文琦先生訪問記錄》（臺北：中央研究院近代史研究所，1986 年）。

〔註 31〕陳存恭、張力訪問，張力記錄，《石覺先生訪問記錄》（臺北：中央研究院近代史研究所，1986 年）。

〔註 32〕沈雲龍訪問，林泉記錄，《王鐵漢先生訪問記錄》（臺北：中央研究院近代史研究所，1985 年）。

〔註 33〕張玉法、陳存恭訪問，黃銘明記錄，《劉安祺先生訪問記錄》（臺北：中央研究院近代史研究所，1991 年）。

東北時政、經、軍方面的討論。

第二章首先敘述 1945 年國府方面在接收東北時的態度，和所面臨的問題，包括國共之間對戰局的評估、美蘇兩強態度對國府接收政策的影響。接著敘述戰局的轉變，討論戰局轉變的原因；並從政治（馬歇爾的第二次停戰令）、經濟（東北流通券和官員貪瀆）、軍事（熊式輝、杜聿明不和等亂象）幾個方面進行分析。

第三章討論的是陳誠接任東北行轅主任時的政治角色、陳誠出線的原因，和他在東北的舉措。文中先介紹陳誠和蔣中正的關係，陳誠的派系色彩，和同儕間對陳誠出任的評價，並從中探討其出線的原因。此外，討論陳誠在東北時的舉措，包含政治措施與戰略方針、對於東北政風吏治的整理，及國府內部在東北的派系鬥爭，包括了黨務人員和軍政大員間的不協調，黨部內的權力鬥爭。最後探討陳誠對於東北政治、經濟、軍事敗壞的無奈，著重人事調配上，陳明仁撤職一案，以及同儕對於陳誠在東北的表現所作的批評。

第四章所要討論的則是陳誠在東北時的情況與其去職。首先介紹陳誠到東北前後，對於軍隊整編的方針。在僞滿軍編收的方面，敘述其過程，並探討整軍是否爲陳誠一手主導，和僞軍編收對戰局的影響。在東北戰局方面，先敘述了戰場上的發展，再談到陳誠的軍事失敗，探究其失敗原因。最後就陳誠爲何離開東北，討論其原因，並論述陳誠離任後，國民大會對他的指責，和陳誠對此事的看法。

第二章　東北戰場國共消長

第一節　從雅爾達密約至馬歇爾調停

一、美蘇兩方的態度與企圖

內戰初期，因東北問題牽扯到美、蘇兩強之間的拉鋸所導致的問題很多，因此也影響了國府在東北問題上的處理方式。在第二次世界大戰末期，美國除了邀請蘇聯加入戰局外，另一個目的是要確保中國收復一切被日本奪走的領土（包括將由蘇聯短暫占領的中國東北）。東北問題在國際背景下，最初通過「雅爾達密約」和「中蘇友好同盟條約」，美、蘇、中三方達成了兩點默契：（一）美國承認蘇聯在東北的特殊權益，〔註 1〕並且不介入東北事務；（二）蘇聯則保證國民政府在東北的行政管轄權，由國府接收東北。〔註 2〕

美國總統羅斯福（Franklin D. Roosevelt, 1882～1945）並推動一個相關的構想：美、蘇攜手提倡國共聯合政府，以防止內戰爆發。但是基於戰後各自戰略利益的考量下，在雅爾達會議一結束，史達林（Ио́сиф Ста́лин，1878～1953）就告訴中共領導人毛澤東（1893～1976）：蘇聯紅軍要來了！毛立刻發電報給在重慶的周恩來（1898～1976），要他停止參加赫爾利（Patrick J. Hurley, 1883～1963）所調停的國共會談，立即返回延安。毛並號召全體黨員，準備

〔註 1〕包括史達林所提出的外蒙獨立、租借旅順軍港、大連商港國際化、中蘇共管經營中東、南滿鐵路等條件。

〔註 2〕蘇聯同意羅斯福所要求的尊重中國的主權、戰後撤離中國領土、不干預中國內政。

向美、蔣發動浴血奮戰。〔註3〕美、蘇兩方的矛盾日趨激化，國共雙方的關係也趨向於破裂，最終以全面內戰的形式展現出來。

在知道雅爾達密約內容後，國方與蘇聯談判之前，一直期盼著美國能夠居中調停。然美國方面堅持著不介入，等於是壓著國府接受「雅爾達密約」中的條款。當初美國之所以對旅順港讓步，是由於美國擬永久佔領日本附近海島，才無法拒絕蘇聯使用該港。〔註4〕故東北問題上，美國起初不但不介入，甚至還勸說國府接受蘇聯條件。美國這個態度，延續到中蘇談判的第一個階段。

而在之後的談判中，美方卻又改變了原本的態度。1945 年 7 月 12 日至 8 月 7 日的中蘇談判休會期間，美國開始介入，態度驟變的主要原因有二：（一）是第一階段的未決問題，如大連問題、鐵路問題等直接關係到美國的利益，國方如果在這些問題上讓步，則會使美國政府的利益受損。（二）是美國原子彈的試驗成功，在對日作戰的問題上，蘇聯是否出兵，已不再如此重要。因此美國從間接的、建議性的參與，轉變爲直接的、強烈性的干預。於是戰後，國府在接收東北的問題上，考慮：（一）爲防止共軍趁虛搶先進入東北，必須盡快將國軍運送至東北；（二）路途遙遠、交通不便，運輸工具短缺。在蔣中正求助下，美國政府開始協助國方運兵至東北。

美國的舉動，使蘇聯十分不安及不滿，對蘇聯來說，一個統一、強大、親美的中國政府，是他們最不想看到的結果。蘇聯也不願美國插手東北事務，怕美、蔣攜手進入東北，會影響蘇聯在東北的利益。而制約這一情形的最好方法，就是支持中共在東北的發展，當作對抗美、蔣的一個籌碼。蘇聯暗中支持，使得中共很快在東北打開了局面，也增加了他們的信心。這在之後，中共與國方的會談協商中，起了重大的影響。

蘇聯對於東北之企圖與經營，因顧慮美國的態度與干涉，於是採取暗中支持中共的作法。其佔領軍的撤退時間，也一再拖延，以掩護中共在東北軍事力量的發展。然而美國絕不願蘇聯獨佔東北，所以東北問題，直接牽動美、蘇關係之前途。當時紐約《前鋒論壇報》即明白表示：中國東北目前情

〔註 3〕 陶涵，《蔣介石與現代中國的奮鬥》（下）（臺北：時報文化，2010 年），頁 403。

〔註 4〕 中國國民黨中央委員會黨史委員會，《中華民國重要史料初編——對日抗戰時期》，戰時外交（2）（台北：中國國民黨中央委員會黨史委員會，1981 年），頁 608～609。

況，致使熱烈期待美蘇兩國保持良好關係之人士失望。該地未來之發展，將爲美蘇兩國關係能否友好之試金石。若東北前途繼續惡化，其結果不僅是中蘇邦交之決裂，亦將爲第三次大戰之導火線。〔註5〕

另一方面，國共衝突擴大，也是美國所不願見到，以防中共倒向蘇聯。中國戰區參謀長，及駐中國美軍指揮官魏德邁（Albert C. Wedemeyer, 1897～1989）認爲：如中國成爲蘇聯的傀儡，將使美國受到重大的威脅，因此極力促成政治協商會議的召開。〔註6〕然而美國態度也非自始至終保持一致，美國總統、國務院及駐華決策者的立場也有所不同。因爲戰後初期，美國爲了扼阻蘇聯勢力在東北的過度擴張，壓縮蘇聯對華的影響，一度支持國府接收東北。不但馬歇爾來華調停時，沒有主張放棄東北；美國船艦並載運國軍前往；顧問團亦協助進行東北的軍事佈署。

但是在調停國共戰事無結果，國共且在東北對峙之後，美方開始有了不同的意見，其中1947年7月20日，魏德邁以杜魯門（Harry S. Truman, 1884～1972）總統特使來華，鑒於東北已成劣勢，懷疑國府有挽回東北頹勢的能力。他曾建議蔣中正，撤退東北國軍，先鞏固長城以南至長江以北的地區，並防守華北的交通線。南京美軍顧問團團長巴大維（David G. Barr, 1895～1970）也建議蔣中正將國軍由東北撤退。但蔣卻表示基於政治考量，拒絕了這個建議。〔註7〕

二、中共方面的評估與目標

中共的戰略常與政略相配合，其政略是希望以現有的解放區爲基礎，取得與國方相對的合法地位。因此爭取受降、擴大佔領區、獲得國際支持爲其發展的重點；利用重慶會談、政治協商會議爭取有利的籌碼；並以廢止國民黨一黨專政，建立聯合政府爲手段，逐步邁向奪權的目標。1945年8月22日中共中央軍委關於改變戰略方針給各黨委、各軍區的指示，指出：

> 蔣介石利用其合法地位，接收敵僞投降，敵僞只能將大城市及交通

〔註5〕〈陳誠兼東北行轅主任資料附件〉（1946年3月11日），《陳誠副總統檔》（以下簡稱「陳誠檔」），國史館，檔號：008-010506-00001-002-003。

〔註6〕牛軍，《從赫爾利到馬歇爾：美國調處國共矛盾始末》（北京：東方出版社，2009年），頁180。

〔註7〕〈巴大維將軍的報告〉，《美國與中國的關係》（《白皮書》）（北京：中國現代史資料編輯委員會翻印，1975年）上卷，頁268。

> 要道交給蔣介石。此種形式下，我軍應改變方針，除個別地點仍可占領外，一般應以相當兵力威脅大城市及要道，而以必要兵力奪取小城市及擴大鄉村，擴大並鞏固解放區，發動群眾鬥爭，並注意組訓軍隊，準備應付新局面，作持久打算。〔註8〕

二戰結束後，中共本將戰略重點放在奪取華北和華中大城市和戰略要道，以擴大解放區爲目標。而東北派軍只是個姿態，想要搶先取得國內外公開的地位。但很快中共發現，戰後美國即幫助國民黨向華中、華北運送軍隊；同時盟軍司令部發布命令，反對中共參加接收與受降工作。因此中共期望的目標難以實施，中共中央在此情況下，即開始擬定與國民黨一爭天下的大方向。

毛澤東很清楚外交是外交，黨是黨，不可能完全依賴蘇聯。因此在軍事上加強佈署，當國軍進行復員時，共軍則積極動員。8 月 20 日，中共中央軍委提出在人民可能負擔的條件下，各地區應迅速動員新兵入伍，其數字可能爲各區現在兵員的三分之一，並要求在年底前完成。9 月 21 日，中央書記發出「關於補充兵與擴大兵員問題的指示」，指出：「爲肅清敵僞力量，制止內戰危機，保障戰後眞正實現和平民主，八路軍、新四軍急需補充擴大。」決定在 10 至 12 月的 3 個月內，八路軍和新四軍的兵員，應爭取擴充達數十萬人。〔註9〕

稍早 4 月 23 日，中共第七次全國代表大會，毛澤東指出了戰後共方對於搶佔東北的重要性：

> 東北四省是很重要的。從我們黨、從中國革命的最近與將來的前途上看，如果我們把現在的一切根據地都丟了，只要我們有了東北，那麼中國革命就有了穩固的基礎。〔註10〕

不過七大當時，延安方面還無法想像能夠在幾乎沒有阻力的情況下進入東北。因此中共決定的戰略方針中，仍以向南發展爲主。〔註11〕

〔註 8〕 中央文獻出版社，《從延安到北京》，轉引自林桶法，《戰後中國的變局——以國民黨爲中心的探討》，頁 118。

〔註 9〕 國防大學黨史黨建政工教研室，《中國共產黨的戰略策略》，轉引自林桶法，前引書，頁 117。

〔註 10〕 遼瀋戰役記念館管理委員會編，《從進軍東北至全境解放》，轉引自張正隆，《雪白血紅》（北京：解放軍出版社，1989 年），頁 15。

〔註 11〕 張正隆，前引書，頁 15。

1945 年 8 月重慶會談，國共雙方達成關於東北方面的軍力分配：第一期是配置 5 個政府軍，1 個中共軍；第二期配置政府軍 14 個師，中共軍 1 個師。當然這只是一紙空談，在簽訂此項協議同時，共方卻宣稱其在東北已有「民主聯軍」，要求國府承認。〔註 12〕從這裡我們可以看出：中共企圖要國府方面承認現狀，保留他們在東北已發展的軍事、政治勢力，並且把它們正當化、合法化。

9 月 14 日，中共中央召開政治局會議，聽取曾克林（1913～2007）自東北匯報的資料，談到東北廣大地區無人管理，秩序混亂；共軍進入東北後發展迅速，認爲應配合蘇軍接管東北。此匯報對中共決策產生很大的影響，訂出以「鞏固華北、爭取東北、堅持華中」爲其戰略部署，最終確立了「向北發展，向南防禦」的戰略決策。這個方針的核心，是不惜放棄部分南方根據地，將部隊依次北移，以便集中主力，控制熱、察地區，期能爭取東北。

對中共來說，搶佔東北的最大誘因，在於北面與東面是蘇聯，西側是外蒙，三面都是社會主義老大哥的地盤。東面的朝鮮半島，在日本垮臺後，也勢將成爲蘇聯的勢力範圍。西南與內地相接的區域，又是中共經營已久的晉察冀解放區。如果中共能在東北紮根，至少在戰略位置上，就不容易被國府四面包圍。除此之外，東北的糧產豐富、工業化程度冠於全國，又與國方勢力的大本營西南地區相隔甚遠。〔註 13〕而爲顧及蘇聯在外交上的困難，中共中央決定採取隱蔽的方式，命令部隊迅速進入東北。要求進入東北的部隊，一律不用「八路軍」的番號，而用地方名義，控制國軍北上必經的各地要道。

爲落實「向北發展，向南防禦」的戰略佈署，自 9 月至 11 月，先後調往東北的部隊，即有 11 萬人，幹部 2 萬餘人。中共中央先派幹部到蘇聯的佔領區，建立共黨的組織、地方政權，發動與組織群眾，建立地方武裝。由彭眞（1902～1997）、陳雲（1905～1995）、程子華（1905～1991）、伍修權（1908～1997）、林楓（1906～1977）等到東北，組成東北局，以彭眞爲書記。之後又派高崗（1905～1954）、張聞天（1900～1976）、李富春（1900～1975）等去東北。前後共有 4 位中央政治局委員、20 多位中央委員和後補委員，占中

〔註 12〕吳淑鳳編，《陳誠先生回憶錄——國共戰爭》（臺北：國史館，2005 年），頁 94。

〔註 13〕張正隆，前引書，頁 15。

共第七屆中央委員會將近三分之一成員，可見中共對東北的重視程度。〔註 14〕其策略概分為：

（一）從 1945 年 9 月至 10 月中旬，在中共部隊未到達之前，東北局的重點在於壯大其自身在南滿的力量，執行中共中央提出的分散方針，派部份幹部及軍隊分頭展開工作。

（二）在 1945 年 10 月中旬至 11 月下旬，中共中央決定放棄過去分散的方針，集中主力守住東北大門，盡全力霸佔東北。10 月 19 日，中共中央致電東北局：「國民黨已知我黨在東北建立武裝，……我黨方針是集中主力於錦州－營口－瀋陽之線，次要力量是在莊河－安東之線，然後掌握全東北。」四天後，另一封電報又要求東北局，「竭盡全力，霸佔全東北。」〔註 15〕可是在 11 月 20 日，蘇聯正式宣布將把中長鐵路沿線交由國府接管；且戰爭開打後，共軍的裝備及訓練，皆不是美械裝備國軍的對手。

（三）自 1945 年 11 月下旬至 1946 年 1 月下旬，中共中央決定撤出大城市，把重心放在建立根據地，同時指示東北局，在大城市附近建立第一道軍事防線，絕不可輕易放棄。

1946 年初，由於馬歇爾調停失敗，中共已決心應戰。1 月下旬至 5 月，集中兵力控制長春、哈爾濱、齊齊哈爾，進行決戰準備。〔註 16〕7 月至 10 月，先後發出由毛澤東起草的「自衛戰爭粉碎蔣介石的進攻」、「集中優勢兵力各個殲滅敵人」、「三個月總結」等指示，積極應戰。10 月 9 日，中共成立東北軍區；10 月 31 日決定東北部隊改稱「東北人民自治軍」，林彪（1907～1971）任總司令，呂正操（1904～2009）為第一副司令，李昌運（1908～2008）為

〔註 14〕1945 年 8 月 15 日，曾克林奉命組建東北挺進部隊，9 月 5 日率軍 4000 人進入瀋陽，成立「東北人民自治軍」和瀋陽衛戍司令部，解除瀋陽市偽軍、憲兵、國民黨地下軍 15000 多人的武裝。9 月 15 日，曾克林乘坐蘇聯馬林諾夫斯基元帥（Родион Малиновский，1898～1967）的專機飛抵延安。當天中共中央政治局在會議中，聽取了曾的匯報，並電報給正在重慶談判的毛澤東、周恩來。據此，中共中央最終確定了「向北發展，向南防禦」的戰略決策。10 月上旬，曾克林率領的出關部隊，已經擴大到 60000 多人。見朱建華、朱興義編，《國共兩黨爭奪東北紀事》（吉林：吉林人民出版社，1999 年），頁 35～36。

〔註 15〕丁曉春、戈福彔、王世英，《東北解放戰爭大事記》轉載於《遼瀋決戰》（下）（北京：人民出版社，1988 年），頁 594。

〔註 16〕彭眞，〈東北解放戰爭的頭九個月〉，中共中央黨史資料徵集委員會編，《遼瀋決戰》（北京：人民出版社，1992 年），頁 5～13。

第二副司令，蕭勁光（1903～1989）為第三副司令兼參謀長。彭眞為第一政治委員，羅榮桓（1902～1963）為第二政治委員。至此，中共在東北的政治、軍事機構組織完全建立。

所以中共以最大努力，保持東北現有武力並繼續發展；一面將中共部隊改編為警察或地方團隊，散布各鄉村，期以武裝控制廣大的鄉村及多數小城市；再以廣大的鄉村及多數小城市包圍大城市，使國軍即便能開入東北接收，亦難立足。〔註 17〕另一面先在各縣實行民選政府，期以既成事實，發動民眾，拒絕省府所派縣長到任。如國軍欲強制改編其警察、地方團隊，或解散其民選政府時，勢將引起武裝抵抗。由一隅而擴至全面，使中國成為伊朗第二；使東北事件成為亞塞爾拜然省事件，〔註 18〕中共即可利用外力以實現其割據目的。

中共認為國府不能滿足東北人民的要求，只要能爭取廣大鄉村及許多中小城市，緊靠著人民，就能爭取勝利。一方面藉由蘇聯的協助，擴大東北地盤；另一方面以各種方式，阻止國軍進入東北；並利用馬歇爾調停國共戰事的機會，整頓與擴軍。1946 年 10 月 1 日，毛澤東歸納 3 個月總結，更深信了「自衛戰爭」的可行性。自 1947 年 1 月後，共軍一律改稱「中國人民解放軍」，集中絕對優勢的兵力，配合地方武力，選擇適當地點，對國軍進行個別殲滅。

總之，戰後中共的戰略較為明顯，也較為主動積極。戰後初期，共軍爭奪接收，阻止國軍北上；以國共和談為手段，取得合法地位；利用蘇聯的協助，佔據了東北。在美國調停失敗後，則以「自衛」的名義，擴大戰場。故論者謂：「共產黨是預謀已久，國軍則是倉促應戰。」〔註 19〕1947 年 7 月後，毛澤東認為中共已從「自衛」轉為「進攻」，軍事行動方面更為積極。

三、國府方面的評估與目標

抗戰及戰後，國方內部對中共的處理，呈現兩種不同的意見：一是以中央執行委員會調查統計局局長陳立夫（1900～2001）為首的 CC 系份子，及以

〔註 17〕〈陳誠兼東北行轅主任資料附件〉（1946 年 3 月 11 日），《陳誠檔》，008-010506-00001-002-002。

〔註 18〕亞塞拜然省事件，又稱伊朗危機，是指 1945 年底，因蘇聯支持伊朗亞塞拜然的民族自治運動，和拒絕如期從伊朗北部省份撤出蘇聯軍隊，而引起的蘇、伊關係緊張。

〔註 19〕陸鏗，《陸鏗回憶錄與懺悔錄》（台北：時報文化出版社，1997 年），頁 113。

陳誠為代表的黃埔系軍人，他們的態度較為強硬，認為戰後建設之最大障礙為中共，共黨未除，國家無以統一，亦無以建設。故反對與中共謀和，傾向用軍事解決，興兵平亂，宜在反攻軍事所到之處，將共黨視為敵偽，一律根除，以免遺留後患。陳立夫即贊成這種作法，他認為與中共談判，只會助長中共的聲勢。〔註 20〕

另一方面的意見，是以張羣（1889～1990）為首的政學系、孫科（1891～1973），部分軍人如張治中（1890～1969）等，皆主張與中共謀和，避免內戰；並藉聯合中共，刺激國方的改革。

蔣中正的態度比較贊同前者，其並非不知道中共和平的企圖，在其所著的《蘇俄在中國》中曾指出：「其實共黨的和平談判，不是和平的途徑，而是戰爭的一種方式。」〔註 21〕但戰後有幾項因素促使蔣主動求和：（一）戰後面臨軍隊整編、統一受降與接收等課題，需要國共雙方協商。（二）國內和平聲浪高漲，經過 8 年的戰爭，許多人有厭戰的心理。（三）當時國府經濟困頓，為爭取美援，不得不接受美國的調處，做若干妥協與讓步。外交部長王世杰（1891～1981）基於國際考量，認為停戰可以使美國協助國方，接收東北、給予貸款、幫助遣返日本戰俘、恢復交通；不可拘泥於一、二城市之暫時得失，作為對馬歇爾的讓步，以示寬大。〔註 22〕

不過求和之外，中共不斷做出阻擾接收、襲擊國軍和破壞交通等行為，又使得蔣認為應該從根本上去解決，也就是進行軍事剿共。一時又不能大張旗鼓地做大規模剿共行動，只能希望剿共時能夠速戰速決。其主張剿共速決的三個要素：（一）國軍以優勢兵力及裝備，自然有主動逼敵決戰的自由；為避免第三次世界大戰發生，國軍有迅速安定國家、建設國防的必要。（二）國軍裝備優良、戰爭準備完善，除國造軍械、日軍繳收軍械外，另有美式軍械和飛機、坦克，足夠以雷霆萬鈞之力，一舉殲滅速決的條件。（三）亦唯有速戰速決，方為最經濟的戰爭。〔註 23〕

〔註 20〕時任《中央日報》社長的胡健中（1906～1993）曾指出，陳立夫不贊成與共黨談判。見王掄楦，〈重慶談判期間的中央日報〉，《重慶談判紀實》（重慶：重慶出版社，1983 年），頁 417。

〔註 21〕蔣中正，《蘇俄在中國》（台北：中央文物供應社，1957 年），頁 432。

〔註 22〕王世杰著、林美莉校定，《王世杰日記》第 5 冊（台北：中央研究院近代史研究所，1990 年），頁 509～510，民國三十五年一月五日、九日條。

〔註 23〕汪朝光，《中華民國史》，第三篇，第五卷（北京：中華書局，2000 年），頁 509～510。

1946年6月13日，蔣電陳誠，提到速戰速決戰術的最基本條件：（一）情報之準確與準備之充分；（二）行動極端秘密，尤以裝備輕快與迅速機動之部隊爲要，命其充分準備。但速戰速決又不能操之過急，蔣曾電白崇禧（1893～1966），命其責令將領，必須嚴守戰術原則。國軍將初期攻擊目標，定在中原解放區、華東解放區、晉冀魯豫解放區、晉綏解放區、晉察冀解放區、東北解放區等6個解放區。

1947年1月7日，馬歇爾離華，發表〈對中國局勢之聲明〉，一方面指責國方不願組聯合政府，一方面譴責中共破壞交通、摧毀經濟。1月28日，美國政府決定退出國共問題之調解。南京「國防最高委員會」鑒於中共不斷擴張其勢力，爲消弭共軍的叛亂，於1月18日通過〈全國動員令及勘亂條例〉，〔註24〕授權政府立即執行；惟全面勘亂令直至7月18日才正式發布。因此，1月以後，國軍對中共採逐次殲滅的積極戰略，仍以爭城奪地，及確保城鎮和土地爲作戰目標。關內作戰，採重點攻勢，欲先摧毀延安中共老巢，削弱其國際地位；東北戰場則暫取守勢，意欲先集中兵力，殲滅關內共軍，再在東北戰場，由戰略防禦轉爲戰略進攻，擊潰東北共軍。

第二節　陳誠到任前的東北戰局

戰後國共在東北的爭奪，概分爲二期：第一期是國共接收爭強的時期，發生的較大衝突，爲臨錦與四平的爭奪；第二期是衝突的擴大，在長春、錦州、瀋陽等地，進行大規模的決戰，即「遼瀋戰役」。本節所將敘述的範圍，爲國共爭強時期，國軍由盛轉衰的過程。

一、國共的爭強

國府方面，戰後積極佈署接收事宜，藉由「中蘇友好同盟條約」，希望蘇聯協助，完成接收東北。另一方面，也積極拉攏美國，希望其介入東北問題。蔣中正本來的意圖，是想先南後北，先穩定華北以南，然後再解決東北問題。但因馬歇爾來華調停內戰，其1946年1月10日所頒布的停戰令說：

> 所有中國境內軍事調動一律停止；……附註乙項：對國民政府軍隊爲恢復中國主權而開入東北九省，或在東北九省境內調動，並不

〔註24〕林桶法，前引書，頁113。

影響。〔註 25〕

停戰令把蔣中正原先預計的作戰計畫打亂，變成將國軍主力的新一軍、新六軍、十三軍、五十二軍、六十軍、七十一軍、九十三軍，全部投入東北，卻也使之葬送於此。這決策的改變，影響了之後國內各地的戰局。

國軍最先調到東北接收的部隊，是石覺（1908～1987）的第十三軍（轄第四、五十四、八十九師），與趙公武（1900～1953）的第五十二軍（轄第二、二十五、一九五師），分別由九龍與越南海防船運北上。由於蘇聯方面的不合作，使得他們無法直接在東北境內上岸，1945 年 11 月 1 日才在河北境內的秦皇島登陸，並搶修秦皇島至山海關的鐵路，再經由鐵路運送軍隊出關。

國軍第十三軍於 11 月 5 日進攻臨榆附近的長城線上各要點，與共軍在東北發生第一次衝突，是為「臨錦戰役」之序幕，國共在東北的爭奪戰也自此展開。15 日，五十二軍登陸，16 日對臨榆展開全面攻擊，攻克李昌運部共軍據守的山海關。18 日十三軍攻克綏中縣城，22 日第二師攻下錦西，五十四師則收復葫蘆島。26 日國軍對錦州發起攻擊，主攻的十三軍在上午 8 點鐘就攻進城；右翼迂迴的五十二軍則渡過大清河，迫使共軍向溝幫子撤退，臨錦戰役至此結束。由於國軍在海上登陸受阻，因此陸上行動相當重要，臨錦戰役的勝利，使得國軍得以順利進入東北，有利於東北接收工作的展開。此後，國軍一路前進，勢如破竹，據第二師師長劉玉章（1903～1981）回憶：當時共軍裝備差，「既談不上訓練，又缺乏戰鬥精神，更無戰技可言」；「我們一個團打匪一個旅，可說綽綽有餘。」〔註 26〕

在收復錦州之後，國軍由於彈藥短缺，停止了繼續大規模前進，長達 1 個月。以十三軍為例，該軍在 1944 年底，在貴陽換裝美械，當時領到步槍彈 300 萬發，以後一年根本未發新彈。原先的 300 萬顆子彈，在訓練中即已用去大半；後來在反攻廣西，與此次出關接收，都是靠餘額硬撐。〔註 27〕這期間只能進行補給，和在錦州近郊的小規模掃蕩。直到美軍第七艦隊司令柯克（Alan G. Kirk, 1888～1963）電令北平方面的美軍運輸機運來彈藥，才解決了彈藥短缺的問題。

〔註 25〕「國共雙方關於停止衝突恢復交通的命令與聲明」（1946 年 1 月 10 日），載於王健民，《中國共產黨史稿》第三編（台北：撰者自刊，1965 年），頁 493。

〔註 26〕劉玉章，《戎馬五十年》（台北：撰者自刊，1997 年），頁 111。

〔註 27〕程嘉文，《國共內戰中的東北戰場》（台北：台灣大學歷史所碩士論文，1997 年），頁 29～30。

1945 年 12 月 22 日，東北保安司令杜聿明治療腎病康復，自北平返回錦州，國軍才再度展開攻勢，且順利收復黑山、虎山、義縣和阜新，終在 1946 年 3 月，從俄軍手中收復瀋陽。這段期間，有兩則後來成為共軍檢討的戰例：1946 年 2 月 14 日，十三軍八十九師的一個加強團，在彰武以北的秀水河子攻擊前進，因位置過度突出，被共軍 7 個團實施「阻援打點」戰術圍殲，國軍損失 1600 多人。中共中央軍委特別致電東北局：「如能再打兩次這樣的戰鬥，國民黨將不能不承認我在東北的地位。」〔註 28〕兩天後，共軍又以 7 個團在盤山附近的沙嶺，包圍新六軍二十二師的一個加強團，共軍打了 48 小時，無法消滅敵人，國軍援軍又已趕到，共軍只好倉皇撤走。共軍宣稱斃傷敵人 670 名，俘虜一個連，但自身損失卻高達 2100 人，得不償失。共軍對前者，是號稱「我軍進入東北初期，所打得較好的第一個殲滅戰」；後者則學到了「對敵人戰鬥能力估計不足，對敵人防守特性不了解。……輕敵蠻幹，用抗戰時打日偽軍的戰術，以致失利」的教訓。〔註 29〕

1946 年 1 月起，國軍後續部隊陸續抵達，包括新一軍（軍長孫立人，1900～1990），轄新三十、新三十八、第五十師；新六軍（軍長廖耀湘，1906～1968），轄第十四、新二十二、二零七師；七十一軍（軍長陳明仁），轄第八十七、八十八、九十一師。5 月以後，又調來了六十軍（軍長曾澤生，1902～1973），轄第一八二、一八四、暫編二十一師；九十三軍（軍長盧濬泉，1899～1979），轄暫編十八、暫編二十、暫編二十二師。其中新一軍和新六軍是屬當初的駐印軍，全部美械裝備，火力堪稱全陸軍之冠。而其他幾個軍，在當時國軍中，也算是上等的部隊。由此可見蔣中正對東北的重視。

國軍進入瀋陽後，即展開周邊的接收工作。新一軍、新六軍、七十一軍的主力部隊於 1946 年 3 月中旬起，進攻瀋陽附近的各城鎮，4 月初已收復遼陽、鞍山、撫順、營口、海城、大石橋、鐵嶺、開原、昌圖等地。之後再沿中長鐵路直上，收復遼北省省會四平，國共雙方展開了第一次大規模衝突，激烈程度為國軍出關後首見。

先是 4 月 5 日，新一軍沿鐵路向四平攻擊前進，七十一軍則在其左側，以約略平行的路徑北上。19 日，國軍已經攻佔四平以西的老四平等外圍據點，

〔註 28〕張正隆，前引書，頁 84。
〔註 29〕韓先楚，〈東北戰場與遼瀋戰役〉，《遼瀋決戰》（上）（北京：人民出版社，1988 年），頁 81。

開始攻城。但因共軍的防禦堅強，雙方傷亡慘重，形成了對峙，直到月底都無法打破僵局。4 月 14 日，蘇軍撤出長春，中共又趁機發動攻擊，4 天後攻陷長春，俘虜了吉林省代主席王寧華（1904～1951）和長春市長趙君邁（1901～1988）。

由於僞滿首都長春的成功佔領，使共方更加強了和國府在東北一拚的信心。3 月 24 日，毛澤東致電東北局，要求他們「全力控制長春、哈爾濱及中東路全線，不惜任何犧牲。」〔註 30〕4 月 6 日又告訴林彪：「集中六個旅在四平殲滅敵人，非常正確。……爲達此目的，必須準備數萬人傷亡，要有決心付出此項代價，才能打出新局面。」〔註 31〕於是中共決定盡最大可能，調集兵力，在四平和國軍一較高下。總共集中了 14 個師或旅的兵力，以四平市爲中心，組成了一條 50 公里長的防線，來防禦國軍的攻擊。此時，堅守四平的林彪共軍，已擴充到 10 萬人左右；新一軍、新六軍、七十一軍，也共約 11 萬兵力，合計有 20 餘萬人，將在四平進行一場大會戰。

四平防線雖一度抵擋新一軍，但杜聿明隨即收復本溪，排除瀋陽側面威脅的新六軍，自本溪迂迴前進至鐵嶺，於 5 月 12 日將企圖阻斷中長鐵路，威脅瀋陽的共軍擊潰。14 日，新六軍自開原行動，沿中長鐵路右側，向四平包抄進攻；新一軍和七十一軍也分別從中央和左側進攻。戰鬥至 18 日，共軍正面防線已被突破，林彪唯恐共軍全線崩潰，連夜緊急撤退。19 日，國軍攻入四平街，沿中長鐵路向北追殲殘敵，僵持月餘的第一次四平街戰役遂告結束。

國軍收復四平街後，杜聿明下令全面追擊。各軍遂向遼北省、吉林省分頭齊進，僅在 21 日於公主屯，與共軍發生激戰，幾天之內共約收復了 70 個城鎮，範圍擴及遼北省及吉林省大部分地區，23 日國軍順利收復長春。之後，國軍本擬向哈爾濱推進，但因政治上的影響，國府於 6 月 6 日下達第二次停戰令，中止了向哈爾濱的挺進。

當時共軍能退到松花江以北的部隊，僅有 4 萬人左右，若此時國軍能繼續進擊，則哈爾濱、甚至北滿的收復，當在指顧之間。5 月 31 日，黃克誠（東北民主聯軍副司令員兼後勤司令員、政委，1902～1986）致電毛澤東，承認很難阻止哈爾濱與齊齊哈爾的失守。隔日林彪也通知延安：「準備游擊，放棄

〔註 30〕中國人民解放軍軍事科學院編輯，《毛澤東軍事文選》第三卷（北京：中央文獻出版社，1993 年），頁 153。

〔註 31〕中國人民解放軍軍事科學院編輯，前引書，頁 159。

哈爾濱」。6月2日，東北局也做出了相同的報告。〔註32〕

正當共軍準備撤離哈爾濱，向佳木斯等地分頭撤退時，中共藉由在重慶的談判，穩住了陣腳。馬歇爾、國府、中共三方商定：自6月7日12時起，前線停火15天。22日，停火期滿，又延長至30日。到30日，國共雙方仍未達成協議，但南京方面由國民黨中央宣傳部部長彭學沛（1896～1948）出面表示：

> 今停戰令雖已滿期，政府對於和平統一之方針，絕不變更，除非共軍進攻國軍……則國軍不僅爲自衛計，且保衛人民生命財產，與維持地方安寧秩序，職責所在，不能不加以抵抗與驅除。此外中央軍隊不對共軍採取軍事行動，以靜候各項未決問題之解決。〔註33〕

隨後幾個月內，北滿前線大致平靜無事，也就此結束了國軍在1946年夏天的攻勢。國軍的兵威達到了在東北的最高峰，整個東北九省，有三分之一的面積，爲國軍收復控制。

而馬歇爾1946年6月6日的第二次停戰令，對東北整體戰局影響很大。蔣中正在他撰寫的《蘇俄在中國》中，曾做出了這樣的結論：

> 從此東北國軍士氣就日漸低落，所有軍事行動亦陷於被動地位。可說這第二次停戰令之結果，就是政府在東北最後失敗之惟一關鍵。當時已進至雙城附近之追擊部隊（距離哈爾濱不足一百里），若不停止追擊，直佔中東鐵路戰略中心之哈爾濱，則北滿的散匪，自不難次第肅清，而東北全境亦可拱手而定。若此，共匪既不能在北滿立足，而其蘇俄亦無法對共匪補充，則東北問題自可根本解決，共匪在東北亦無死灰復燃之可能。故三十七年冬季，國軍最後在東北之失敗，其種因全在於這第二次停戰令所招致的後果。〔註34〕

此時，中共部隊已撤退至佳木斯、牡丹江等地區，若無馬歇爾第二次停戰令，哈爾濱被國軍佔領，則共軍在北滿所能立足的區域，將都是人煙稀少荒涼之地。僅憑著佳木斯，及其他如滿州里、綏芬河、北安等，還停留在城鄉狀態，僅有幾萬人的未成形城市，且約有半年是冰天雪地的邊疆荒野中，共軍是絕對無法培養出大量的部隊。僞滿洲國所遺留的部隊，也不會輕易的

〔註32〕張正隆，前引書，頁196。

〔註33〕《大公報》，1946年7月1日。

〔註34〕蔣中正，《蘇俄在中國》（臺北：中央文物，1957年）。

被共軍所吸收控制。如此一來，共軍縱使獲得蘇俄的援助和日本關東軍遺留的武器，也無法在一年之內，擴充至近 50 萬軍隊，更不會有「三下江南，四保臨江」的機會。國府也不會因兵力不足，而制定「先南後北」的戰略；國軍在東北，也不至迅速的由盛轉衰，整個東北局勢也可能因此改寫。

從中共方面看來，停戰確實是幫助了中共軍隊，擺脫當時四平戰役的失敗，以及利用停戰期間的休整，造就後來對四平的反攻。但從國府方面來看，1946 年 3 月，國軍接收瀋陽後，一路北上，在四平街和本溪、鞍山、海城等地，與共軍作戰。除了四平街擊敗共軍外，其他三地均遭敗績。駐鞍山、海城的滇軍一八四師，更在全部被殲前夕投共。〔註 35〕5 月 28 日，國軍進至松花江南岸的永吉，和撤至北滿的共軍主力，沿松花江膠著對峙。〔註 36〕當時國軍在華北、熱河已面臨壓力，〔註 37〕無法分出餘力幫助東北戰局。以國方局勢來看，馬歇爾的停戰令，亦可說是緩解了東北國軍的壓力，讓國軍可趁機進行整補，其影響也並非完全是負面的。因此，馬歇爾調停對於當時國共雙方可說都有正反面的影響，在此無法武斷的下一定論，只能端看從哪一方面切入討論。

二、戰局的轉變

由於馬歇爾第二次停戰令的關係，中共把已撤至佳木斯、牡丹江等地的共軍機構和部隊，又遷回了哈爾濱。而此次與國軍在四平的爭奪失敗後，東北局的人事，也隨著中共路線的改變而有所調整。6 月 12 日，東北局發表了一篇「當前南滿任務及東北鬥爭方針」的指示，宣稱：「雖一方面力求爭取和平，但……切不可存僥倖的和平心理，和僥倖的以一兩個惡戰解決問題的心理。」〔註 38〕這與以往中共在東北主張堅守的戰略相違背，因此中共中央決

〔註 35〕孫渡，〈雲南部隊到東北〉，《遼瀋戰役親歷記（原國民黨將領的回憶）》（北京：中國文史出版社，1987 年），頁 587。

〔註 36〕在國民黨國防部史政司編寫的《綏靖第一年重要戰役提要．作戰檢討》中提及，國軍承認在四平和長春戰役中，因兵力不足以致於四平久攻不下，長春淪於敵手。而後在七十一軍和新六軍加入下，方攻克四平，但已遷延兩月以上時間，使敵得以從容脫離戰場，未能將敵主力擊破，貽爾後東北剿共軍事以無窮之後患。見張正隆，前引書，頁 203。

〔註 37〕馬歇爾提到國軍在熱河及華北都面臨壓力。秦孝儀總編纂，《總統蔣公大事長編初稿》卷六上冊（臺北：黨史會，1978 年），頁 161。

〔註 38〕丁曉春、戈福彔、王世英，《東北解放戰爭大事記》；轉載於《遼瀋決戰》（下），前引書，頁 613。

定重組東北局，第一政治委員彭眞下台，改任副書記兼東北民主聯軍副政委。林彪同時擔任東北局書記、東北民主聯軍總司令及政委。羅榮桓、陳雲、高崗擔任副書記兼副政委（高崗同時兼任秘書長）。在 7 月 7 日的東北局擴大會議中，通過了「關於東北目前形勢與任務的決議」（一般稱爲「七七決議」），強調發動群眾、發展根據地是當前的第一要務：

> 一切游移不定及僥倖取得和平的方法都應掃除乾淨……從戰爭，從群眾工作，從解決土地問題改善人民生活，從其他一切努力，去增加革命力量，減少反動力量，使雙方力量對比發生於我有利的變化……在敵強我弱的條件下，我軍作戰原則，不在於城市和要點一時的得失，而是力求消滅敵人。爲此，應採取誘敵深入，待敵分散，以優勢兵力各個消滅敵人的方針。消滅敵人，就達到保衛根據地的目的。一般地不做陣地戰，廣泛地運用陣地戰與游擊戰……號召他們（幹部）跑出城市，丟掉汽車，脫下皮鞋，換上農民衣服，一切可能下鄉的幹部通通到農村去。……〔註 39〕

在東北停戰的這段期間內，中共東北局積極建設並培養日後再戰的能力，首先爲了配合上述中共在東北未來走向的政策，從東北局和各主力部隊中抽調出一萬兩千名的幹部，下鄉協助地方建設，而其它部隊則趁機進行「剿匪」行動，肅清了北滿後方的反共地方武力，使中共再無後顧之憂。所謂的「剿匪」指的就是剿滅盤據在東北山中的土匪，這些土匪部分是在清末民初時，不滿當時軍閥、僞滿洲國和日本的統治，而聚集到山中的地區性游擊部隊。當地人稱之爲「胡子」或是「綹子」。根據統計，國方在東北組織的區域性游擊武力有 16 個、名目有 37 個，先後加以委任的「總司令」、「總指揮」有 32 個、「軍長」33 個、「師長」158 個。〔註 40〕短時間內東北的反共地方武力勢力急遽的膨脹，膨脹到最高峰的時候，人數高達 25 萬左右，爲共軍最初進入東北兵力的 2.5 倍。此時這些被國方委任拉攏的地方武力，對中共在北滿建立根據地和其政治安定，造成了很大的影響。

但由於停戰關係，國軍並未渡過松花江向哈爾濱進攻，在北滿反共的游擊武力也因大多據守於鄉村山野間，所以只擅長游擊戰。若是沒有國軍的外

〔註 39〕〈關於東北目前形勢與任務的決議〉，《遼瀋決戰》（上）（北京：人民出版社，1988 年），頁 45～48。

〔註 40〕羅國輝、邵雍，〈陳雲與東北剿匪〉，《安徽史學》，第 2 期（2007 年），頁 84～88。

援，是無法對中共佔領的城市造成影響，也無法在其根據地待援，或取得城市內物資的補給。中共則利用停戰的機會，進行了「剿匪」的行動，剿滅了這些在北滿反共的游擊武力，也對於中共建立北滿根據地，有很大的影響。中共方面認為北滿地區若不剿滅反共勢力，人民必定心存疑懼，那他們在東北的群眾運動，便不可能發動起來，也不可能在北滿建立穩固的根據地。

1946年4月20日，陳雲為中共北滿分局起草了一份給東北局並轉告中共中央的「北滿根據地建設的進展狀況」〔註41〕報告，提出了北滿工作的三大任務，即建軍、剿匪、發動群眾運動，三位一體的戰略任務。陳雲認為剿匪和建軍是創建中共北滿根據地的首要任務，而發動群眾則是創建根據地的關鍵環節。在肅清北滿反共勢力後，才能穩定北滿人民，並且成功的發起群眾運動。如此一來才能確立中共政權在北滿的穩固，兵源問題也可就此解決。

延至1946年5月，東北的反共武力基本上已肅清。根據不完全統計，自1945年9月至1947年4月，中共清剿這些反共地方武力的主要戰鬥1303次，擊斃12539人，擊傷18568人，俘虜36601人，投降11782人，共繳獲短槍2807枝，步槍51835枝，輕機槍1129挺，重機槍301挺，各種炮360門，汽車134輛，馬6009匹。〔註42〕中共自北滿反共勢力肅清，保障了他們根據地內人民的生命財產，使群眾得以順利發動起來，更穩固了在東北的戰略後方。

停戰令也使得共軍有了一段整頓軍隊的時間，在東北積極創建他們後方根據地的同時，把主力部隊整編為5個縱隊、15個師、10個獨立師、44個獨立團，並且初步建立了炮兵、裝甲兵、工兵等兵種。地方部隊則整編為東、西、南滿3個軍區，6個小軍區。總兵力補充後，約佔有23萬人。同時各軍區組建第一批二線兵團，以備即時開赴前線，補充主力缺損。〔註43〕

在1946年初夏四平街攻防之後，隨著共軍的潰敗，國軍推進長春、吉林以迄松花江沿岸，中共東北民主聯軍在戰略上被切割在南滿、北滿其兩邊相距甚遠，並均處於防守狀態。而國軍則控制住松花江以南、以西的大部分地區，其中城市48座、重要鄉鎮127座，大部分城鎮及其周圍鄉村皆屬富裕，其面積約佔全東北區域的三分之一，人口卻佔東北總人口的半數以上。就這

〔註41〕羅國輝、邵雍，前引書，頁84～88。
〔註42〕朱建華，朱興義編著，前引書，頁189。
〔註43〕朱建華，朱興義編著，前引書，頁239。

方面而言，對急需兵員補充、財經支援和糧食補給的中共東北軍隊，造成極大的困難。〔註 44〕

但國軍因戰線拉長兵力明顯不足的關係，無法同時間四面出擊，給予中共更有力的打擊。因此為了免除後顧之憂，國府方面遂採取「南攻北守，先南後北」的作戰方針。1946 年 9 月蔣中正的作戰計畫，鑒於共軍在南滿，僅剩安東省東北邊境的臨江、長白、撫松、濛江等 4 個縣，部隊 4 萬餘人，遂準備先攻取共軍在南滿的根據地，再舉兵北上。作戰計畫中，對於南滿的用兵重點，在於攻擊共軍長白山的根據地，配合清剿遼南、遼西北地區，企圖徹底切斷東北與華東兩個共軍解放區的海上聯繫，之後再進攻北滿，最終達到逼退中共，並控制全東北的目的。而共軍則以堅持南滿、鞏固北滿反制之。〔註 45〕

綜合情況，可以說共軍長期以來受客觀條件的限制，處於南北分兵作戰的態勢，而國軍則可利用鐵路交通的方便，達到迅速調動與集中，享有內線作戰之利，對共軍實行各個擊破。而共軍在北滿的部隊，兵力雖大，但受地形限制，僅能以小兵力自由進出攻擊，無法從根本上解除國軍對南滿的威脅。且鑒於松花江還未結凍，國民黨軍隊預估共軍必定防守其邊界，休養實力，不敢輕易出擊，於是國府方面訂定的戰略方針為「南攻北守，先南後北」。〔註 46〕

而中共方面的考量，在求打破僵局，取得戰略上進一步的主動權，決心打通南北滿的軍事通道，把以往兩面分兵挨打的局面，轉化為一個相互連通、機動性高，形成一個拳頭的方式出擊。這個戰略主要建立在松花江解凍之後的東北夏季攻勢，將北滿的主力兵團南下遼東區域，以奪取吉奉路、中長路為作戰重點。〔註 47〕故而於 1947 年 1 月 5 日，北滿共軍開始南下，進行「三下江南、四保臨江」戰役。

在一連串的南打北拉、北打南拉的作戰方針下，使國府軍隊損失的兵力約為 60 個營，約佔東北國軍實力的十分之一。中共東北局以北滿的部隊渡過

〔註 44〕唐洪森，〈論東北戰場 1947 年夏季攻勢〉，《軍事歷史研究》，第 3 期（2008 年），頁 73。

〔註 45〕蔣永敬、劉維開著，《蔣介石與國共和戰（一九四五～一九四九）》（臺北：臺灣商務，2011 年），頁 118。

〔註 46〕唐洪森，前引書，頁 74。

〔註 47〕唐洪森，前引書，頁 74。

冰封的松花江來襲擊國軍，先後圍攻了德惠、農安等地，雖然每次都被國軍擊退，但此一動作卻使國軍必須暫停對臨江地區的進攻，將兵力調回北滿救援。結果國府軍隊的四次長白山地掃蕩戰，最終歸於失敗。至 4 月 3 日，共軍殲滅國軍 3 萬餘人，成功的迫使國府軍隊兩面分兵應付，瓦解了國府軍隊先南後北的進攻模式，不僅解除了南滿的危機，也鍛鍊了共軍面對擁有新式裝備的國府軍隊時的作戰經驗。國軍在先南後北的戰略失敗後，雖然並未顯示出敗象，但由於兵力嚴重不足，從此只能採取守勢，〔註 48〕這使得戰場上的主動權已失去，敵我攻守開始轉換，也改變了東北戰場的形勢。

1947 年 4 月 7 日林彪致電中央軍委，陳述現階段北滿情況和南下作戰理由。電文內敘述到：

> 過去這段時間內，我軍（此指共軍）分兵各地，從戰鬥中掩護與參加根據地創造。現下各根據地已初具規模，土匪已肅清，群眾運動已發動，下鄉的幹部也都站穩了腳跟，派到地方的兵團現下能抽出到前面打仗。今後擬將北滿主力與南滿會合，集中兵力打更大的仗。〔註 49〕

由此電文可以看出共軍在 1946 年 6 月第二次停戰令開始，到「三下江南，四保臨江」戰役結束的這段時間內，肅清了解放區內的土匪，穩固了根據地，再經過土改發動群眾後，他們糧食得以補給、兵員也順利補充，積蓄了再起的實力。〔註 50〕

第三節　東北戰局逆轉之原因

一、政治層面

戰後國共雙方在形式上，曾進行了「重慶會談」和「政治協商」兩次會議。當然一開始雙方在表面上都還互有讓步，因此會談過程好像都有所進展，

〔註 48〕國軍在損失了約十分之一的兵力後，由於兵力不足，從此只能採取守勢。新一軍守長春，六十軍守海龍、永吉，擴編爲整編師的二零七師守撫順，五十二軍守安東，十三軍與九十三軍守遼西、熱東，七十一軍守四平、遼原，新六軍除守遼南外，一部分並於鐵嶺擔任預備隊。

〔註 49〕唐洪森，前引書，頁 74。

〔註 50〕根據中共在重慶會議上宣稱：中共東北民主聯軍到五月初，兵力也已達 46 萬餘人，其中野戰軍 25 萬餘人。

但每每討論到佔領區和軍隊編制上，雙方都相互不肯退讓，因此想當然爾，這兩次的會議最終也歸於空談。

在重慶會談上，國共雙方取得的協議有五項，分別爲：（一）雙方同意爲建立一個民主政府，復興中國及制止內戰而合作。（二）雙方同意支持蔣中正作爲共和國總統的領導地位。（三）雙方同意擁護孫中山的學說，將合作在中國建立一個強大、民主的政府。（四）中共方面同意承認國民黨爲控制政府的主要政黨，並將在從目前的政府形式過渡到民主政權時期內與國府合作。（五）其他問題方面，包括釋放政治犯、人身、言論、出版、集會、信仰與結社等自由，都取得了協議。

政協會議更是如此，顧名思義，政治協商會議，只具備著協商的性質，國民黨政府方面想利用戰後人民渴望和平的心理，和中間人士對參政欲望，來推行並宣傳其國民大會之主張，使其統治合法化。而中共方面則向外宣傳被迫在國民大會前，參加政協會議的無奈，以哀兵政策博取人民、社會觀感上的同情，藉以抵制政協會議。

在此「談談打打」的背景下，國共展開了對東北的爭奪。東北地區不管是農業、漁業還是礦產，素來都是極爲富饒的地方，在九一八事變後被日本佔領，並建設了將近 14 年的時間，修建的網狀鐵路四通八達，遂成爲中國重工業最爲發達的地方。因此光復後，不管在政治還是經濟上，對當時的政府官員來說，都是一個油水利益極大的地方，稍有能力者，都爭相來此分一杯羹。

政府接收東北，原以中央銀行發行的「東北流通券」作爲東北的法定貨幣。1946 年 9 月 16 日，央行正式掛牌，公告流通券對關內的匯兌率，從東北匯出爲 1 元流通券兌 11.5 元法幣；而從關內匯入，則爲 12.5 元法幣兌 1 元流通券。〔註 51〕由於東北地區對關內的匯款，僅限於平、津兩地，因此許多官員藉匯兌管制投機牟利，如東北大學校長，利用復員經費，由北平購販流通券以營利，遭人指證，社會傳爲新聞，卻未聞政府有任何懲處。官方銀行公然爲官員將流通券匯入關內；大官表面保持令譽，卻縱容其妻妾營商；主管爲規避法律，而授意其子弟經營，從中牟利。〔註 52〕戡亂後期，東北豪富鑒於戰局混亂，資金更紛紛匯入平津。就中央銀行收兌的數目，光 1948 年 1 至

〔註 51〕陳昶安，《東北流通券——戰後區域性的貨幣措施（1945～1948）》（臺北：臺灣大學歷史所碩士論文，2010 年），頁 70。
〔註 52〕〈東北問題參考資料〉（日期不詳），《陳誠檔》，008-010506-00009-003-16。

6 月，已達到 24 萬億。〔註 53〕

當時，東北軍馬倥傯、運輸頻繁，運輸工具最爲難得。四平激戰時，火車站堆積如山的大豆，就是鐵路車皮一位難求的明顯例子。任何人如能在北寧鐵路局要到貨車車皮，把東北土產運到關內，並從關內把東北需要的貨物運回來，誰就可以從中獲取極大利潤。就連行轅主任熊式輝的親戚，也在瀋陽組織了一個「中美公司」，由於關係特殊，很容易就可爭取到車皮，將糧食運至關內。即瀋陽市公共汽車經營權，也被該公司取得，而爲人所非議。〔註 54〕

接收官員貪贓枉法、各地軍隊紀律隳墮，可從第三十五軍新編三十一師少將師長安春山（1907～1979）呈陳誠的報告中得知：

> 多數工廠因受機器被搬運破壞，及交通阻礙，而倒閉或不能開工，經濟生產瀕於停頓。由於工廠生產停頓、工人失業加多，及農村難民不斷湧入都市，使都市遊閒份子日增，造成都市生之者寡、食之者眾之嚴重經濟問題。政府軍政接收人員到東北後，多趁機搜刮，甚有鬧出接收鬥爭事件。國軍到後紀律又欠佳，及作戰屢有失利，使東北同胞心理上，又對祖國大感失望。一般東北同胞，批評我軍政接收人員爲「文官愛錢不怕死，武官怕死又愛錢」。又稱「三迷主義」者：「官迷、財迷、色迷」，此又充分反映出一般人心之憤慨。〔註 55〕

這些都是陳誠就任前，東北戰場轉變爲劣勢的政治原因。

二、經濟層面

從國民黨政府的經濟方面來看，在戰後中國經濟面臨的是重建的任務。1945 年 11 月 26 日，國府設立最高經濟委員會，負責全國經濟工作，主要的工作是籌畫交通、農業、工業、外貿、衛生及五年的經濟建設方案。抗戰結束初期，中國的物價因人民對政府的信任，加上東北、台灣等的收復，人民

〔註 53〕林桶法，前引書，頁 195。

〔註 54〕陳嘉驥，《白山黑水的悲歌》（臺北：長歌出版社，1976 年），頁 172；沈雲龍、林泉、林忠勝訪問，林忠勝記錄，《齊世英先生訪問記錄》（臺北：中央研究院近代史研究所，1990 年），頁 269。

〔註 55〕安春山，〈東北實況調查報告書（自三十六年十月至十一月在遼寧遼北熱東等處所見）〉，《陳誠檔》，〈各方建議（下）〉，008010108000190002。

相信抗戰勝利後交通將會通暢，物資供應將會增加，因此抗戰期間囤積的貨物和日本待遣軍僑拋售的物資大量湧入市場，各地的物價曾一度回穩。然而不到一年的時間，由於國內政局不穩，物價開始飛漲，通貨膨脹造成人民的反戰和經濟恐慌。而通貨膨脹也是毀掉國民黨政權及其整個政治、經濟和社會基礎的重要原因。CC 領袖陳立夫曾說：「財政上的失敗，是幫助共產黨把有錢的老百姓變成『無產階級』，是我們爲什麼要到臺灣來的最大原因。」〔註 56〕

然而造成通貨膨脹的原因有下列幾點：

（一）國家財政赤字的增加：主要因素概括爲：軍費開支的持續增加、稅制的不良、政府專賣制的缺失等。其中尤以軍費的開支最爲嚴重，軍費的開支一直是國家財政上的一個極大負擔，從抗戰期間開始，每年的軍費支出約佔全國支出的 60%以上，在戰後雖然進行了整軍會議，但若要完全實施，還需要一段不短的時間和一筆龐大的編遣經費。隨著戰後內戰的爆發，軍費支出更是嚴重傷害了日益空虛的國庫，1946 年國防支出佔中央政府支出的 59.9%，1947 年約佔 54.8%，1948 年約佔 65.5%，國家的赤字不減反增。〔註 57〕

（二）戰爭的因素：在戰爭因素上，又可分爲抗戰的影響，和內戰的爆發。在抗戰中，各地遭受戰火生產力減少，物資缺乏，全國物資供給不能平衡，物價自然飛漲。而內戰爆發使得原本復員就不理想的中國，農村破產，工商崩潰，財政收入一天比一天減少而軍費卻一天比一天的增加。從糧食方面來說，抗戰後的糧食供應竟比抗戰時期更加困難其原因在於：

1、政府下令免賦，各省軍糧需要卻很大，軍隊即按當地市價購買，以至於市價飛漲，越漲越購買不到，只好攤派，人民痛苦更爲加深。

2、若干地區爲中共封鎖，如長春是糧產區，完全被中共封鎖。由於共軍的擾亂，長春、四平、瀋陽等市人口大增，糧荒更加嚴重。

3、各地糧食欠收，飢民很多需要大量糧食接濟。

4、善後救濟糧食限於規定及運輸，不能運用。

5、運輸困難，中共破壞交通，導致運輸成本提高，商家不敢運送物資出去，故而原物料價格不斷攀升，人民對物價的預期漲價心理，造成投機及囤

〔註 56〕陳立夫，《成敗之鑑》（臺北，正中書局，1994 年），頁 338。
〔註 57〕林桶法，前引書，頁 187。

積。〔註 58〕

（三）貨幣發行量增加：眾所皆知，政府要保持幣值，並且平穩物價，其貨幣的發行量，必須配合黃金儲存量來控制。但在這個時間點，由於國民政府財政短缺，為維持財政開支，他們靠著加速印製更多的鈔票，來彌補財政上的赤字，但此舉動卻使通貨膨脹更為嚴重。

政府接收東北，原以中央銀行發行的「東北流通券」作為東北的法定貨幣，負有收回蘇聯軍票的責任，因此等於負擔了蘇聯所濫發的軍票，以及變相地替日本承擔了二戰時為支付軍費而大量發行的 128 億「滿銀券」。〔註 59〕這不但使流通券發行量大增，還造成國家財政負擔。一旦滿州國統制經濟結束，貨物流入市面，糧食價格下跌，米價由每斤 15 元降到 3.5 元，豬肉每斤 18 元，但民生日用品依然短缺。所以物價雖比重慶低，一般人依舊生活困苦。〔註 60〕加上因為東北地區禁用法幣，連隨行記者也只能向行營領取滿銀券以供開支。

中共方面在 1945 年 9 月 13 日成立東北局，10 月成立東北銀行，著手發行鈔券，更加深東北貨幣混亂。至 1946 年 6 月，市面上流通的貨幣計有：東北九省流通券、偽滿幣、蘇聯紅軍票、法幣、地方臨時流通券、日鮮幣（即日本銀行券、朝鮮銀行券）。而以前三種為大宗。〔註 61〕

東北方面因內戰再起，東北行營經濟委員會雖然投入大筆資金恢復農業、工業生產，但產業恢復速度緩慢，許多產業也無法接收。到了 1947 年，中共夏季攻勢後，東北大部分地區為中共所佔據，在共軍解放區內不承認流通券，使得物資無法流入國統區。因此政府所需物資糧食，需由關內補給，導致東北物價急速飛漲，漲率遠過於關內，價格差異極大，造成貨物北流的趨勢，連帶的牽動關內物價，造成嚴重的影響。大量民生必需品如布疋、棉紗、煙、糧食、紙張等流向東北，由東北行營以流通券支付開銷費用，隨著戰事的持續，與軍政費用的擴大，造成流通券的增發，也導致物價益漲。

當時都市經濟低落、失業率大增，農村難民大量湧入城市，以及軍政人員在東北的貪贓枉法，不僅重創了東北財政，還造成國府喪失社會人心。

〔註 58〕林桶法，前引書，頁 187～190。
〔註 59〕陳祖安，前引書，頁 47。
〔註 60〕呂德潤，〈東北通訊（一）此時此地〉，《大公報》，1945 年 10 月 16 日。
〔註 61〕陳祖安，前引書，頁 59。

三、軍事層面

國共雙方在談判桌上相互拉扯的同時，戰場上更是打得不可開交。在蘇聯撤兵後，國共在東北的爭奪，直接表現在軍事上；而東北國軍方面因有美國在金錢、物資、人力上的支援，在內戰初期獲得了不小的成果。1946 年 5 月，國軍攻克四平，22 日收復長春，並決心繼續進軍北上。

而馬歇爾在 4 月 18 日回到中國後，開始了他新一波的調停工作。在這段時間內，因爲國民政府拒絕「軍事調處執行部」停戰執行小組進入東北的挑釁行爲，導致馬歇爾表示將退出調停，同時命令美軍船隻停止爲國府運送軍隊及補給，以向蔣中正施加壓力。爲此，蔣於 6 月 3 日同意，自 7 日起停戰 15 天，國共雙方進行停戰談判，而後停戰期滿，又延長至 30 日。

6 月 7 日 12 時起，雙方停火，重新回到了談判桌前，這次談判過程以「美軍決定權」〔註 62〕和「整軍補充案問題」〔註 63〕爲三方談判的焦點。但談判只是爲了下次戰爭而準備的談判，中國局面進入邊打邊談爲主的階段，雙方均不認爲談判能夠獲得和平，此後雙方雖然繼續保持接觸，但國民黨政府方面已制定了以武力消滅中共的方針，而中共方面也只是爲了宣傳而談判，並且以趁機補充實力爲目的。

其後，馬歇爾雖答應國方繼續運用美軍船隻，運送第六十軍和第九十三軍到達東北地區，但拒絕再加運 2 個軍。馬歇爾自稱這樣做，是在援助國民政府恢復主權，和援助一次自相殘殺之間，畫一條界線。爲了向蔣中正施加壓力，爾後馬歇爾又採取了兩項措施：（一）是自 8 月起，對國民政府暫時實行武器彈藥禁運。在杜魯門總統支持下，馬歇爾下令自 1946 年 7 月 29 日到 1947 年 5 月 26 日，美國政府對國府實行武器禁運。事實上，武器援助到 1947 年 11 月才恢復。（二）馬歇爾和司徒雷登（John Leighton Stuart, 1876～1962）代杜魯門總統起草了一封信，並由杜魯門於 8 月 10 日發給蔣中正。而由於馬

〔註 62〕「美軍決定權」係指美方提出在三方談判時，倘若意見不能一致，則由調處執行部長春前進組美方高級官員之決定爲依歸。由此提出美方決定權問題。而後蔣中正提出：三人會議必取決於多數之慣例，由多數決更換美方仲裁權。但實質上只是避開了有辱國體的美方決定權問題。其因國共雙方必定是對立，此時美方支持何方，何方變成多數。

〔註 63〕整軍補充案問題係指自 1946 年 2 月 25 日，國共雙方簽署整軍方案後，雙方均向馬歇爾提出修改意向。中共希望增加在東北的駐軍數量，國方提出爲共軍劃定駐區的設想。

歇爾的調停行動，使得國府軍隊在攻佔長春，並追擊到松花江畔，逼近哈爾濱之後，因戰線拉長導致兵力不足，武器裝備上短缺。此期間，雖然國共雙方在東北仍有小規模的軍事衝突，但大致上雙方都在從事軍事整備的工作。到 10 月，國軍才再度在東北展開攻勢，從停戰開始至國軍再度展開攻勢，中間的休整期長達 4 個月之久。

1947 年，國軍在東北戰場的局勢漸漸不利。四平收復後，國府在東北因戰線拉長的關係，兵力漸感不足。而中共方面，因在停戰期間順利補充訓練，自 1 至 3 月間，不時渡過松花江，向長春進擊。而國軍方面只能夠固守，更在 1947 年中共的夏季攻勢後，東北大部分地區都遭佔據，國軍只能夠退守幾個重要的大城市或據點，做戰略性的防守。

據共方 1947 年 7 月初的統計，其作戰部隊為 90 萬人，地方部隊 60 萬人，軍事機關 40 萬人。分佈地區如下：

地　　區	部　　隊
山東	27 個頭等旅。
太行	13 個頭等旅，14 個二等旅。
西北	邊區 6 個旅，陳賡 4 個旅。
晉綏	3 個旅，五臺 9 個頭等旅，4 個二等旅。
東北（包括察北、冀東）	頭等、二等 32 個旅。
共軍共計 112 個旅（東北、山東兩炮縱，晉綏 4 個騎兵旅不在內）。	

國軍兵力，據國防部的統計，至 1947 年 3 月 15 日止，全國原有 86 個軍，230 個師。已整編者 57 個軍，整編為 145 個整編師（師下為旅）；未整編者有 27 個軍，74 個師。

據共方資料，國軍的單位分佈如下：

地 區	部　　隊
南線	共 154 個旅。山東（包括蘇北）88 個旅，太行 26 個旅，西北（包括晉南、榆林、寧夏）40 個旅。
北線	共 64 個旅。東北 24 個旅，五臺及晉綏 40 個旅（孫連仲 15 個旅、傅作義 10 個旅、閻錫山 15 個旅）。後方守備兵力 30 個旅。
國軍南北兩線共計為 218 個旅，約多於共方一倍（不含北線後方守備兵力 30 個旅）。惟士氣及戰鬥力不及共方。	

1947 年中共的兵力和戰力，已相當強大。據國防部長白崇禧 9 月初的報告，共軍總兵力爲 86 萬 150 人，包括野戰軍 61 萬 3150 人，軍區部隊 24 萬 7000 人。野戰部隊戰力較強，軍區部隊等於第二線的整補部隊。就地區分，關外有 44 萬 4000 人，關內有 41 萬 6150 人。關外的「東北民主聯軍」由林彪統率，野戰軍有 39 萬 9000 人，軍區部隊 4 萬 5000 人，包括韓共、日軍及東蒙自治軍。

自 1946 年下半年起，到 1947 年上半年止，共軍在全國已經擊退了國軍數百萬軍隊的進攻，並消滅了國軍一百多萬。在關外對國軍有 5 次攻勢，以第五次規模最大。關內方面，主要戰場在山東，自 1947 年 1 月至 6 月，是國軍受挫的階段，損失至大，傷亡官兵達 40 萬人，其中四分之三在山東，被俘的將領也不少，〔註 64〕迫使國府轉入全面防禦時期。

此時，國府內部矛盾也日益加深。國府在東北方面，除用政學系來掌控之外，也安排了東北籍人士返回東北任職。但蔣中正對西安事變心存芥蒂，爲避免東北籍人士返鄉掌握軍權後，造成尾大不掉的局勢，於是在東北採取了「重文輕武」的政策。即派往東北接收的東北人士，大多是文官居多。

在軍隊任用上，派往東北的軍隊有石覺與趙公武、孫立人、廖耀湘、陳明仁、曾澤生、盧濬泉等部隊，其中也都沒有東北軍。

〔註 64〕〈國防部長白崇禧之軍事報告〉，轉引自蔣永敬、劉維開著，前引書，頁 113～114。

第三章　陳誠出任艱鉅

第一節　陳誠的政治角色

一、陳誠抗戰前的軍政經歷

陳誠在國民政府裡，從北伐到抗戰到撤退來台的過程中，一直扮演著蔣中正身邊一個心腹的重要角色。陳誠於 1922 年畢業於保定軍校第八期炮科。1923 年隨鄧演達（1895～1931）去廣東參加革命，任粵軍第一師第三團上尉副官，其後升爲上尉連長，復調任大元帥府，擔任警衛事宜。5 月在肇慶與馮葆初（1868～1923）的戰鬥中，胸部中彈，在醫院療養的時候，遇到大元帥行營參謀長蔣中正來慰問傷員，這是蔣陳兩人的第一次相遇。〔註 1〕

傷癒後，陳誠被升任爲師部獨立連少校連長。1924 年黃埔建校，陳誠隨鄧演達到黃埔軍校，任上尉教育副官之職。在黃埔軍校期間，一天陳誠因外出訪友，夜歸後久久不能入睡，便拿起了孫中山的《三民主義》一書閱讀，清晨時便帶書去操場，練習單槓。此時巧遇清晨來操場散步的蔣，蔣翻閱了放置一旁的《三民主義》，只見書上畫滿重點顯然認眞學習閱讀過，心中很是滿意，當場給予表揚，並記下陳誠的姓名和工作單位。此一偶然的機緣，使陳誠在蔣中正心中留下了深刻的印象，陳誠也因此發跡並一生追隨蔣中正。〔註 2〕

陳誠於 1924 年 1 月任黃埔校軍炮兵一營一連上尉連長，9 月參加第二次

〔註 1〕 孫宅巍，《蔣介石的寵將陳誠》（河南：河南人民出版社，1990 年），頁 13。

〔註 2〕 孫宅巍，前引書，頁 13～14。

東征，炮轟惠州城立了戰功，升任炮二營少校營長。1926 年 7 月隨著國民革命軍北伐，陳誠擔任總司令部中校參謀，隨後又擔任預備第一師第三團團長，11 月改任二十一師六十三團上校團長。1927 年 3 月二十一師在浙江龍潭、桐廬戰役中，擊敗孫傳芳主力部隊，一舉拿下蘇州，陳誠的六十三團出力最大。4 月升任二十一師少將副師長，6 月任二十一師師長。10 月因蔣中正下野東渡日本，在二十一師返蘇州整訓期間遭到何應欽（1890～1987）藉故免職，之後由軍事委員會軍政廳廳長嚴重（1892～1944）保薦，擔任軍事委員會軍政廳副廳長。

陳、何兩大黃埔派系，在當時鬥爭已是相當的激烈。陳誠和何應欽兩人的矛盾，起源於 1927 年的龍潭戰役，陳誠對孫傳芳（1885～1935）部作戰勝利，對保衛南京起了關鍵作用，然而不但沒獲嘉獎，反遭何免職，雙方從此對立。而蔣中正因何應欽在北伐期間的關鍵時刻，倒向桂系白崇禧，迫使他下野的事情，極度不滿，而失去了原本的信任，乃大力提拔陳誠，用以扼制何應欽，使雙方之後為爭奪軍權，相互激烈傾軋。〔註 3〕

1928 年 4 月，因蔣復出擔任國民革命軍總司令，任總司令部中將警衛司令。1929 年進駐鄂西襄樊，6 月任十一師師長。1930 年 4 月在中原大戰中，率十一師進攻濟南，8 月升任十八軍上將軍長，並仍兼任十一師師長。此時陳誠年僅 33 歲，從保定軍校畢業投身軍界才剛滿 8 年，即由少尉排長升至十八軍上將軍長，由此可以看出陳誠深受蔣中正的喜愛和信任。〔註 4〕

中原大戰結束後，陳誠被派往江西參加剿共。1931 年 7 月在第三次圍剿共產黨的戰役中，擔任第二路進擊軍總指揮。出發前，陳誠向蔣致電表達效忠稱：

> 校長：學生率軍臨敵，無不感激校長栽培。今日時局之危殆、禍機之劇烈，殆十倍於咸〔豐〕同〔治〕之世。職當小心謹慎，以盛氣臨之，但求有補於黨國，勿辱及鈞座，寸心無悔憾，其他非所知也。學生辭修。〔註 5〕

〔註 3〕郭緒印，《國民黨派系鬥爭史》（下）（臺北：桂冠出版社，1993 年），頁 595～596。

〔註 4〕黃季陸編，《革命人物誌》第五集（台北：國民黨黨史會，1970 年），頁 210。

〔註 5〕〈蔣主席覆陳誠軍長指示作戰機宜電〉載於中國國民黨中央委員會黨史委員會，《中華民國重要史料初編——對日抗戰時期》，緒編（2）（台北：中國國民黨中央委員會黨史委員會，1981 年），頁 374。

最終在國軍情報不佳，加上共軍戰術靈活機動下，第三次剿共，結果一無所獲。

但在 1933 年的第四次圍剿中，陳誠仍被任命爲中路總指揮，1 月初率領 12 個師，以撫州爲中心，採取外線作戰、分進合擊的戰略原則，向共軍蘇區的黎川、建寧、泰寧等地區包圍。但國軍出師不利，4、5 日在黃獅渡遭共軍襲擊，損失第五師第十三旅。6 日，二十七師和九十師各一部又在楓山鋪被共軍擊潰。至 2 月中，南豐被共軍包圍。2 月 27 日，國軍在黃坡中伏，五十二師、五十九師遭殲。3 月 21 日，十一師又於草台崗，夾攻殲滅。〔註 6〕第四次圍剿至此結束，其結果相較第三次圍剿更不理想，陳誠嫡系軍隊在湖北黃坡和江西宜黃等地，被共軍殲滅近 3 個師。

第四次圍剿失利後，蔣爲平息眾怒，便給陳誠降一級、記大過一次的處分，並解除所兼各職。表面上看，蔣雖然對陳誠有所責備，但實際上卻並未對他失去信任。圍剿失敗後不久，陳誠夫婦探望蔣中正伉儷之時，蔣即與陳誠商討新的圍剿計畫，這表示了蔣將重新起用陳的決心。〔註 7〕

1933 年秋天，蔣中正在廬山創辦軍官訓練團，蔣親任團長，並命陳誠爲副團長。1934 年 11 月的第五次圍剿中，陳任爲北路第三路總指揮。此次陳誠嚴格執行了封鎖圍剿的策略，竭盡全力建築公路、碉堡，以便國軍進攻和固守據點。當時發生「福建事變」〔註 8〕，蔣即兵分二路，東路軍入閩鎮壓，北路軍以陳誠所率領的第三路軍爲主力，加緊封鎖共軍行動，並掩護東路軍的進展。陳完成了光澤到黎川到南豐的封鎖線，切斷了福建「中華共和國人民革命政府」與共軍間的聯繫。又配合東路軍攻佔建寧後，修築廣昌至建寧的公路、碉堡，並由廣昌繼續南下石城。

1934 年 10 月，中共中央終於放棄蘇區，向西「長征」。而後陳誠沒參與國軍追剿共軍的行動，而是被任命爲駐贛綏靖預備軍總指揮，指揮部隊修路、築堡；並以寧都、雩都、興國三角地帶作爲清剿的重點。

〔註 6〕〈關於贛南作戰之經過情形〉，藏於中國第二檔案館，轉引自孫宅巍，前引書，頁 71～78。

〔註 7〕孫宅巍，前引書，頁 79。

〔註 8〕1933 年 10 月 26 日，國民政府福建省政府及在福建參加圍剿的十九路軍，與中華蘇維埃共和國臨時中央政府及工農紅軍訂立了反日反蔣的初步協定。並在 11 月 20 日，以十九路軍爲骨幹，聯合第三黨等勢力，在福州召開「中國人民臨時代表大會」，決議成立「中華共和國人民革命政府」，廢除中華民國年號。引自孫宅巍，前引書，頁 85。

1934 年 12 月，陳任軍事委員會「陸軍整理處」處長。1935 年被派往四川，創辦峨眉軍官訓練團。1936 年奉蔣之命，任晉綏陝寧四省邊區剿匪總指揮。6 月又奉命赴粵，設立廣州行營，爲陳濟棠（1890～1954）、李宗仁聯合反蔣的兩廣事件善後。12 月在西安事變中，與蔣中正一起被張學良（1901～2001）扣留。事變和平解決後，又參與了東北軍和西北軍的整編。〔註 9〕

二、蔣陳關係及抗戰歷程

1937 年，陳誠受命爲軍政部常務次長兼廬山軍官訓練團教育長。「七七事變」爆發，層峰對於是否抗戰，還沒下定決心，陳誠此時則主張：

> 不能抗戰，信矣；但此時勢在必戰，非能戰、不能戰問題，是當戰、不當戰問題；且與其不戰而亡，孰若戰而圖存？〔註 10〕

並提出了牽制日軍主力，使敵人自東而西，不使其由北而南的戰略。這也使得日後國府抗日可以拉長戰線，擴大戰爭面的一個導因。日本軍隊進犯上海，陳誠被任命爲第三戰區的總指揮，第十五集團軍司令，死守崑山一線，多次組織指揮大會戰。

1938 年 1 月，南京政府遷至重慶，湖北爲四川大後方的門戶，陳誠擔任湖北省主席，武漢衛戍司令和第六戰區司令長官，負責武漢防務。在國共第二次合作中，陳誠兼任國民政府軍事委員會政治部部長。政治部是特定歷史時期中的特殊產物，主要成員中，包括了擔任副部長的周恩來，及擔任第三廳廳長的郭沫若（1892～1978），因此陳誠面臨著如何與中共人士打交道的問題。雙方政治主張各有異同，同者都爲驅逐日本的侵略，異者爲各自仍有不同的政治信仰與目的。由於政治立場不同，陳誠對共方的戒備和疑慮雖多，但在政治部的各項工作中，基本上保持了合作共事的局面。論者謂：陳誠在人事安排上，除了迫於形勢，不得不任用周恩來、郭沫若等人外，其餘一律任用國方成員。政治部中除第三廳外，其餘各單位主管和工作人員，以及各部隊的政治工作人員，絕大多數爲國民黨忠實黨員；對於爲數不多的共產黨人，足以監視其活動。〔註 11〕

抗戰期間，陳誠先後還兼任了珞珈山軍訓團教育長、航空委員會、中央

〔註 9〕 孫宅巍，前引書，頁 116。

〔註 10〕 何智霖編，《陳誠先生回憶錄——六十自述》（台北：國史館，2012 年），頁 246～247。

〔註 11〕 吳相湘，《民國政治人物》（下）（臺北：傳記文學雜誌社，1982 年），頁 167。

訓練委員會主任委員、軍委會戰時工作幹部訓練的一團副團長、三民主義青年團書記和中央訓練團教育長。所部也在抗日作戰中，取得湖北戰役的勝利。1943 年任中國遠征軍司令長官，同年 5 月離滇返鄂，指揮對日作戰，取得鄂西大捷。1944 年 11 月擔任軍政部部長。1945 年 1 月兼任後勤部總司令，1946 年 6 月擔任參謀總長兼海軍總司令。

相較之下，陳誠在當時沒有白崇禧、閻錫山（生卒年）省籍軍閥的色彩，也不像何應欽以輩分壓主；為人又謹慎小心，懂得蔣中正的心理，並為上級防患於未然。因此在抗戰開始時，得以入主中樞，參予軍政大事，並從此平步青雲，扶搖直上，終身受到蔣中正的倚重，並被蔣視為智囊與左右手。但凡決策的草擬、執行和人事的升遷，多經由陳誠簽辦轉呈。也因他第十一師和第十八軍的班底，而形成了所謂的「土木系」，在抗戰勝利後權傾朝野。〔註 12〕

在當時各高級將官及各部隊長中，如顧祝同（1893～1987）、劉峙（1892～1971）、熊式輝、湯恩伯（1898～1954）、杜聿明等，均對陳誠表示不滿，指陳誠自任參謀總長以來，飛揚跋扈、任用私人、排除異己；裝備補充，多偏重他的嫡系部隊，而對其他各部隊，多予苛刻留難。〔註 13〕而這些表示不滿的高級將官，大多是和陳誠對立的何應欽派系的將領。

當時陳誠自恃蔣中正的寵信，行事作風上也難免有為人專橫、目空一切的一面。例如陳誠經常當面指責何應欽、白崇禧、蔣鼎文等人；〔註 14〕也曾當著蔣中正的面，罵 CC 系領導人陳果夫（1892～1951）:「讓一個肺癆鬼當中央訓練團教育長，這個訓練將成個什麼樣子？」〔註 15〕。陳誠任軍政部長時，也因戴笠超升軍統局自己特務官階，起過衝突。除此之外，陳誠和熊式輝、胡宗南（1896～1962）等人，也時常發生爭執。

〔註 12〕土木系是以陳誠為代表的國民黨軍系，是蔣介石和國民黨政府在大陸時期重要的為三大軍事集團：土木系（陳誠系）、胡宗南系、湯恩伯系（被稱為「陳胡湯」）。在當時土木系先後產生了陳誠、羅卓英、黃維、胡璉、楊伯濤、李延年、周至柔、羅廣文等 5 個一級上將、4 個參謀總長、2 位海軍總司令、1 個空軍總司令、1 個聯勤總司令、20 多個軍長，是國民黨軍界中勢力最大的一個軍事集團，被人們視為國民黨軍「王中王」。

〔註 13〕杜聿明，〈遼瀋戰役概述〉，《遼瀋戰役親歷記（原國民黨將領的回憶）》（北京：中國文史出版社，1987 年），頁 1。

〔註 14〕楊伯濤，〈陳誠軍事集團發展紀要〉，轉引自郭緒印，前引書，頁 606。

〔註 15〕胡夢華，〈國民黨 CC 集團的前前後後》，轉引自郭緒印，前引書，頁 606。

由上述可以知道，陳誠在當時國民政府內，也樹立了許多的敵對，包括了何應欽、白崇禧、政學系、軍統局、胡宗南、湯恩伯等人。〔註 16〕因此陳誠奉派東北的這件事情，是不受許多人看好的。1948 年，在陳誠東北離任後的國民大會上，也出現了各派聯合反陳的場面。

但蔣中正之所以會如此看重提拔陳誠，原因可以分析以下幾點：首先，陳誠爲蔣中正的浙江同鄉、黃埔系，符合蔣中正用人的標準。其次，陳誠總體上來說，是忠於蔣中正的，屬於愛國將領，而蔣中正也是一個民族主義者；陳誠十分的清廉，在內政上主張改革，並有能力治理好一方。

此時蔣陳關係，已不只是北伐前單純的賞識器重，還另外加上了姻親關係。在 1932 年 1 月 1 日，陳誠與國府主席譚延闓（1880～1930）的女兒譚祥（1906～1989）在上海結婚，譚祥是宋美齡（1897～2003）的乾女兒，這段婚姻也是由宋美齡親自說媒的。蔣想藉著這段婚姻，讓陳誠與他在政治上緊密的結合，除了民初政治運作上，「親上加親」的風氣外，原因有兩點：一、陳誠爲保定軍校畢業，對蔣爭取保定系的支持，有極大的助力。二、當時發生了鄧演達事件，〔註 17〕蔣爲求拉攏陳誠，使其對自己更加忠心。而這段婚姻也的確造成陳、蔣之間的相互依存信賴。〔註 18〕

此外，儘管後來常被人稱爲「常敗將軍」，〔註 19〕陳誠其實軍事能力優秀，是個人才，是很會打仗的。一般人忽略了，早期的東征、北伐和中原大戰等，陳誠戰績都是表現不錯的。從抗戰開始，但凡蔣中正遇到困難的戰場，大多是指派陳誠去收拾處理。如抗戰時期的宜昌戰役中，張治中（1890～1969）就曾和陳誠說：「你太老實，這是任何人都不願意去的。」〔註 20〕而宜昌失陷後，蔣中正也深知該場戰役的困難，因而對陳誠說：「因爲沒有辦法

〔註 16〕 郭緒印，前引書，頁 606。

〔註 17〕 1930 年 8 月 9 日，鄧演達與譚平山等人在上海法租界格羅希路大福里，組建「中國國民黨臨時行動委員會」(「中國農工民主黨」前身)，任中央幹事會總幹事，進行反蔣活動。1931 年 8 月 17 日，鄧在上海愚園路愚園坊 20 號幹部訓練班講課時，被淞滬警備司令部特務，和上海公共租界靜安寺捕房警探逮捕。11 月 29 日晚，鄧演達被秘密處決於南京麒麟門外沙子崗，年 36 歲。

〔註 18〕 孫宅巍，前引書，頁 63。

〔註 19〕 陳誠自 1930 年中原大戰、1931、1932 年的第三第四次圍剿都接連失利，在 1940 年抗日作戰的一年多的時間內接連丟掉武昌、南昌、宜昌，被當時人譏爲「三昌將軍」，也被人以「常敗將軍」稱之。

〔註 20〕 孫宅巍，前引書，頁 161。

才叫你去。」〔註 21〕而在抗日戰爭時，從武漢會戰、鄂西會戰上，都可說明陳誠並不是個不會打仗的常敗將軍。這兩場戰役，前者令日本軍隊死傷達十萬以上，後者不僅守護了戰時陪都重慶的大門，而且令日本幾乎沒有任何收穫。

第二節　陳誠出掌東北軍政

一、陳誠出任前的東北亂象

從內戰爆發開始，國府軍隊的表現，並不如預期那般順利，並且在各地亦常有敗戰的情況出現。而在全國各地中，東北可以說是最被雙方看重的一個戰場。

在 1946 年初，國軍在東北的進展，可說是一帆風順、勢如破竹，但經過馬歇爾第二次停戰後，到 1946 年秋冬時，國府在東北戰場已演變爲防守的態勢了。10 月 7 日陳誠雖然於北平向中外記者宣稱：「三個月至五個月內，解決共產黨解放區問題」，〔註 22〕企圖以此振奮全國軍民的信心，但之後剿共依舊沒有進展，東北形勢反倒越來越惡劣。

到 1947 年，東北戰場的局勢，已經不是國軍可以掌控了。東北的行政和軍事作戰，分別由東北行轅和東北保安司令長官部負責，熊式輝和杜聿明分爲兩個最高負責人。國府原本期望東北軍政分治，協調合作，可以有所建樹；但不料合作不成，反而雙方互相牽制起來，以致於軍事力量與行政效率，都相對的削弱。這點從軍政部第二十軍官總隊總隊長劉廣濟（1897～1973）呈軍政部長陳誠，報告東北軍事進展函件中即可證實：

> 一、熊、杜之間極不相容，熊於經濟、政治之外而思干預軍事，杜則嚴拒。杜於國軍之外，關於各省保安團，擬行統一建設指揮，熊則堅持不肯放手。但事實上，凡軍隊所到之地，杜則委派縣長及保安大隊長，熊與各省主席亦無如之何。二、在初，熊對東北人多堅拒不納，杜則盡力搜羅。凡不得於行營者，長官部一律收容，遇機即委爲縣長或公安局長等職；並以其他各種關係，以致東北人士，對杜觀感甚好，對熊頗差。近來熊則盡力敷衍張作相、王樹常、萬

〔註 21〕孫宅巍，前引書，頁 162。

〔註 22〕《大公報》，1946 年 10 月 17、18 日。

福麟等一般老人，希圖挽救，但以熊之作風優柔寡斷、事事取巧，總不見好於東北人也。〔註 23〕

從上述中，可以看出熊式輝和杜聿明在東北主政時，沒有重視整合東北地方和中央關係，只想著爭權奪利，時常干預自身份外之事務，陳誠對此是不認同的。

東北的行政機構上，組成也十分龐雜混亂。以瀋陽的行政機構來說，但凡國府在南京的中央部會，在瀋陽都一一設有支部；且在南京只有一個部會，到了瀋陽則化為 3 到 4 個部會。例如教育部，在南京只有一個教育部；而在瀋陽，行轅設有教育處，在統籌委員會則設有教育組；教育部本身又設有特派員辦事處、教育輔導委員會。又如水利部，在南京也只有一個；但在瀋陽，於經委會設有水利處，在統委會則設有水利組；水利部本身又設有水利局。在中央有 10 多個部會，在瀋陽便演變至 30 至 40 個部會。〔註 24〕

東北行轅方面，軍事有長官部，政治有政委會，經濟有經委會，接收有統委會；而行轅本身處室就有 10 多個。經委會生產局及其省市分局以下，房產有房產局及其省市分局，合作有合作局及其省縣分局，物資有調委會，消費有消費總社，其總社本身處室也有 10 多個。政委會，在省有省政府，在市有市政府，在司法有法院，在土地、社會有地政社會處局，其政委會本身處室又有 10 多個。在接收當時，國府方面把原東北三省劃分為九個省份，可是國府統治區卻只有東北的三分之一。為了維持正統性，未接收到的省份，依然在瀋陽設立辦公機構。如此行政機構疊床架屋、官上加官、署上加署，導致東北行政體系極度混亂，冗員過多，行政效率低劣

國民黨黨內派系，從北伐時起，即非常雜亂眾多，彼此之間相互競爭奪權。抗戰過後，東北的接收一開始即分為 3 大系統：（一）政學系占據行政系統，行轅主任為熊式輝，東北行營經濟委員會主任委員為張嘉璈（1889～1979）、東北保安司令長官為杜聿明、東北行營副參謀長兼駐蘇軍事代表團團長董彥平（1896～1976）。即使後來九省三市主席、市長，都是與政學系有關、或抗戰期間從事行政工作者。（二）黨務系統幾乎全由 CC 系陳立夫、國民參政會參政員齊世英（1899～1987）指揮；只有遼北省黨部主委羅大愚

〔註 23〕〈邊政資料彙編〉（1946 年 2 月 22 日），《陳誠副總統文物》以下簡稱「陳誠檔」，國史館，檔號：008-011101-00001-003。

〔註 24〕〈東北問題參考資料〉（1945 年 4 月 14 日），《陳誠檔》，008-010506-00009-003-08。

（1910～1973）屬朱家驊系；興安省黨部主委關大成（1912～1988）與政學系較接近。東北黨務工作人員，以地下工作同志爲主，大部分都與齊世英有關。（三）朱家驊掌握的教育系統，舉凡東北九省三市教育廳局長、所有學校校長，都由朱家驊派任。另外還有青年團、中統、軍統等，各有各的勢力範圍，彼此間相互摩擦抵制，可以說接收後的東北，毫無章法可言。〔註 25〕

於是，國府在東北黨政軍各系統間，既互相摩擦抵制，內部亦傾軋激烈。黨務工作上，先前從事地下工作，CC 系領導人陳立夫、陳果夫兄弟派了 3 個省黨部主任委員；朱家驊又派有羅大愚的專員系統。抗戰勝利後東北各地黨部都鬧雙包案。〔註 26〕

而黨務系統跟行政部門的摩擦，也很激烈，這其實也都可說是派系鬥爭下的結果。如遼北省參議會參議員梁肅戎（1920～2004）即說到：

> 熊式輝非常討厭黨務工作人員，以致使原先黨政一體者分裂爲二，雙方各自爲政。在最初接收時，由於黨務工作人員和蘇聯發生衝突，東北行轅方面還向中央告了黨務系統一狀，說黨務系統的人不聽指揮，妨礙我們與蘇聯國交甚大。〔註 27〕

齊世英也提到：熊式輝怕齊到東北，會造成他在東北無法指揮，故藉由蔣中正向齊世英要求，東北黨務同志聽命於熊式輝。並且在上飛機前，藉由人滿沒位子等理由，希望齊世英不要跟去。〔註 28〕但在羅大愚和吉林省臨時參議會議長畢澤宇（1893～1968）方面，由於是朱家驊系的人，且朱家驊曾一再拜託熊式輝關照二人，因此熊式輝似乎頗爲重用。這從羅大愚告朱家驊的話中可以看出：

> 熊主任天翼以吾師關係、及現地黨務工作表現，對大愚頗爲接近。前齊鐵生〔世英〕來此，希圖把持黨務，頗遭各方反感，嗣經總裁手令東北黨務由熊主任指揮監督，暫停活動。熊主任已派張潛華、張一清、大愚、石堅、關大成五人爲委員，設立東北行營黨務整理處。並面諭大愚，將來於遼省秘書長之外，仍繼續黨務工作。東北

〔註 25〕梁肅戎口述；劉鳳翰、何智霖訪問，《梁肅戎先生訪談錄》（臺北：國史館，1995 年），頁 46～47。

〔註 26〕梁肅戎口述；劉鳳翰、何智霖訪問，前引書，頁 47。

〔註 27〕梁肅戎口述；劉鳳翰、何智霖訪問，前引書，頁 43～44。

〔註 28〕沈雲龍、林泉、林忠勝訪問，林忠勝記錄，《齊世英先生訪問記錄》（臺北：中央研究院近代史研究所，1990 年），頁 243～244。

各省鐵路委員將由熊主任核定名單，大愚當盡量推薦忠實同志。〔註 29〕

由此可以看出，熊式輝未必討厭黨務工作人員，其中牽涉到的，仍是派系之間鬥爭的問題。

然而不管是在教育或是行政體系上，黨務工作人員雖然在抗戰時期，就於東北奮戰，可說是勞苦功高。但在東北接收時，中央派來接收的文武官員，對於原現地黨務工作人員，大都不太重視，採取一個居高臨下的態度。齊世英甚至指東北在當時，有被像是對待殖民地的感覺。因此在接收後的東北政治上，並未佔有一席之地。〔註 30〕

又如教育系統上，朱家驊一度擔任組織部長，與東北現地黨務人員，有著深厚的關係。但在接收時，東北九省三市的教育廳局長人選中，雖仍是朱系人馬，但卻無一原現地工作人員獲選。論者即評論道：東北現地工作人員沒有擔任軍政工作，不一定就表示接收工作與黨務疏離，但是如果大多數現地黨務人士都有被遺棄、被忽略的感覺，則其中必然有問題存在；而如果現地工作人員從經驗實証中得來的經驗不能獲得重用，甚至不屑一顧，那彼此間的疏離就在所難免。〔註 31〕此種派系或是軍政的互相牽制，以致軍事力量與行政效率都相對削弱的現象，一直持續到東北淪陷。

二、陳誠出掌東北行轅

1947 年，東北局勢不穩，處在一個岌岌可危的情況下，再加上軍政不合，使得蔣中正決定調整東北人事，當時擔任參謀總長的陳誠，被派往東北主持大局，指揮軍政，以穩定東北局勢。

當時在國府內部，卻傳言陳誠積極爭取出任東北。杜聿明就表示，1947 年 4 月熊式輝曾經和他說過：「陳誠在關內指揮作戰都失敗了，想來東北出出風頭，挽回他的面子」。〔註 32〕時人正反兩面的說法也十分多。從正面看，董文琦指出：

當時東北的形勢已十分惡劣，當共軍發動第五次攻擊時，東北局勢

〔註 29〕〈羅大愚致朱家驊戌齊電〉，1945 年 11 月 8 日，《朱家驊檔案》；轉引自陳立文，《從東北黨務發展看接收》（臺北：東北文獻雜誌社，2000 年），頁 280。

〔註 30〕沈雲龍、林泉、林忠勝訪問，林忠勝記錄，前引書，頁 269。

〔註 31〕陳立文，前引書，頁 280。

〔註 32〕杜聿明，前引書，頁 2。

即將逆轉，人心浮動，瀋陽隨即出現逃難浪潮，車站機場均擁擠不堪。而調參謀總長陳誠兼任東北行營主任，瀋陽得此消息，人心稍安，慌張逃難之情形亦稍戢止。〔註 33〕

由此處可看出，陳誠出任東北行轅一事，對當時東北民心安定，起到很大的作用，社會觀感上也是正面肯定的態度。時任四十九軍軍長的王鐵漢，在日後訪談中也提到：「中央決定派參謀總長到東北去，可見對扭轉東北局勢頗具決心。」〔註 34〕王鐵漢東北出身，對於陳誠到東北接任行轅主任這件事情，也是持正面肯定的。

而前揭杜聿明對陳誠到東北，是爲了自身利益的看法，強調對東北並無實質上的幫助：

陳誠在 1947 年 4 月間派了一些特務到東北，大肆宣傳熊式輝和我等貪污腐化，並從各方蒐集證據，企圖藉此將熊和我趕出東北。而他自己到東北去主持作戰，想打幾個勝仗，以挽回在蔣中正面前失掉的信任。〔註 35〕

時任東北行轅副主任鄭洞國（1903～1991）在回憶錄中也認爲：

陳誠是一個較爲廉潔的人，做事也喜歡大刀闊斧，雷厲風行，很有些魄力，且善於辭令，這是他的長處。但他野心很大，一有機會就想吞掉別人的隊伍，排除異己。同時又千方百計的偏袒自己的親信，培植個人勢力，搞得國民黨軍隊內部矛盾很深，不少人既怕他又討厭他。至於軍事上很難說他有什麼過人的（天才），尤其在指揮大兵團作戰方面，是遠不如杜聿明將軍的，這一點在後來的東北戰場上，得到了更加充分驗證。〔註 36〕

鄭洞國認爲中央指派陳誠到東北統率作戰，並不是一個好的決定，對東北是毫無幫助的。但對於東北的失敗，鄭洞國也覺得不全是陳誠的過錯，他認爲這個敗局是歷史的必然，要和國民黨本身內部因素連在一起的，這是在陳誠來東北之前就已經注定的事情。

〔註 33〕張玉法、沈松僑訪問，沈松僑記錄，《董文琦先生訪問記錄》（臺北：中央研究院近代史研究所，1986 年），頁 140。

〔註 34〕沈雲龍訪問，林泉記錄，《王鐵漢先生訪問紀錄》（臺北：中央研究院近代史研究所，1985 年），頁 92。

〔註 35〕杜聿明，前引書，頁 2。

〔註 36〕鄭洞國、鄭建邦、胡耀平，《我的戎馬生涯——鄭洞國回憶錄》（北京：團結出版社，1992 年），頁 461。

在得知陳誠即將到東北接手軍政事宜時，東北耆宿張作相（1881～1949）、馮庸（1901～1981）、高惜冰（1893～1984）等 11 人，曾就東北黨政軍各方面的情形，寫給陳誠一封信，對於當地狀況，頗有一些描繪，指出軍事方面，「今者大敵必須國軍，小敵亦必須國軍，奸匪竄擾無已，國軍疲憊不堪」；政治方面，「東北情況雖屬特殊，而機構制度實多與實際需要，未能切相配合。由以機構之繁多、編制之龐大，事權分割、效力低劣，爲目前之大病」；黨團方面，「東北在光復後主持黨務者，聞有出賣黨證，志在斂財者。種種劣跡，馴至地方公正人士，胥與絕緣」；尤其軍糈民食方面：

> 東北目前收復地區，不過二十餘縣。本年遼北戰事，春耕十廢其九。奸匪所至，存糧劫掠一空。因之產糧區域，已發生嚴重之民食問題。迨至青黃不接之時，期危機之嚴重，益將不敢設想。因之軍糧若在東北採購，就令徹底禁止人民食米，亦將搜縫無方。〔註 37〕

由此也可以看出東北人對於熊、杜的作爲並不滿意，並對於陳誠出任東北一事，抱持著正面的期許。

實際上，從檔案資料來看，陳誠亦非如熊式輝、杜聿明所說，是爲了自己本身的利益，而向蔣中正自薦到東北的。當陳誠看完上揭張作相等人信件內容後，曾感慨說：「這樣的東北，我來了，又有什麼用？可是你也不來，我也不來，要主席自己來嗎？」從中可看出，陳誠對於出任東北的無奈，和對東北的不樂觀；只是憑藉著忠於蔣、爲主席分憂，所以日後在回憶東北時說道：他之所以來東北，是「知其不可爲而爲之」的一種行動。

早在 1946 年 3 月，陳誠即對東北問題發表其看法和應對方向，對於宣傳、政治、經濟方面，各提出了一些方案：

> 在宣傳上，應說明中共所鼓吹之人民自治，乃是借自治之名，行分裂之實，於人民、於國家均有害無益。在政治方面，俟國軍推進各省各縣後，一切行政工作，應盡量就地選擇地方幹部擔任；其標準以向在當地工作著有成績，而深得民心者爲首要條件；省及縣之民意機關，應於短期內成立，積極推行地方自治工作，針對東北實況，訂定施政綱要，限期完成。在經濟上，針對敵人十餘年來之農村剝削，以「二五減租」爲中心，並適當分配日、韓掠奪之土地，以收拾人心與鞏固社會生活。〔註 38〕

〔註 37〕〈剿匪（從軍回憶之三）〉，《陳誠檔》，008-010105-00009-005-027。

〔註 38〕〈陳誠兼東北行轅主任資料附件〉（1946 年 3 月 11 日），《陳誠檔》，

從中可看出陳誠對於當時的中國現況，和共產黨方面的行爲處事，是十分了解的。且西安事變後，一般皆認爲東北人不但不受中央調處，在中央任職的東北人自身也不團結，中央和東北鄉親之間的關係惡劣。對此，陳誠反倒覺得光復後，此時正是一個化解雙方之間關係的好時機，因此在對於如何接收東北，如何爭取東北民心、安定民生上，都是有所見解的。

1947 年 7 月，美總統特使魏德邁來華，曾赴東北訪問，認爲東北現狀，與人謀不臧有關，於是國民政府有了調整東北人事的考慮。陳誠在當時以參謀總長的身分，奉派陪同魏德邁至瀋陽視察，〔註 39〕並檢討東北各項問題。在返回南京後，陳誠向蔣中正報告東北情況，並對東北人事調整提出建議。陳誠先向蔣中正推薦由北平行轅主任李宗仁兼任，但李宗仁不願意；而後推薦讓國防部長白崇禧兼任東北，但在 7 月 23 日，白崇禧回電給蔣中正，自認爲難以勝任而婉拒了：

> 近日辱承垂詢西北、東北、華北各問題，職曾抒鄙見，以供決策之參考。職備位中樞，素承優遇，遇寵錫護宥，感篆五中，每思長侍左右，貢其一得知愚。故日前蒙以東北行轅任務徵詢，職當時面懇辭謝，請另委賢能（任何人負東北行轅主任，職願從旁幫助）。職並非畏難苟安，曾經考慮再三，方敢出此。東北環境，職知之甚深；東北形勢，更爲中外所重視，職有自知之明，決不能勝此重任。望鈞座慎重考慮，並懇宥其愚忱而寬恕之，無任感禱。〔註 40〕

在同一天，蔣中正即召見陳誠，商討東北和西北人事的意見；並在隔天對於東北行轅人事未能順利調整，感嘆說：「彼輩只知爭權奪利，而不肯略盡責任；畏難避重，但增予憂辱而已」。〔註 41〕8 月 2 日，蔣中正召見陳誠，決定派其去東北，負責指揮軍政，並和陳誠說：「如我之主將能使敵畏懼。則匪欲來犯，亦必不敢於輕動也」。〔註 42〕

由上述可知，蔣中正指派陳誠到東北最初的用意，是爲一個政治宣誓的

008-010506-00001-002-005。

〔註 39〕吳淑鳳編，《陳誠先生回憶錄——國共戰爭》（臺北：國史館，2005 年），頁 115 中所紀錄陳誠爲 8 月 12 日奉派至東北視察，據郭廷以先生《中華民國史事日誌》中紀載陳誠奉派至東北時間應爲 7 月 12 日。

〔註 40〕《蔣中正總統檔案：事略稿本》（臺北：國史館，2012 年），民國三十六年六月至八月，7 月 23 日記事，頁 418。

〔註 41〕《蔣中正總統檔案：事略稿本》，前引書，頁 424。

〔註 42〕《蔣中正總統檔案：事略稿本》，前引書，頁 492。

角色，讓陳誠以參謀總長之姿，到東北指揮行政、軍事作戰，表示中央對東北的重視，並期許能穩定住東北的局勢。而陳誠本身對於這項決定，則是抱持著忠於蔣中正，爲主席分憂的心態而去。從當時張群對陳誠說，蔣中正已准許熊式輝辭職，並指派陳誠暫兼東北行轅主任一事中，陳誠對張群的回答：「這救了天翼兄，害了我了」。〔註 43〕

而如上一節所敘述的，從抗戰開始，但凡蔣中正遇到困難無法解決的戰場，大多是指派陳誠去收拾處理。故而此次蔣中正依然指派了陳誠到東北赴任，但就陳誠自己的說法，則是想到國步艱難至此，如果能爲主席稍分一點憂勞，自是義不容辭的，但參謀總長職務則必須准他擺脫。蔣中正考量之後，卻只准陳誠兼，不准他辭，在陳誠兼任東北行轅主任時期，參謀總長職務交由參謀次長林蔚代行。且因命令已發佈，不顧成敗得失，只有前往。

1947 年 8 月 29 日，國府撤換了熊式輝，改由陳誠以參謀總長之姿，接手兼任東北行轅主任，並合併了功能有所重疊、且互相衝突的東北保安司令長官部，直接指揮東北軍政。9 月 1 日早晨 8 點 50 分，陳誠搭乘「追雲號」飛東北赴任。9 月 2 日，陳誠在東北行轅大禮堂正式就職，並發表《告東北軍民書》，內容宣稱：「今後行轅之首要任務，即在執行政府剿匪國策」；「宜及時去奢崇儉，力挽頽風，各就崗位、各盡職守，於艱難困苦之中，尋求自力更生之道」。〔註 44〕

第三節　陳誠整頓政風吏治

一、人事與機構整併

1947 年 8 月 28 日，中央發佈由參謀總長陳誠兼任東北行轅。9 月 1 日，陳誠到東北接管軍政大局，戰略方針可由自述的 12 個字來形容：整飭內部，安裕民生，培養戰力。至於怎樣「整飭」？怎樣「安裕」？怎樣「培養」？即是提出一個「正常化」的口號，以爲一切設施的準則。所謂的「正常化」，就是因爲當時眼睛所見到的、耳朵所聽到的，都不太正常，因此不能不加以糾正罷了。譬如軍官的職責是練兵、是打仗，軍官都能盡其職責，而不分心

〔註 43〕 吳淑鳳編，前引書，頁 131。

〔註 44〕 〈陳誠正式就兼職〉，《大公報》，1947 年 9 月 3 日。轉引自孫宅巍，前引書，頁 244。

外務，這就叫作正常。反面來說，他們放著應盡的職責不管，卻忙於開報館、辦學校，干涉地方行政；甚至開舞廳、辦工廠、走私做生意，這當然就不能說是正常了。在如地方官吏的職責，是組織民眾、安緝地方、充裕財源、推行建教，這就叫做正常。如不此之圖，卻一味的要練兵、要擴張地方武力，便不能叫做正常了。〔註 45〕

關於行政、軍事、經濟、民心方面，陳誠到東北後，作了幾件措施：

（一）在行政上，樹立重心統一領導。東北在西安事變後，「中央派」，即由中央授意成立的「東北協會」，既無人可以領導；「地方派」，即「東北黨務辦事處」，又完全失其重心。抗戰軍興，東北人士在後方者，各以所近爲其所親，無形之中，中央派系又反映在東北同鄉之間。自光復以來，原本可以視爲雙方關係改變的一大契機，而中央負責的人員，卻也沒能洞察到這點並重視這點，表面看是互相推崇，但實際上卻是各自爭權奪利。所以直至 1947 年，整個東北仍無眞正可以領導的重心。於是東北問題依然陷於混亂複雜，一發不可收拾。〔註 46〕

東北軍政不合，是導致東北與中央關係無法整合，和戰局會演變成劣勢的原因之一；而此點也是國府決定調整東北人事的原因之一。陳誠認爲，若從根本制度上改變，東北仍然是有可爲的。爲消除指揮系統上疊床架屋的現象，把黨政軍都併歸東北行轅負責統管，一切剿匪軍事行動指揮由東北行轅負責。陳誠提出了以下幾點構想：

一、東北最高負責當局，必須能統一黨團、軍政、經濟、外交，眞正負起全責。東北只可有一個最高長官，萬不可有兩個長官至三個長官，變成更複雜的局面。

二、行轅、長官部合併之後，政、經兩委員會亦應依此原則，併入行轅，爲所屬之簡單單位，而不應爲獨立龐大之機構（或根本撤銷此兩單位，與其他各省之）。

三、中央政令、地方人事，應悉以行轅爲承上啓下之樞紐，以行轅

〔註 45〕吳淑鳳編，前引書，頁 119。

〔註 46〕東北黨部的派系問題，包括了東北本地的地方派系，以及因中央領導者不同而造成的組織派系。抗戰勝利後，東北各地都出現了以「中國國民黨」爲招牌的各路人馬，彼此互不相屬，缺乏橫向的聯繫，甚至互別苗頭、各不相讓。而中央大員到達接收時，他們的疏離，不但沒有使其團結，反而因爲能夠分享的政治資源減少，更加深了其內鬥。引自陳立文，前引書，頁 284～285。

之意見爲決定之中心。上不直接下達，下不直接上呈。

四、行轅一切人員，應盡情與地方官吏仕紳打成一片。〔註 47〕

爲此，陳誠提出以下幾點解決辦法：（一）行轅所屬政、經兩委員會，一併裁廢。政治設政務處、經濟設經濟處，完全爲一設計督導之配合單位。而將其所執行之業務，屬省交省、屬市交市、屬交通交路局、屬司法交法院。（二）經委會所屬之各局、所屬之省市縣分局，全部裁併。其業務應屬之中央者，歸還中央；應屬之地方者，撥交地方。（三）各省市就其收復或未收復之情況，以剿匪動員爲中心，制定切合實際需要之體制。應打破固定形式，力求簡單靈活；必須因事設官，不可設官待事。（四）裁廢統委會及其省市分會。其屬於接收問題之計劃與解決，由行轅政務處、經濟處，及有關省市會商辦理之。〔註 48〕

而在陳誠到達東北前，「東北保安司令長官部」已由熊式輝和鄭洞國負責裁撤，併入東北行轅中。陳誠到達後，遂處理後續東北行轅的編制修訂和人員的安置。行轅原已有「主任辦公室」第一、二、三、四處，以及總務處、經理處、軍法處、新聞處等；乃增設衛生處，和砲兵、工兵、通訊 3 個指揮部。將長官部原有的衛生處及砲、工、通 3 個指揮部，撥入行轅；其他各處也分別併入行轅有關各處。行轅原額爲 373 員，長官部併入後，擴大爲 500 員。〔註 49〕因此原長官部人員選用及編餘安置方法：（一）行轅各處主官，即砲、工、通指揮官，並次級人員，就行轅與長官部現職人員，統一給予考核，再擇優應用。（二）餘員除酌派各兵團部隊任用外，正式軍官佐編入軍官隊，軍屬人員由行轅設法安置。（三）長官部軍隊，併入行轅軍官隊，統籌派用。〔註 50〕

（二）在經濟上，根據較爲可靠之統計，東北接收之敵僞產業物資，其估值總額爲 1300 餘億（1946 年流通券單位）。但眞正收入國庫者，僅僅只有 4 億。在東北工礦事業，依照日本人的底冊共有 800 多個單位；但在統委會登記有案者，至陳誠到東北爲止，僅剩下了 500 多個單位。前者等於百分之百

〔註 47〕〈東北問題參考資料〉（日期不詳），《陳誠檔》，008-010506-00009-003-03。

〔註 48〕〈東北問題參考資料〉（日期不詳），《陳誠檔》，008-010506-00009-003-10。

〔註 49〕〈陳誠致蔣中正八月庚電〉（1947 年 8 月 11 日），《陳誠檔》，002-020400-00015-102-001。

〔註 50〕〈陳誠致蔣中正八月庚電〉（1947 年 8 月 11 日），《陳誠檔》，002-020400-00015-102-002。

未能收入國庫，後者失去下落不明的，竟然約達300單位。

爲振刷風氣、澄清吏治、整肅紀綱，陳誠提出了幾點構想：

> 一、下令各國家銀行，開列向關內匯款一次在五百萬或千萬以上之名單；並計算其歷次匯款之總額，按名加以糾察，極易窺其究竟。二、下令各商業銀行，放察其存户及其股東，如係軍政官吏，可一一統計其資產之數字，而切究其來源。三、下令調查各較大商店、糧店、運量公司，而查明其股東，如係政府官吏，可統計其資財，而查其來源。四、獎勵清廉，應規定詳密辦法。〔註51〕

如前所述，陳誠到東北後，面對亂象，都強調一個「正常化」。有關充實戰力方面，國府派往東北的將領、軍隊，常有不務正業的情形出現，在度過了 8 年艱苦的抗戰後，這些國府派往東北接收的官員和將領們，初到這物產豐富，油水滿地的富裕之地，又是以戰勝日本，光復國土之姿到來，難免會有部分將領、部隊自大傲慢，爲謀求私利而作出「不正常」的事情，久而久之則會造成國軍的腐敗。陳誠爲了制止國軍繼續腐敗，考慮軍人不務正業，開舞廳、走私、做生意等情形，如一律放任不管，則久而久之，誰還肯練兵打仗，出生入死？所以要求加強取締，期使軍人能恢復正常生活，自可收充實戰力之效。

除了追查收入、嚴禁經商外，陳誠還懲辦了黨政軍貪污人員，如查辦汽車兵團團長馮愷、逮捕前「日本俘僑管理處」處長李修業等。並將開設賭場的中將田湘藩監禁法辦；將收編軍隊買空賣空的少將劉介輝遞解出境；以及把不戰而逃的本溪區保安司令李耀慈以「棄守領土」罪處以死刑。〔註52〕

（三）在軍事上，東北當時情形，大街小巷到處充斥著游雜部隊的番號，有官多於兵、兵多於槍的怪事。這類部隊，擾民有餘，對於剿匪戡亂，實質上是毫無幫助。因此陳誠規定：凡未奉政府核准之任何名義的游雜部隊番號，一律取銷。其中如有素質較好的官兵，則在國軍中給予適當職位安插；剩餘部隊交由地方政府，使其設法從事生產工作。〔註53〕

取銷游雜部隊外，陳誠也積極整編新軍、擴充部隊。將東北原有 9 個保安區的 11 個保安支隊及交警總隊等，擴編爲 4 個軍（新三軍、新五軍、新七

〔註51〕〈東北問題參考資料〉（日期不詳），《陳誠檔》，008-010506-00009-003-18。
〔註52〕杜聿明，前引書，頁4；孫宅巍，前引書，頁245。
〔註53〕〈陳誠呈蔣中正東北行轅九月十六日代電〉，《蔣中正總統文物》（以下簡稱蔣中正總統檔），國史館，檔號：002-020400-00015-124。

軍、新八軍）；把騎兵支隊擴編爲騎兵師（3 個旅）；又將青年軍第二〇七師擴編爲第六軍。並從蘇北調來第四十九軍王鐵漢部；又增加了炮兵、戰車、汽車等部隊。在擴編的部隊中，新一軍所屬的五十師，和新六軍所屬的第十四師，都是從第十八軍中分出的陳誠基本部隊。數月前和杜聿明失和而去職的孫立人，其新一軍軍長職務，由五十師師長潘裕昆（1906～1982）升任，第十四師師長龍天武（1906～1983）則升爲新三軍軍長。

在人事調整上，陳誠任原副司令長官鄭洞國爲行轅副主任，參謀長兼瀋陽警備司令趙家驤改任東北軍區錦州第二軍事訓練處處長，行轅參謀長董英斌（1894～1960）留任，行轅秘書長由朱懷冰（1892～1968）就任。東北行轅增設政務處，由原遼北省政府祕書長徐鼐（1865～1940）就任。行轅與東北保安司令長官部編餘人員，編入東北訓練團政工大隊。瀋陽警備司令部改組爲瀋陽防守司令部，由行轅總參議楚溪春（1896～1966）接任。遼寧省政府主席由王鐵漢出任；吉林省政府主席梁華盛（1904～1999）調至瀋陽，其遺缺由行轅副主任鄭洞國兼任；撤換瀋陽市長金鎮（1898～1975），由原任市長董文琦回鍋，此舉使當時瀋陽市人心大快。〔註 54〕

二、陳明仁撤職案

陳誠在東北人事懲處上，最被人非議的，則是剛在第三次四平會戰中，成功保住四平、榮獲青天白日勳章的陳明仁遭到撤職，由劉安祺接手。一般大都認爲陳誠到了東北後，不管是在撤換陳明仁的案子，或是整編部隊調整人事上，有很大部分原因，是爲了排除異己、提升陳誠本身土木系的實力。

對此事可分爲二種看法：（一）大多數將領認爲撤換陳明仁，純屬陳誠個人所爲，如熊式輝曾和杜聿明提過：「陳誠一到東北，就撤換掉了剛立下大功的四平街守將陳明仁，這使得東北將領都很寒心」〔註 55〕。杜聿明則認爲：「陳誠到東北後爲排除異己，撤換了遼寧省主席徐箴（1899～1949）、七十一軍軍長陳明仁、五十二軍軍長梁愷（1907～1993）和副軍長兼第二師師長劉玉章，及東北各保安支隊司令，是爲了要讓陳自己的心腹接替」。〔註 56〕鄭洞國在其回憶錄中所述亦略同。〔註 57〕

〔註 54〕陳嘉驥，《白山黑水的悲歌》（臺北：長歌出版社，1976 年），頁 175～177。
〔註 55〕杜聿明，前引書，頁 3。
〔註 56〕杜聿明，前引書，頁 3。
〔註 57〕鄭建邦、胡耀平整理，前引書，頁 286。

（二）部分東北文武官員則認為：陳明仁態度高傲，素來不把省主席劉翰東看在眼裡，與遼北地方各界相處惡劣。梁肅戎也述說到陳明仁在東北的高傲態度，在一次會議上，陳明仁當眾拍桌開罵說：「四平是我的！」，且百般侮辱劉翰東。梁肅戎認為陳明仁根本無視省主席的存在。〔註 58〕四平會戰發生時，陳明仁不准與戰鬥無關的公務人員疏散，他說：「平素你們養尊處優，有福你們享，有情況你們就先跑，什麼事情都是我們軍人來擔當，這樣有礙軍心士氣」，遂下令嚴禁任何人離開四平，此舉造成四平百姓重大傷亡。〔註 59〕戰時，由於所有預先建築工事皆已棄守的狀態下，為了應急，陳明仁下令守軍將囤積在車站前的大豆和高粱代替沙包，築成防禦工事，並將大豆焚毀，來阻擋共軍的進攻，造成財物損失極其嚴重；並在四平會戰結束後，有些許士兵對殘破杳無人煙的市區，下手搶奪財物，造成遼北地方對陳明仁痛恨萬分，並上告到東北行轅，因此陳明仁被免了職。

有另一說法，是說遼北省主席劉翰東與陳誠為保定軍校第八期炮兵科同學，因此在陳誠上任之後，陳明仁即被撤職。主張此說法是陳明仁去職原因的人，就寫到陳明仁在四平的行為，導致遼北地方各界的痛恨，上告東北行轅，導致陳明仁被免職。〔註 60〕而當時接替陳明仁七十一軍軍長的劉安祺認為，由於戰時徵用黃豆作為積糧之用，或是用於防禦敵人進攻可以理解，但陳明仁的軍人作風過於霸道，因此東北人用種種理由告發他。劉安祺並認為，陳誠可能本來就不一定欣賞陳明仁，再發生這些事情，更容易大為發火，下令撤換陳明仁的職務。〔註 61〕

在四平解圍後，遼北地方對陳明仁都不滿意，主要是因為他侵吞東北行轅存放在四平的救濟物資，扣除掉被拿去當作防禦工事的部分，絕大部分都被陳明仁變賣。梁肅戎講述到：

> 陳明仁賣了幾十火車的糧食，發了一筆洋財。告發他的是一位外國記者蘇努努，並把陳明仁公然行搶的行為拍照存證。此時陳誠出任東北行轅主任，劉翰東為陳誠愛將，就趁機報復。梁肅戎說：我們發揮了地下工作人員的力量，聯合省政府、省議會、省黨部三個地

〔註 58〕梁肅戎口述；劉鳳翰、何智霖訪問，前引書，頁 50。

〔註 59〕陳嘉驥，前引書，頁 176。

〔註 60〕陳嘉驥，前引書，頁 176。

〔註 61〕張玉法、陳存恭訪問，黃銘明記錄，《劉安祺先生訪問紀錄》（臺北：中央研究院近代史研究所，1991 年），頁 90。

方機構，到瀋陽共同把陳明仁告垮了。〔註62〕

從檔案中可以看出，陳明仁的撤職，並不是陳誠能作主決定的事情。並且陳誠在 1947 年 7 月 22 日，還向蔣中正呈請晉升陳明仁、彭鍔、熊新民、宋邦緯官職：

查四平街戰役，我七十一軍陳軍長、八十八師彭師長、八十七師熊師長、五十四師宋代師長，指揮所部奮勇苦戰，使全局轉危爲安，除鈞座累次電令嘉獎，及發給守城部隊獎金五千萬元及勛獎章，帶至前方代授外，對其個人似亦應重賞，以資激勵。茲擬晉昇陳明仁等四員官職如附表，當否乞核示。〔註63〕

四平街戰役有功將領晉級升職審擬表

職　　務	原任官位	姓 名	擬　　辦	備考
第七十一軍中將軍長	陸軍少將	陳明仁	擬准晉任陸軍中將官位並以整編軍長存記	
第八十七師少將師長	步兵上校	熊新民	擬准晉任陸軍少將官位並以整編師長存記	
第八十八師少將師長	步兵上校	彭　鍔	擬准晉任陸軍少將官位並以整編師長存記	
第五十四師上校代師長	步兵上校	宋邦緯	擬准晉升爲少將師長	

並在 1947 年 7 月 30 日，向蔣中正呈請頒給陳明仁青天白日勳章。內文：

據東北戰地視察第六組組長王勁修呈稱：此次四平街戰役，七十一軍軍長陳明仁，以六團殘破之師，抗禦匪軍十萬之眾。血戰十八日，傷亡三分之二，猶能堅苦卓絕，確保四平，轉捩大局，擬請頒給青天白日勛章等情。查所稱戰功屬實，陳明仁一員擬准頒給青天白日勛章一座，當否乞核示。〔註64〕

甚至在 1947 年 9 月 20 日，陳誠回覆蔣中正有關陳明仁任內虧欠方面的電報中，陳誠還幫陳明仁說話：

電瀋陽陳誠總長，查究陳明仁在軍長任內之虧欠。原電曰：「據陳明仁報告，謂在任內積虧券、幣達九千萬元之多，其實情究竟如何，

〔註62〕梁肅戎口述：劉鳳翰、何智霖訪問，前引書，頁 56～57。

〔註63〕〈革命文獻——戡亂軍事：東北方面（一）〉，《蔣中正總統檔》，002-020400-00015-080。

〔註64〕〈革命文獻——戡亂軍事：東北方面（一）〉，《蔣中正總統檔》，002-020400-00015-086。

瀋陽及四平各銀行存匯帳目，希派員密查。並云該軍薪餉有二月未清，此事是否屬實，均望詳覆爲要」。嗣據陳誠呈覆：「（一）陳明仁軍長虧券案，因作戰需要，事前未經請准，或所報有違規定，亦屬事實。以該軍長在四平戰役扭轉戰局有功，似可免予追究手續，並准核銷。（二）經查四平、瀋陽各銀行，尚無假名存匯情形。（三）該軍薪餉八月份以前，均已清發，九月底業將八月份全數結發。〔註 65〕

但在 9 月 24 日，陳誠卻電蔣中正，謂陳明仁於第七十一軍軍長任內縱部擾民、搶掠救濟物資，損毀我國際信譽，擬請將其撤職查辦：

原呈稱：四平會戰後，職曾兩次來瀋陽各方報告，部隊一般軍風紀均極廢弛，以七十一軍爲尤甚，凡該軍所駐防地多方勒索，已遭人民痛恨。近復據「聯總」〔聯合國善後救濟總署〕報告，四平解圍後，該軍竟將八百噸救濟物資搶掠一空，事關國際信譽，請予償還等由。查東北軍政一般紀律極壞，爲整飭紀綱、挽回頹風起見，自應先整飭部隊軍風紀，以恢復人民對政府之信心。茲七十一軍軍長陳明仁，苦守四平固屬有功，但對所部不加約束，縱取擾民喪失民心，於戰後復不顧政府對外協定，搶掠救濟物資，致損國際信譽，殊屬情難可原，擬請准將該員撤職查辦，以正觀聽，而維綱紀，當否乞核示。〔註 66〕

對於此一電文，侍從室在 1947 年 11 月 10 日有所回覆：

一、陳明仁銷假回京後，曾將遼北省主席劉翰東屢請撤守四平，均被〔陳〕拒絕，又省黨部主委羅大愚、救濟總署遼北辦事處長趙惠東臨戰潛逃，經〔陳〕呈請法辦，致懷恨互相勾結，設詞陷害〔陳〕各情形詳報。奉批應將全文抄送陳〔誠〕總長，徹底查明呈核。又羅大愚、趙惠東等，並應電令徹底查辦等因。已於本月十日電飭遵辦。二、陳明仁原任東北第二兵團司令官，現在京待命，未赴東北，謹註。〔註 67〕

〔註 65〕《蔣中正總統檔案：事略稿本》（臺北：國史館，2012 年），民國三十六年九月至十二月，9 月 20 日記事，頁 96～97。

〔註 66〕《蔣中正總統檔案：事略稿本》，前引書，頁 126～127。

〔註 67〕〈一般資料——民國三十六年（十）〉，《蔣中正總統檔》，002-080200-00322-032。

由上述電文，我們可以得知，陳誠在四平會戰結束後，對於陳明仁在四平的勝利是持肯定的態度，不但幫陳明仁呈請升職，更在蔣中正要求陳誠查明陳明仁任內積虧券幣一案時，以站在戰時權變的立場上思考，幫陳明仁說話，但為何在短短四天之後，陳誠反而向蔣中正呈報要陳明仁撤職，我們可從李宗仁回憶錄中所說「陳誠善於揣摩人主意旨」〔註 67〕來推論，在 9 月 19 日蔣中正電陳誠，要他查究陳明仁任內虧欠一事，再加上梁肅戎提及關於四平解圍後，遼北地方省政府、省議會和省黨部聯合起來告陳明仁一事，蔣中正也有情報。〔註 68〕很可能蔣本就有意要將陳明仁撤職，而當時蔣中正又特別注重國際上的看法（可能因為國際上的看法，會影響到美國對國府的援助），因此在短短的四天內，陳誠一反原先肯定的態度致電給蔣，謂陳明仁在四平的行為有損國際信譽，希望將其撤職。合理推斷這或許是導致陳明仁撤職的一重要原因。因此在一般歷史中所述，關於陳明仁撤職一事為陳誠一人主導，這和檔案上的紀錄有相當大的出入。

〔註 67〕李宗仁口述，唐德剛撰寫，《李宗仁回憶錄》（臺北：遠流出版社，2010 年），頁 761。

〔註 68〕梁肅戎口述；劉鳳翰、何智霖訪問，前引書，頁 57。

第四章　陳誠去職與東北失利

第一節　陳誠力挽軍事危機

一、陳誠的東北軍事戰略

1947 年 9 月，陳誠到達東北後，對於東北軍事戰略方面，認爲應該點線面並重，以攻爲守。目前可說是政略、戰略皆無，國軍只注重到了點的得失，四平解圍後，瀋陽一時之間尚無危險，就自以爲轉危爲安，而忽略了整個東北戰局面，其實還是岌岌可危。東北戰場的危機，已不是單純只在軍事作戰上，潛在的危機更是影響戰場的勝敗；已經不應該問收復了幾個省、幾個市，而應該問收復了幾個鄉、幾個鎭。

陳誠又提到，以當時東北的局面來說，點是孤點、線則斷斷續續不連貫、面則支離破碎；若據點一失，則線即斷，線斷則面無，支撐是十分單薄的。在遼寧、錦西一帶出城 5 里以外，便在中共控制之下；連人民繳納賦稅，都是繳納給中共。遼北一帶，雖然沒有共軍出沒，但國軍方面亦難以接收。

從接收當時意氣風發的國軍，和四平解圍後的國軍作比較；抗戰剛結束時的民心，和此時作比較，在戰局由盛轉衰，接連吃敗仗之下，軍隊士氣方面，亦十分低落。所以從政略和戰略來說，應該要主動出擊、改守爲攻，以攻擊代替防守，才有繼續在東北生存的可能。若是坐等共軍來襲，只想著防守，那東北各據點會漸漸的被中共蠶食掉，最後整個東北必定淪陷無疑。〔註 1〕

〔註 1〕〈東北問題參考資料〉（1945 年 4 月 14 日），《陳誠副總統檔》（以下簡稱陳誠檔），國史館，檔號：008-010506-00009-003-05。

爲此，陳誠提出了幾個整體方向性辦法：（一）戰略必須抽調重兵，立刻採取主動，以攻爲守；政略亦必切相配合，立圖前進。（二）應集中物力，修復中長鐵路，使線能連貫，以保衛長春、策援吉林、鞏固四平、威脅哈爾濱。（三）爲預防中長鐵路遭受襲擊，應注重吉海、瀋海兩鐵路之搶修與保衛。爲預防大石橋－營口線之遭受破壞，應注重溝幫子－營口線之整理與掌握，務期線能通而無阻、點能連而不孤、面能以點線爲屏障，而能日趨展開。（四）大部接收之省分如遼寧，應運用政治方法，由點線展開搜索。必須使散匪肅清，全面安定。（五）各臨近匪區縣府，應一律改爲戰時體制。平時不限其經費，而限其完成民眾組訓；戰時不限其守城，而限其不得離境。（六）未接收之省市，應簡化機構，滲入敵後，隨時予匪以襲擊，相機作面的推進，以配合大軍之反攻。〔註2〕

在東北軍事整理方面，陳誠部隊整編情形：

（一）東北地方原有 13 個保安司令部及其所屬部隊，另外尚有 12 個步兵支隊，及騎兵部隊大小單位甚多，大都空虛紊亂，不堪作戰。爲充實戰力，乃加以整編。將東北保安部隊改編之 11 個暫編師，爲迅速整理加強戰力起見，擬專設 3 個督訓處。〔註3〕將步兵分別整編爲 3 個軍，將騎兵改編爲騎兵司令部，將其編爲 3 個旅及兩個獨立團，其餘編爲 3 個團。所有整編部隊，其待遇與裝備均與國軍同。又爲便於指揮作戰，復將原有及新編之 11 個軍及其配屬部隊，編爲四個兵團司令部，分別統率。如此單位略爲簡化，層次比較分明，指揮較有系統，軍紀亦稍見嚴肅。

（二）東北各省尚各擁有保安團隊，大多只存番號，毫無實力可言。但經常均照編制開支，虛耗國帑，莫此爲甚，亦應一律加以編併。除遼寧、遼北、吉林三省保安司令部，原有 2 個保安團，各編併爲 1 個團；安東、松江、嫩江三省保安司令部，各改爲民政廳保安科，原有 1 個保安團，保留 1 個保安隊，做爲省府守衛之用外，其他各省保安司令部及保安團，一律取銷。剩餘兵員以充實保留之保安團。編餘幹部即集中訓練，以從事匪區內之地下工作。〔註4〕

〔註 2〕〈東北問題參考資料〉（1945 年 4 月 14 日），《陳誠檔》，008-010506-00009-003-05。

〔註 3〕〈陳誠呈蔣中正東北行轅九月十六日代電〉，《蔣中正總統文物》（以下簡稱蔣中正總統檔），國史館，檔號：002-020400-00015-124。

〔註 4〕吳淑鳳編，《陳誠先生回憶錄——國共戰爭》（臺北：國史館，2005 年），頁

二、僞軍編收案

回溯抗戰勝利之初，國府方面即有進行軍隊的整編及僞軍的處理：抗戰勝利之初，國府軍隊人數超過了440萬人，〔註5〕但國府方面爲了反共與接收的方便，又大量委任各地僞軍將領和編收僞軍。而這龐大的軍隊人數不但造成了國府沉重的負擔，還未必能增加國軍的戰力，1944年至1945年底，國府認爲軍隊人員與番號雖多，作戰力卻降低。〔註6〕故1944年11月20日，國民黨中央召開中央臨時常會及國防最高委員會，決議爲調整中央黨政軍機關人事，以加強行政效率，增進抗戰力量。因此國府在抗戰末期，一面進行抗戰，一面準備裁軍的計畫。陳誠於1944年任職軍政部長，於是整軍復員和接收的工作有很大一部分由其負責。基於國家財政和國家整體發展考量不得不展開軍事復員工作。戰爭時期所需用的兵力，與平時所應有的兵力之間差距極大，因此軍隊復員的第一件事，就是把戰時的龐大兵力，縮減成平時所應有的兵量，也就是整編軍隊。

據1944年統計，全國兵力計有120個軍，354個師，31個旅，112個團，15 個營，這個數字可說是十分的驚人。在日本投降之前，國府方面即已著手整編，抗戰勝利之後，當然更加緊工作。截至1945年底止，初步整編計畫已完成。關於整軍方面的成果有，整編後兵力計爲 89 個軍，2 個騎兵軍，253個步兵師，計裁減34個軍，110個師，21個旅，83個團，10個營（所餘之旅團營均編入步兵師）。〔註7〕軍事機構的調整，原有4268個，裁去1471個，約裁減40%，軍事學校原有93個，裁去69個，新增5個，現有29個，約裁減60%。軍隊整編與軍事機關學校調整結果，人數由590萬，減至490多萬，共計減去100萬人。此爲戰後國軍較爲具體的數目。〔註8〕

119～120。

〔註5〕劉熙明，《僞軍——強權競逐下的卒子（1937～1949）》（臺北：稻鄉出版社，2002年），頁379。據僞軍一書估計，至1944年底止，國軍有600萬人。

〔註6〕〈整軍計畫及實施經過：軍政部次長林蔚報告〉，《政治協商會議（下）》（上海：國際出版社，1946年），頁56。

〔註7〕國民黨第六屆二中全會，林蔚代軍政部長陳誠報告中1945年軍事復員情形，計裁減了36個軍，109個師，21個旅，約減1／3，現有89個步兵軍，2個騎兵軍，242個師。在數字上稍有出入。〈石叟叢書傳記：抗戰（從軍回憶之四）〉，《陳誠檔》，008-010105-00010-007。在林桶法著的《戰後中國的變局——以國民黨爲中心的探討》，頁103。

〔註8〕林桶法，《戰後中國的變局：以國民黨爲中心的探討》（臺北：臺灣商務，2003

1946 年，經軍事三人小組決定整編國軍，及統編共軍爲國軍之基本方案後，國軍及分期實施整編：第一期爲 12 個月，將所有部隊編爲 36 個軍，108 個師（內含共軍 6 個軍 18 個師）；第二期再縮編爲 20 個軍，60 個師（內含共軍 11 個師），特種部隊保留爲編成後全國陸軍總額之 15%。照此方案，第一期先縮減 1 / 3，分三個步驟實行，每個步驟爲期 2 個月：一、爲隴海沿線及西北部隊（新疆除外），二、爲長江流域及其以南部隊，三、爲東北華北及新疆部隊。實施以來，計第一個步驟整編 27 個軍，67 個師；第二個步驟 29 個軍，80 個師，均已先後整編完成。

由此可以認定，裁軍在當時是屬於一個全國性的裁編，但在最後第三個步驟的裁編東北、華北、新疆三處部隊因任務的關係並未能如期裁編，之後因國共爭鬥範圍擴大，整編工作，遂告停頓。〔註 9〕。而在當時國軍整編的過程中，在僞軍接收編遣方面，國府也分爲重用和不重用兩派，關於僞軍和游擊隊則有謠傳將一律遣散，這對僞軍投降國府產生信心動搖。〔註 10〕

在處理僞軍的辦法，陸軍總司令部主張遣散留用均可。1945 年 9 月 8 日在軍事委員會聯合業務會議中，對此曾有討論。軍令部次長劉斐（1898～1983）意見：一、總司令何應欽所定之辦法有欠徹底，第一有給與而不足用，第二名義似給與又未眞正給與，將招致僞軍之惶惑疑懼，恐爲奸匪所乘所用；二、處理僞軍似應把握三大原則：（一）根本原則，一律編遣，目前安其心理之一切辦法，均屬臨時與過渡性質；（二）爲備將來政府明令編遣，仍不失信用起見，給名義一層，目前全由何兼總司令及戰區給與，中央不直接辦理；（三）既經給與名義，則發伙食不發薪餉之辦法，似不合理，仍需核實發給給與。

軍令部長張治中（1890～1969）意見：一、僞軍應一律遣散，本人所知，僞軍不但不能幫助各戰區維持交通，且須派隊予以監視；二、不必顧慮彼輩變爲奸匪，腐化份子即奸匪亦未必樂用；三、國家抗戰軍官，尙在編餘，而僞軍新近發表總司令及軍長者多人，精神影響，至爲不良。

年），頁 103～104。

〔註 9〕〈石叟叢書傳記：抗戰（從軍回憶之四）〉，《陳誠檔》，008-010105-00010-007。

〔註 10〕國府侍從室高級幕僚唐縱提到：「我曾簽准對於漢奸一律受法律審判，並褫奪公權終身，分交中央黨部、行政院、軍委會參照辦理，爲受降便利起見，未予發表。」見於唐縱，《在蔣介石身邊八年——侍從室高級幕僚唐縱日記》（1946 年 1 月 14 日）（北京：群眾出版社，1991 年），頁 579。

銓敘廳廳長錢卓倫（1890～1967）意見：一、就人事立場言，收用僞軍軍官，於情於法於理，均有未合。汪僞組織所造之軍官學生及派往日本之士官生，有知識而無靈魂，豈能謂爲擇優錄用？二、抗戰編餘軍官，尚難圓滿安置，何能安插僞軍軍官？陸軍總部所定收容辦法，似可廢除，能應一律遣散。〔註11〕

僞軍方面的收編也是復員的工作重點，滿洲國和汪精衛政府，都設有名目眾多的僞軍，如：建國軍、綏靖軍、皇協軍、和平建國軍、人民自衛軍、興亞軍，剿共軍等等都是。此外還有察綏方面的蒙古軍，綏西聯軍等，總計51個單位，共約60餘萬人。〔註12〕

抗戰勝利前1945年4月，熊式輝擔任中央設計局東北復員設計委員會主委，即計畫在抗戰勝利後，抽調部分中央軍的精銳部隊進駐東北，作爲軍事基本力量。而僞滿軍則採取改編和整訓，作爲中央軍的輔助力量，來達到統治東北的日的。

國府在收編僞滿軍方面，國軍在進入東北後，沿路收編流散的僞滿軍和地方武力，來補充國軍兵力，或輔助國軍作戰。在東北行轅方面，熊式輝也曾電請編收東北僞軍，和土默特旗長沁布多爾濟（1905～1951）部爲保安隊，蔣中正也在1946年1月10日覆電同意。〔註13〕由此可以看出，不管陳誠是否不准熊式輝收編僞軍，東北實質上還在進行僞軍的收編。

而南滿和北滿由於環境不同，國府在策略上也有所不同。對於北滿、東滿等地，由於路途遙遠，國府力所不及，因此多採取籠絡的方式。而在南滿，國府可控制的區域內，則是整編和整訓。1946年3月，陳誠根據蔣中正的指示，電示熊式輝，統籌收編僞滿軍與地方武力，並將其定位爲維持地方治安與輔助正規軍的「保安團隊」，部分則撥補正規軍。〔註14〕

此時國府在東北由熊式輝統籌編收僞軍，在蘇軍撤離東北後，需要有人全權處置收編僞軍，才可避免各地將領自行其是。且在1946年初國軍和中共爭奪南滿大城市時，打勝之後需運用熟悉地方的僞軍，協助清掃戰場和維持

〔註11〕〈石叟叢書傳記：抗戰（從軍回憶之四）〉，《陳誠檔》，008-010105-00010-007。
〔註12〕何智霖編，《陳誠先生回憶錄——抗日戰爭》（台北：國史館，2004年），頁173。
〔註13〕秦孝儀總編纂，《總統蔣公大事長編初稿》卷六上冊（臺北：黨史會，1978年），頁10。
〔註14〕劉熙明，前引書，頁486。

治安，以避免國軍北上時，後方被共軍騷擾和切斷補給線。1946 年 10 月國共停戰結束，在停戰時期，國共雙方各自休生養息，國軍在南滿與熱河兵力，達到 7 個軍，共計 25 萬正規軍，以及各類型偽滿軍的地方武裝約 15 萬人，共計有 40 萬人。〔註 15〕

而共軍方面，則是清掃了北滿的反共偽軍、游擊隊，鞏固了北滿的根據地，並徵招了許多不是偽軍的兵源。從偽軍戰力上來看，偽滿軍正規軍在當時蘇聯控管東北時期，就已經被蘇聯瓦解，分散在東北各地，集結起來也可說是烏合之眾。而少數未被蘇軍瓦解的鐵心部隊〔註 16〕，可說是偽滿軍中戰力不錯，訓練精良的部隊，但在長春卻被共軍殲滅。

在反對重用偽軍方面，陳誠主張最力，表示：「如把偽軍編成正式部隊，不僅妨害國軍的整編，且混淆了國軍的血液，千萬不能辦。」〔註 17〕「我們是戰勝國，絕不能用日軍配合偽軍打共產黨，我們有的是美式裝備的部隊，足夠可以打垮共產黨。」〔註 18〕李宗仁在當時擔心若游擊隊或偽軍因此投共的話那該怎麼辦？並曾向陳誠說到，「辭修兄，你這種幹法是替共產黨湊本錢啊！」陳誠回答：「他們要到共產黨那裏去，我求之不得，正可一鍋煮掉。」〔註 19〕

當時陳誠的主張是由經濟層面來看，軍費的開支一直是國家財政上的一個極大的負擔，從抗戰期間開始，每年的軍費支出，約佔全國支出的 60%以

〔註 15〕鄭建邦、胡耀萍整理，《我的戎馬生涯——鄭洞國回憶錄》（北京：團結出版社，2008 年），頁 438。

〔註 16〕鐵心部隊為鐵石部隊步兵旅代號，部隊長（旅長）是粟野重義少將（日本人），鐵心部隊下轄第 26、37 兩個步兵團和一個騎兵支隊，總人數約 8500 名左右。司令部設在灤縣野雞坨。鐵心部隊防區為冀東地區鐵路以北的山嶽地帶。(1) 步兵第 26 團：原屬駐佳木斯的第七軍管區轄下的步兵第 7 旅，團長劉德溥上校，代號劉德部隊，駐防灤縣榛子鎮。(2) 步兵第 37 團：原屬駐錦州市的滿洲國軍第 1 師（原靖安軍），團長南清一上校（日本人），代號南清部隊，駐防灤縣楊店子，一部駐遷安。(3) 騎兵支隊：從騎兵第 21、38 團各抽調一部合編（一說從騎兵第 10、28 團中抽調），相當於兩個騎兵連的兵力，支隊長為日籍少校，駐野雞坨。

〔註 17〕劉措宜，〈抗戰勝利後蔣介石收編偽軍經過〉，《文史資料選輯》第 36 輯，頁 162～163。

〔註 18〕張耀宸，〈湯恩伯勾結敵偽的一個例證〉，《江蘇文史資料選輯》第 3 輯，頁 101。轉引自劉熙明，前引書，頁 380。

〔註 19〕李宗仁口述，唐德剛撰寫，《李宗仁回憶錄》（臺北：遠流出版社，2010 年），頁 761。

上，在戰後雖然進行了整軍會議，擬將 250 個師減爲 90 個師，待整編至 90 個師後的 6 個月，國軍將縮編爲 50 個師，若要完全實施，還需要一段時間和龐大的編遣經費。

就當時情況分析，國府正處於優勢，並在 1946 年國共與美國共同達成《關於軍隊整編期統編中共部隊爲國軍之基本方案》〔註 20〕時，國軍整編已超過半年之久。距離抗戰勝利也已一年多，國府對於僞軍的整頓也到達尾聲，僞軍的出路大致上已定。時間到了 1946 年 10 月止，國共內戰除東北在松花江兩岸膠著外，關內國軍仍是優勢。由此可以判斷出，陳誠此時留意到的是國府的財政負擔，至於僞軍方面，不管剩餘的僞軍有沒有投共，對當時的戰況似乎並無顯著的影響。

而日本宣布投降之初，僞軍大多以能保持身家性命就已滿足，若能及時遣散，並不困難，但之後他們恐懼的心理消失，反多奢望，這不僅造成社會動盪，也對國家經濟更增加負擔。〔註 21〕

在軍事委員會聯合業務會議決議後，陳誠雖然主張不收編僞軍，但在執行上卻有很大的落差。高級將領主張重用僞軍，且不理會陳誠政策者眾多；蔣中正也授權地方接收將領，全權處置僞軍。〔註 22〕而各地方軍政大員，紛紛全力編收僞軍，重用僞軍在當時國府中成爲普遍現象。如傅作義收編了投奔國府的僞蒙軍；胡宗南除拉攏門致中外，也攏絡東北僞滿軍。〔註 23〕

然而，因未能及時遣散，軍政部爲顧及既成事實，採取了過渡辦法，由各戰區先行負責整編緊縮。實施結果，在長江以南第三、六、七、九各戰區，及第二、三、四各方面軍範圍內，共有僞軍約 20 萬人。因秩序大體底定，均依照原則一律編遣。在長江以北第二、五、十一、十二等戰區，約有僞軍 42 萬 3 千餘人，除已編遣 20 萬人外，其餘均未及編遣，而國共內戰已熾。

〔註 20〕孫宅巍，《蔣介石的寵將陳誠》（河南：河南人民出版社，1990 年），頁 226～227。

〔註 21〕〈石叟叢書傳記：抗戰（從軍回憶之四）〉，《陳誠檔》，008-010105-00010-007。

〔註 22〕史政局檔案 581/3111.4，《僞軍收編案》（1945～1946 年）：「各地方僞保安團隊之指揮處理，以交由地方行政長官權宜辦理爲原則，惟爲軍事上之需要，個戰區長官得臨時指揮之。」轉引自劉熙明，前引書，頁 380。

〔註 23〕齊述師、齊春才，〈謝文東及其匪隊浮沉記〉，中華人民政治協商會議黑龍江省佳木斯市委員會文史資料委員會編，《佳木斯文史資料》第 3 輯（1984 年），頁 16：胡宗南派人編收合江省實力最好的謝文東部。轉引自劉熙明，前引書，頁 382。

又東北方面亦保留有 1 萬 5 千餘人未編遣。至於僞軍軍官，則分「甘心附逆」,「投機兩可」,「被迫脅從」,「奉派策反」四種，予以應得獎懲。〔註 24〕

編遣僞軍概況表：

區分	原有	現有
單位	五一	一八
人數	約 600.000 萬	約 220.000 萬
備數		長江以南，因秩序底定，已全部編遣，現僅華北一部以情況未能如預期之速，故而整編滯留
附記	尚留系約 15.000 人另行計畫編遣	

以此表我們可知道東北僞滿軍並非一律遣散，已有收編和未收編、待編遣的僞軍。

國府在東北編收僞滿軍大致上來說，是由非東北籍人士所主導，對於國府未重用原東北軍將領來編收僞滿軍，雖然在表面上看來對於收編僞滿軍沒有實質上的影響，但卻可能造成心理上的負面影響，直到東北戰局不利於國府時，國府中央才開始重用東北軍。由時間上推算，要推到 1947 年 9 月陳誠到東北主政時，國府才將國軍中的東北軍四十九軍王鐵漢部，從蘇北調往東北，而此時戰局已對國府極端不利。〔註 25〕

在東北僞滿軍接收一事，被許多人認爲未接收僞滿軍，對國軍戰局影響極大，如何應欽說陳誠以「中央無此預算」爲由，電熊式輝不准收編僞滿軍。〔註 26〕

杜聿明認爲，陳誠下令解散關東軍是一大失誤，杜認爲日本訓練僞滿軍四十萬，由日人訓練，一律日式裝備可說是裝備精良，訓練有素，不收編等於給共黨就地增兵幾十萬。〔註 27〕

齊世英及梁肅戎等東北籍 CC 派人士認爲國府未收編僞滿軍，迫使他們成爲共軍，擊敗國軍。

董文琦認爲蘇軍撤離瀋陽時，所招募的僞軍警發揮了很大的力量，抵抗

〔註 24〕〈陳誠在抗戰前後言論集錄（六屆二中全會軍政報告）〉,《陳誠檔》, 008-010301-00064-004。

〔註 25〕陳嘉驥，《白山黑水的悲歌》（臺北：長歌出版社，1976 年），頁 316～317。

〔註 26〕劉熙明，前引書，頁 493。

〔註 27〕方知今，《陳誠大傳》（臺北：金楓出版社，1995 年），頁 368。

了共軍，因此未能收編偽軍實為失策云云。〔註 28〕

但是否最初由東北軍將領來接收偽滿軍，東北的局勢會比中央軍接收來的好？就這點我們從最初國軍剛到東北接收時情形談起，東北最初還是由蘇聯軍隊所掌控，為求生存，日軍、偽滿軍都在蘇聯的嚴密控制下，國府以戰力精良的嫡系中央軍尚且受到蘇聯軍隊和中共部隊的阻攔，無法順利進入東北，若是派原東北軍將領、官員，如：馬占山（1885～1950）、萬福麟（1880～1951）、張作相等人入東北，在蘇聯壓力下，肯定和中央軍命運相去不遠。

再說這批東北軍將領，在當時蔣中正「消滅各省雜牌部隊」，「哪省軍隊，不准再駐哪省；哪個帶的部隊，不准哪個再帶」〔註 29〕的一貫政策下，國府能否重用他們掌握實權，更遑論能順利收編偽滿軍。而在 1946 年 6 月中央軍進入東北，當時並無原東北將領也無東北軍，當時戰況國府可說是勢如破竹，許多原先投共的偽滿軍認為國府實力強大且為正統，多數投誠到國府。因此可說國府在東北人事安排、編收偽軍上沒有用東北軍將領，和日後國府在東北的失敗沒有必然的關係。

就董文琦所說，在保衛瀋陽上，偽軍發揮了很大的力量，和杜聿明認為，偽軍裝備精良訓練有素一事上，當時瀋陽有萬名左右的偽滿軍警但共軍只有一千多人，而萬名軍警抵抗千餘名共軍，竟需要一個晝夜，並且還是在國軍進入後，共軍才撤走，這都在在顯示偽滿軍的戰力不佳。前述所說鐵心部隊是偽滿軍中，少數未遭蘇軍瓦解且戰力不錯的部隊，但在長春卻遭到共軍輕易的殲滅，更別說是其他散落各地戰力不如鐵心部隊的偽滿軍警了。且蘇聯軍隊進入東北後，早已瓦解了偽滿軍的裝備和部隊，國府在 1945 年 11 月 26 日熊式輝在國防最高委員會中的報告，提到偽滿軍只有十萬人，論者認為 40 萬偽軍在此，應包括流散偽軍、地方武力與土匪的組合。〔註 30〕

至於陳誠在東北方面，國軍在東北內戰的失敗，與國府對偽滿軍的政策，關聯性並不大。因為陳誠在主持裁編軍隊的政策，基本上雖是反對收編偽軍，但實際上卻是難以約束國府其他派系的競相收編。並且在 1946 年 3

〔註 28〕張玉法、沈松僑訪問、沈松僑記錄，《董文琦先生訪問記錄》（臺北：中央研究院近代史研究所，1986 年），頁 104。

〔註 29〕孫渡，〈雲南部隊到東北〉，《遼瀋戰役親歷記（原國民黨將領的回憶）》（北京：中國文史出版社，1987 年），頁 586。

〔註 30〕劉熙明，前引書，頁 497。

月，陳誠奉蔣中正命令，要東北當局全力收編僞滿軍。〔註31〕10 月，國府在南滿已收編了包括地方武裝的各類型僞軍，共約 15 萬東北武力。而陳誠在 1947 年 9 月到達東北前國府已處於劣勢，這些都與收編僞滿軍，沒有必然的關係。

再加上陳誠到東北後，並沒有反對繼續收編僞軍、或要解散已收編的僞軍，從陳誠 1947 年 9 月 16 日電蔣：「准東北行轅電，查由東北保安部隊改編之十一個暫編師，爲迅速整理加強戰力起見，擬專設三個督訓處」〔註 32〕，即可看出陳誠對東北僞軍並無遣散或反對接收。並從陳誠到東北前，東北局勢已處劣勢局面，亦可看出東北僞軍的收編，對國共內戰的勝負，並不是決定性的因素。

而東北人士在陳誠剛到東北時，對陳誠能扭轉東北局面寄予著很大的希望，但最終以失敗收場。在東北剿共失利後，其主觀上認爲國府未收編僞滿軍，是陳誠的過失，並對於陳誠在東北的人事措施上，和陳誠的態度上〔註 33〕，抱持著不滿，如陳明仁的撤職等，因此對陳的批判，也可說是情緒上失望不滿的一種投射反應。總體而言，陳誠執行的整編軍隊，並不是他個人所能徹底執行的，且他個人的若干措施，如到東北後整編保安隊爲暫編師等事，也違背了他一律遣散的主張。陳誠也在多次對他人談話中，暗示是否收編僞軍之相關政策的最後決定者實爲蔣中正。〔註 34〕

〔註31〕軍政部代電 1946 年 3 月 20 日〈爲層奉主席寅佳代電核定東北部隊整編辦法請鑒核由〉。劉熙明，前引書，頁 388。

〔註32〕〈革命文獻——戡亂軍事：東北方面（一）〉，《蔣中正總統檔》，002-020400-00015-124。

〔註33〕陳誠在到任東北歡迎會中的致詞說到：「我到的時間雖短，但接觸的東北人大家都互相攻擊，有原告，也有被告。」這句話讓當時在座的許多人都聽不順耳。見沈雲龍、林泉、林忠勝訪問，林忠勝紀錄，《齊世英先生訪問紀錄》（臺北：中央研究院近代史研究所，1990 年），頁 270。

〔註34〕擔任胡宗南部副參謀長的李昆岡，奉胡之命令到重慶見參謀總長陳誠，表示胡不贊同裁軍，陳誠答稱：「像這樣大的事，我能做主嗎？」而陳誠親信又擔任國防部次長的方天，談到關於中央不准收編僞滿軍之事時，當即表示：「辭公（陳誠）曾請示上峰。」桂崇基，《中國現代史料拾遺》，頁 833 轉引自劉熙明，前引書，頁 382。

第二節　陳誠在東北的軍事失敗

一、國共雙方的部隊整補

1947 年 6 月，中共夏季攻勢結束，由於四平會戰導致雙方損耗巨大，因此雙方都進入了休整和建軍時期。

中共夏季攻勢後收穫頗豐，不但打通了南北解放區，還掌握了東北的主動權，把國府壓縮在只能防守中長鐵路上的幾個重點城市。但最後在四平會戰，共軍的失利也使其軍隊損失不小，原本林彪準備用犧牲 1 萬 5 千人的代價來攻取四平，但他沒料想到實際傷亡人數超過了一倍之多，而且還沒拿下四平。特別是他主力部隊一縱、六縱部隊的骨幹減少了一半，因此在夏季攻勢後，中共方面也積極進行休整，爲下一次的戰鬥作準備。

在這段休整期間，東北共軍除將一縱、六縱等主力部隊補充完整，在 1947 年 8 月，又擴建了 4 個縱隊和炮兵司令部，此外還重劃了軍區，整頓了地方武裝，組建了「東北民主聯軍」總後勤司令部。至此，中共東北野戰軍部隊也擁有了 9 個縱隊、27 個師、10 個獨立師，再加上其他解放區地方武裝部隊，總兵力達到 51 萬以上。〔註 35〕

1947 年中共夏季攻勢，造成國府兵力上被殲滅 8 萬 3 千人，城鎮丟失 42 座，國統區損失了 45%以上的佔領地，以往國府在東、西、南滿三方可以把中共切割開來的局面不復存在。在四平街之役後，國府在東北的統治區域與 1946 年國軍全盛時期相比已不足十分之一，國統區被壓縮到僅控制瀋陽、長春、錦州、四平、永吉、本溪等十餘個戰略要點，且只能注重在防守中長路上的 9 座大城市，而中共解放區卻連成面，根本上東北局面已完全改變，國軍也完全失去了東北戰場的主控權。

9 月陳誠到東北就任行轅主任時，在整頓和組建軍隊上東北行轅也就地成立了 3 個新軍，這 3 個新軍是利用現有的保安區、交警部隊整編爲暫編師，再與現有部隊各師混編而成的。新軍分別是新三軍（以新六軍十四師爲基礎組建，加入暫五十九師與原十三軍的五十四師，軍長由原十四師師長龍天武擔任）、新五軍（以五十二軍一九五師爲基礎，加入暫五十四師與由華北調來的九十四軍四十三師，軍長由剛因四平解圍有功獲頒青天白日勳章的一九五

〔註 35〕朱建華、朱興義，《國共兩黨爭奪東北紀事》（長春市：吉林人民出版社，1999 年），頁 252。

師師長陳林達擔任）、新七軍（由新一軍三十八師爲基礎，加入暫五十六師與暫六十一師，軍長由原新三十八師師長李鴻擔任）。而新一軍、新六軍、五十二軍則各編入一個暫編師以作爲補充，再把青年軍二〇七師擴編爲第六軍。〔註 36〕其他方面則把由僞滿軍隊改編的保安團再改編爲五十八師，把騎兵支隊擴編爲騎兵師（3 個旅），還增加了炮兵、戰車、汽車等部隊，且東北當局鑒於東北國軍在數量上已居少數，華北國軍也無法時常支援或常駐東北，故請准中央自華中等其他地方戰場抽調兩支勁旅（四十九軍、五十三軍）到東北歸東北行轅指揮，希望藉以挽回頹勢。此時東北地區國軍計有：六軍、十三軍、四十九軍、五十二軍、五十三軍、六十軍、七十一軍、九十三軍、新一軍、新三軍、新五軍、新六軍、新七軍、新八軍、暫五十八師，共計 14 個軍，兵力 40 萬左右。〔註 37〕

二、陳誠的東北軍事作戰

國軍在兵力分布的情形如下：六十軍守吉林、小豐滿一帶，新七軍守長春，七十一軍兩個師守四平，暫五十八師守營口，五十二軍一個師守本溪，十三軍守熱河，五十三軍守西豐，九十三軍守錦州一帶，二〇七師守撫順及營盤，其餘守瀋陽及其外圍的鐵嶺、新民等地。

從以上各軍守備地區而言，雖然瀋陽、鞍山、本溪、四平、長春、吉林、小豐滿等重要城市仍在國軍手中，但除瀋陽地區還有些許「面」外，其他都是孤「點」了，這與 1946 年國軍全盛時期相比，其面積已不足十分之一。〔註 38〕

此時國軍與共軍從表面上看，在東北的實力相差不遠，但實際上國軍在東北因戰略上需分守各處，不同於共軍主力專司野戰，把守備交由其解放區的地方武裝部隊，故實力分散易被共軍以大吃小各個擊破。

對於東北戰場日後的戰略方針，陳誠也有所看法，他認爲過去東北國民

〔註 36〕程嘉文，《國共內戰中的東北戰場》（台北：台灣大學歷史所碩士論文，1997 年），頁 45。

〔註 37〕此處軍隊數量上雙方紀錄有所出入《國共兩黨爭奪東北紀事》計 55 萬人，《白山黑水的悲歌》計 40 萬左右，在國軍新增軍和原有軍《國共兩黨爭奪東北紀事》和《我的戎馬生涯——鄭洞國回憶錄》皆計 14 個軍，而《白山黑水的悲歌》11 個軍 2 個師。朱建華、朱興義，前引書，頁 250～251；鄭建邦、胡耀平整理，前引書，頁 290；陳嘉驥，前引書，頁 201～202。

〔註 38〕陳嘉驥，前引書，頁 202。

黨軍隊的戰略失策是未把北寧路錦州至瀋陽段以西的解放軍徹底肅清，致使關外與關內的聯繫始終有被切斷的危險。爲此，他首先調集新由蘇北調來的第四十九軍及由華北抽出的四十三師，投入熱河東部地區，企圖在短期內將北寧路瀋錦線以西地區的解放軍，一舉掃蕩乾淨。在中長線上，陳誠將過去的「全面防禦」改爲「機動防禦」，有計劃的收縮兵力，保衛重點城市。簡單來說就是「確保北寧，打通錦承，維護中長，保衛海口」。陳誠的這個想法，鄭洞國等將領也認爲從軍事戰略角度上來說是合理的。〔註 39〕

爲了實現打通錦承路的計畫，陳誠在 9 月 6 日調動了 3 個師由綏中、興城、錦西分三路向中共熱東解放區建昌進攻，以維護錦州至山海關鐵路的暢通。中共在得到國軍出動的消息後放棄了原本要攻取北寧路的計畫，命令八縱、九縱集中兵力迅速出發尋找戰機，殲滅來犯的國軍。共軍八縱從建昌出發，向錦西西北山區的新臺邊門、梨樹溝門地區前進，並於 9 月 13 日在梨樹溝門與國軍暫五十師發生戰鬥，最終國軍暫五十師 3 個團在共軍八縱 24 師四個團的包圍下，被殲滅了大部分。國軍暫二十二師在獲知暫五十師於梨樹溝門戰敗後，立即從新臺邊門後撤至離錦西不遠的楊家仗子，9 月 16 日被共軍八縱二十三師、二十二師、二十四師和獨立一師所圍殲，國軍再吃一敗。

陳誠在得知暫五十師和暫二十二師相繼慘敗後，爲了北寧路的安危立即命令四十九軍軍長王鐵漢，率四十九軍的七十九師和一〇五師（各缺少 1 個團）4 個團，向楊家仗子出擊。中共方面則以八縱二十二師、二十三師、二十四師和獨立一師共 4 個師 10 個團，從北面重點突破，而九縱則佈置在楊家仗子南和東南要道上，進行阻擊和打援。由於四十九軍初期進展順利，因此輕敵深入中共在楊家仗子部署好的口袋中，遭到共軍合圍。戰鬥從 9 月 21 日下午一點到 9 月 22 日黃昏前結束，剛從蘇北調入東北支援的四十九軍，在這次遼西戰場楊家仗子之役後，可說損傷過半。自 13 日梨樹溝門戰鬥開始，到 22 日的第二次楊家仗子戰鬥結束，國軍共損失了暫二十二師、暫五十師 2 個團、四十九軍的七十九師和一〇五師的 4 個團，和其餘派往楊家仗子的救援部隊約 12000 多人。〔註 40〕

在遼西楊家仗子之役後，爲了重新打通北寧路，陳誠請蔣中正下令在華

〔註 39〕 鄭建邦、胡耀平整理，前引書，頁 287；劉統，《東北解放戰爭紀實 1945～1948》（北京：人民出版社，2004 年），頁 501。

〔註 40〕 程嘉文，前引書，頁 45；劉統，前引書，頁 507。

北的傅作義出兵援助，派出華北九十二軍和一〇四軍，由侯鏡如指揮，向熱河出擊，同時陳誠命調駐長春的新一軍主力回防瀋陽，長春改由新七軍防守。在再次打通北寧路的戰鬥中，由於華北國軍的支援，再加上侯鏡如記取四十九軍前次兵力分散、輕敵冒進的教訓，採取了「集結強大兵力，機動靈活作戰」的戰術，穩紮穩打，使共軍不易各個擊破，再次打通了北寧路。

在侯鏡如北寧路作戰成功後，陳誠記取其作戰方式，制定了一作戰方案：「以瀋陽及其外圍城市為依托，將新六軍、新五軍、四十九軍等部隊組成一個強大的機動兵團，準備在南滿地區，特別是北寧路以西地區，與共軍主力展開決戰。」〔註 41〕但中共東北解放軍為策應北寧路方面的作戰，於 10 月初在北滿地區發起了大規模的秋季攻勢，打亂陳誠的部署。

1947 年 10 月 1 日起中共東北解放軍主力一縱、二縱、三縱、四縱、十縱分路向中長路進發，向四平街南北地區的國軍發動攻擊。2 日，中共第三、第四兩個縱隊趁夜急行軍迂迴繞過了西豐的國軍，鑽進了金寨子溝、威遠堡等地，而國軍五十三軍主力一一六師兵力分佈於西豐外圍各地，因此在後撤沿途遭受到共軍的截擊，駐守昌圖和威遠堡等地的國軍，也受共軍各個擊破，後續補上的共軍並順道殲滅了西豐其他後撤的國軍。此時在駐守貂皮屯和開原東南八棵樹一帶的五十三軍一三〇師（2 個團）在救援一一六師途中，也先後被共軍殲滅，師長劉潤川被俘，不久法庫、彰武等地亦相繼失守。至此五十三軍的實力也和四十九軍一樣，不足原先的一半，同時四平與瀋陽之間的聯繫也被中斷。〔註 42〕

國軍在遼西接連吃了幾個敗仗之後，蔣中正於 10 月 8 日飛往瀋陽，在聽取陳誠匯報後，提出「鞏固瀋陽及其與關內的交通關係，加強瀋陽以北各據點的守備力量，以求確保」的方針，命令新六軍回到鐵嶺。同時應陳誠請求，調華北的九十二軍二十四師、九十四軍四十三師、十三軍五十四師、暫三軍的十、十一師和騎兵四師共 6 個師兵力出援東北。〔註 43〕而中共方面在得知華北國軍向瀋陽及其以北地區增援後，將主力轉向長春、永吉方面作戰，以部分兵力包圍永吉，並相繼攻克德惠、農安等城，與熱河及遼西地區的解放軍相呼應，先後殲滅國軍暫五十一師、暫五十七師大部，並一度佔領了新立

〔註 41〕鄭建邦、胡耀平整理，前引書，頁 289。
〔註 42〕陳嘉驥，前引書，頁 203。
〔註 43〕鄭建邦、胡耀平整理，前引書，頁 290。

屯、黑山、阜新等地。

而國軍在華北方面國軍的支援之下，張垣綏靖公署主任傅作義派出安春山的暫編第三軍，與整編騎兵第四師，保定綏署配合借調九十二軍，再加上東北行轅的一九五師，於 10 月 15 日在新民、新立屯一帶集結，17 日攻彰武縣城。共軍因誤判國軍兵力，便以六縱反撲彰武，遭到暫三軍和整編騎四師的包圍攻擊，在後撤途中又遭國軍騎兵追擊，損失慘重。一九五師宣稱將共軍縱隊砲兵營，連人帶砲全部俘獲。〔註 44〕瀋陽方面號稱是國軍自 1946 年打下四平、長春以來最大的勝利，軍方也對新聞界宣布「匪軍遺屍七千餘，國軍虜獲武器足以裝備一個師」。〔註 45〕

此時四平、永吉外圍的共軍也先後撤圍離去，至 11 月 5 日共軍秋季攻勢結束，前後殲滅了國軍近 7 萬人，攻佔城市 17 座，使東北國軍處於被分割的狀態，兵源、糧食及煤電來源陷入困境。而陳誠初到東北時所說「我保證不准共軍再有第六次攻勢」〔註 46〕，也因接連的敗戰，使其在東北的威信掃地，當時瀋陽人民還諷刺他：「陳誠眞能幹，火車南站通北站。」〔註 47〕面對東北危急的局面，陳誠被迫轉為「重點防守，保持軍力，保住瀋陽」的作戰方針。〔註 48〕到了年底，國軍的幾個新軍相繼擴編完成，並把之前遭受共軍嚴重損傷的部隊加以補充，此時國軍在東北總兵力有 12 個正規軍、30 個正規師、14 個暫編師，加上保安隊和地方武裝，共有 58 萬人。而中共方面在秋季攻勢後，兵力增長到 73 萬，其中正規部隊有 42 萬餘人。〔註 49〕

三、公主屯會戰

1947 年底，陳誠為了打通與關內的交通，決定由瀋陽派大軍向西北出擊，捕殲共軍主力。而此時中共方面發動了大規模的冬季攻勢，打亂了陳誠預計的部署。對於國軍收縮兵力重點防守的情形，共軍若分散兵力，則打不了一個師左右較大的據點，而較小的據點又已經無存，因此決定採取集中最

〔註 44〕耿若天，《中國剿匪戡亂戰史研究》第三冊，轉引自程嘉文，前引書，頁 46。
〔註 45〕陳嘉驥，前引書，頁 196。
〔註 46〕田雨時，〈東北接收三年災禍罪言〉（七），《傳記文學》，轉引自程嘉文，前引書，頁 46。
〔註 47〕劉統，前引書，頁 513～514；鄭建邦、胡耀平整理，前引書，頁 290；朱建華、朱興義，前引書，頁 255。
〔註 48〕鄭建邦、胡耀平整理，前引書，頁 290；劉統，前引書，頁 537。
〔註 49〕朱建華、朱興義，前引書，頁 255；劉統，前引書，頁 538。

大力量，分割其中一部，加以殲滅的策略。12 月 16 日完成了對新立屯國軍的包圍，二縱、十縱二十九師包圍了法庫；七縱包圍了彰武；一縱、三縱、六縱進至新民、鐵嶺、瀋陽之間等待；四縱逼近瀋陽；九縱也從北鎮向新民進發。共軍這一舉動，分割了瀋陽西北的衛星城市，並截斷了北寧路，嚴重威脅了瀋陽的安危。陳誠在得知共軍行動情報後，下令駐鐵嶺的新六軍二十二師增援法庫，但在二十二師進至鐵嶺與法庫間的鎮西堡、調兵山一帶即遭遇到共軍三縱的襲擊而後撤。共軍此一舉動，讓陳誠料定共軍將攻打瀋陽，遂準備派戰略機動部隊的第九兵團等部，從瀋陽、新民、鐵嶺，分三路向瀋陽以西的公主屯地區出擊。

1948 年 1 月，共軍以八縱進至白旗堡繞陽河、九縱進至打虎山、四縱進至海城、遼陽，同時以一縱、二縱、三縱、七縱，四個縱隊進攻公主屯。〔註 50〕而在這個地區有柳河與遼河交錯，並有丘陵起伏，國軍在此有四個軍及兩個師，防守著陣地四周，環列形成一口袋地形，處於外線包圍有利的態勢。計四十九軍以新民爲基地，佈防於白旗堡、腰島臺、巨流河一帶；七十一軍佈防於老邊一帶；新一軍佈防於馬三家子、孟家臺一帶；新六軍佈防於達連屯、鮑家崗子以及法庫等地，而公主屯即是這口袋陣勢的缺口，由新五軍進入向公主屯進攻，並由新三軍在後支援以便堵住共軍後撤時出路。〔註 51〕

1948 年 1 月 2 日，新五軍和新三軍攻擊開始，東北行轅命新一軍與新六軍對新五軍予以有效支援，新六軍需於 5 日到公主屯與新五軍會師。當新一軍與新六軍沿瀋陽－法庫公路，與共軍發生戰鬥時新五軍已將共軍七縱擊退，攻佔登士堡，新三軍也攻佔了黎巴彥、舊門、舊旗堡等地。3 日，共軍十縱與新六軍在遼河達連屯、鮑家崗子等地發生激戰，而新五軍則已挺進至公主屯並將其地共軍包圍。

4 日，林彪親率一縱、二縱、三縱、七縱等近十餘萬主力部隊，向公主屯新五軍處進發，並迅速將其合圍。新五軍軍長陳林達即發電報於東北行轅，請求退守設有良好防禦工事的巨流河。東北行轅副參謀長趙家驤主張讓新五軍迅速放棄公主屯等據點，會同各部，據守遼河以南及瀋陽，以攻勢防禦擊破共軍。陳誠表面同意，但卻遲遲無法下定決心，以至於一天後，陳誠下令

〔註 50〕吳淑鳳編，前引書，頁 122。
〔註 51〕陳嘉驥，前引書，頁 203。

新五軍向瀋陽撤兵時，新五軍已被共軍合圍。〔註 52〕而後新五軍一再急電請援，陳誠認爲共軍以 4 個縱隊進犯公主屯，是國軍殲敵的良機。因此下令新五軍陳林達部堅守公主屯，盡力拘束共軍。另令第九兵團司令廖耀湘，指揮最精銳的新三軍、新六軍爲打擊部隊，並以七十一及四十九兩軍協同攻擊，分途急進。〔註 53〕

陳誠認爲以當時情況，國軍若配合得當，必可收縮口袋將共軍擊潰，但卻因廖耀湘兵團未能遵命行動前進遲緩而失敗。在新五軍苦守五晝夜，遭共軍殲滅時，新六軍離公主屯僅十里之差。當時廖耀湘原可指揮新六軍就近解圍，但廖耀湘卻畏首畏尾，按兵不動，坐失救援時機。〔註 54〕公主屯會戰最終在 1 月 6 日畫下句點，新五軍突圍失敗被共軍全殲，陳林達與兩個師長被俘。這場會戰也是陳誠在東北打的最後一場戰役，而中共的冬季攻勢第一階段遂告結束。

第三節　陳誠去職與京中迴響

一、陳誠東北去職

在公主屯會戰失敗、新五軍遭到共軍殲滅的這段期間，國軍四十九軍七十九師、二十六師亦先後在彰武、新立屯被共軍殲滅，陳誠苦心經營的所謂「機動兵團」，不到一個月，便損耗掉了三分之二。此時的瀋陽只有新三軍和新一軍的兩個師駐守，鐵西區〔註 55〕外圍也僅有幾個兵工廠佈防，共軍趁機砲轟鐵西區，一時之間瀋陽形勢岌岌可危，陳誠一面急將駐遼陽的五十二軍主力和駐四平的七十一軍主力，連夜集結於瀋陽，企圖穩住局面，另一面則連電向蔣告急。〔註 56〕

〔註 52〕鄭建邦、胡耀平整理，前引書，頁 291。

〔註 53〕吳淑鳳編，前引書，頁 122。

〔註 54〕鄭建邦、胡耀平整理，前引書，頁 291。

〔註 55〕鐵西區是遼寧省瀋陽市下轄的一個市轄區，以重工業聞名全中國。鐵西區建制於 1938 年 1 月 1 日，因位於長大鐵路西側而得名。1931 年「九一八」事變後，日本關東軍佔領了瀋陽。成立了奉天市政公署，當時鐵路以西除附屬地外仍屬瀋陽縣。1932 年 11 月「奉天都市計劃準備委員會」成立，並計劃將瀋陽縣所轄的東起南滿鐵路、西到大則官屯，南至渾河、北到皇姑屯定爲西工業區（非行政區）。

〔註 56〕鄭建邦、胡耀平整理，前引書，頁 291。

1948 年 1 月 10 日，蔣中正率國防部作戰次長劉斐、陸軍副總司令范漢傑等，由南京趕到瀋陽主持軍事會議，檢討公主屯慘敗的責任。會議一開始蔣便大發脾氣，痛批眾將領指揮無能，作戰不力，把部隊一批批的送掉，在教訓完東北眾將後，話鋒直轉，改批第九兵團司令廖耀湘和新六軍軍長李濤，責怪他們不服從命令，擁兵自保，見死不救，以至於新五軍覆滅，並要廖耀湘和李濤負起此次責任。但蔣話剛說完，廖、李二人便起身反駁說從未收到援救新五軍的指示，因此不能負責。

而在陳誠方面，則表示曾囑咐過羅卓英給廖耀湘打電話，命其就近解新五軍之圍。雙方一時之間爭執得不可開交，最後陳誠只好表示，他身為行轅主任，指揮無方，願負起新五軍遭滅之責，向蔣自請處分。而蔣在陳誠自己承擔責任後，也只能指示現在仍在作戰中，一切等仗打完再評功過。〔註 57〕在雙方各執一詞無法判斷出是哪方的責任下，我們可以合理假設若是陳誠和廖耀湘兩方都沒有說謊，推掉新五軍遭殲的責任，可以肯定的，是中共在國府內部的滲透成功、國府上下敷衍的腐敗，還有國軍當時指揮命令的傳達，及通訊體系上是有問題的。

國軍一連串的戰敗，和現下瀋陽面臨危急的局面，將陳誠當初出關時的雄心，完全磨耗淨盡。而原本就嚴重的胃疾也更加劇烈，時常得在病榻上辦公。陳誠自覺無力挽救，也不願繼續待在東北督率戰事，因此請求辭去東北行轅主任之職。實際早在 1947 年 10 月 23 日陳誠即電蔣中正：「日來體力，似較平復，惟血仍未停，刻正用 X 光深部治療」〔註 58〕表示胃病已復發。而蔣中正在 11 月 5 日時也曾電陳誠關心其身體狀況，「貴恙是否須用手術，如有必要，應選名醫，帶其器械飛瀋治療」〔註 59〕。而陳誠即電復蔣請南返：「職此次胃出血，經 X 光深部治療，及注射止血針，均無效。故醫生咸認為非休養，並於必要時準備實行手術不可。明知此時施行手術與離瀋，均有不便，如戰事稍能穩定，再飛平或滬，施行手術。但以目前軍事緊張，恐一旦身體不能支持，有負鈞座付托之重耳」〔註 60〕。但 7 日蔣即覆電：「惟弟此時萬不能暫離瀋陽，故用手術亦需在瀋陽，則遲用不如早用，以免耽誤也」

〔註 57〕鄭建邦、胡耀平整理，前引書，頁 292。

〔註 58〕何智霖編，《陳誠先生書信集——與蔣中正先生往來函電》（下）（臺北：國史館，2007 年），頁 680～681。

〔註 59〕何智霖編，前引書，頁 681。

〔註 60〕何智霖編，前引書，頁 681。

〔註 61〕。從電文中可看出，蔣不希望陳誠就此離開東北或辭去職務，以至要派遣醫生至東北，以防陳誠借病離去。

關於東北接任人選方面，陳誠曾向蔣中正推薦了薛岳、顧祝同、衛立煌及胡宗南等人，但當時並未立刻決定。〔註 62〕在公主屯會戰失敗後，蔣中正在瀋陽期間，陳誠向蔣分析了東北行轅在撤銷東北保安司令部長官後，體制上之弊端，並建議蔣東北宜參照華北的軍事機構，華北在經過調整後，其軍事方面有顯著的進展。所以爲適應現況，東北軍事機構似宜仿華北體制，成立東北剿匪總司令部，隸屬於國防部，兼受東北行轅之督導，統轄東北軍事，負責指揮作戰之全責，東北行轅仍繼續保留，專管政治、經濟等事宜。〔註 63〕

1948 年 1 月 12 日，蔣詢問過陳誠：東北成立剿匪總司令部，在行轅指導下，專任剿匪作戰事宜，並擬以衛立煌擔任其事，弟意如何？〔註 64〕陳誠向蔣回復：「鈞座對東北依華北例，設剿匪總司令部，並以俊如兄擔任其職，使職能得短期之療養，甚感。請鈞座即行發表，並盼俊如兄早日來瀋，職自當暫仍留瀋，予以相助也」。〔註 65〕15 日，蔣即告傅作義，東北剿總內定爲衛立煌，要傅作義與衛立煌密切合作，並在發表前保密。〔註 66〕16 日，陳誠又電催蔣，發表衛立煌新命：「俊如兄事，如未發表，請發表爲行轅主任或副主任代理主任，因（一）軍事與政治必須配合，（二）另組機構頗不易。又職昨日檢查出血反應加深，日來極感疲乏，請鈞座即行決定。非職之臨難苟免，實無法支持，恐貽誤戰局也」。〔註 67〕

1 月 17 日，南京明令：特派衛立煌爲國民政府主席東北行轅副主任兼東北剿匪總司令。〔註 68〕衛立煌於 1 月 22 日飛到瀋陽視事， 2 月 1 日東北剿匪總司令部成立後，2 月 5 日陳誠便飛往南京向蔣報告東北事項，並於 26 日赴上海就醫。

3 月間，陳誠電呈蔣中正，經過美國醫院檢查委員會，及美軍顧問團軍區

〔註 61〕何智霖編，前引書，頁 682。
〔註 62〕〈陳誠家書〉（十六），《陳誠檔》，008-010201-00016-001。
〔註 63〕〈一般資料〉（民國三十七年（一）），《蔣中正總統》，002-080200-00324-076。
〔註 64〕吳淑鳳編，前引書，頁 291。
〔註 65〕吳淑鳳編，前引書，頁 291。
〔註 66〕〈一般資料〉（手令登錄（五）），《蔣中正總統檔》，002-080200-00556-006。
〔註 67〕吳淑鳳，前引書，頁 293。
〔註 68〕天津《大公報》，1948 年 1 月 18 日，轉引自孫宅巍，前引書，頁 247。

高級顧問魏格蘭上校檢查結果，以疑似胃癌，建議陳誠確實有赴美診療之必要，且須短期內成行，過後又須長期休養，陳誠因近來遭人議論，惟恐耽誤了國家大事，希望請辭所有職務，5 月 1 日，陳誠進京面請辭職，10 日懇辭本兼各職：

> 竊職荷曠世之殊遇，身任參謀總長，復兼東北行轅主任，海軍總司令，中央訓練團副團長，抱病以來，雖蒙各派代理，分別負責，一時之計，容屬可行，久則殊礙事機，上增鈞座之憂勞，不勝惶恐。故去歲每次晉謁，屬陳悃枕，本年寅東、寅卅函電請辭，均未蒙准，茲根治宿疾，須動手術，手術之後，又須長期調養，雖於本月 2 日蒙俛察愚衷，面次矜全，但仍未見明令發表。值此戡亂正殷，軍機緊張，安危所繫，尤宜名不虛假，權責分明，以紓廑慮，而起事功。爲此，再申前請，請准辭去本兼各職，公私俱便。〔註 69〕

直至 12 日蔣才批准陳誠辭去所有職務。

二、陳誠與國民大會

由於陳誠來東北主掌軍政的這段時間內，東北局勢大壞，國統區僅剩下瀋陽、長春、四平、永吉、錦州等及外圍狹小地區，關內外陸上交通完全斷絕。東北各界對東北前途的不滿與憂慮，達到了最高峰。3 月 2 日，立委王化一等人組成請願團，赴南京請命，受邀在國民黨中常會報告，與會官員對東北局勢惡化狀況皆表吃驚，紛紛表示應嚴辦失職人員。

1948 年 4 月 12 日，國民大會舉行第六次會議檢討國內軍事，此時盛傳陳誠將赴美治病，15 日，松江省國大代表孔憲榮（東北游擊隊出身，所部於陳誠時期被解散）在南京自縊「屍諫」，東北籍代表群情激憤，陳誠在參謀總長和東北行轅主任任內的作爲，遭到猛烈的攻擊。此時從北伐開始就和陳誠積不相能的何應欽，趁這個時機，便聯合桂系白崇禧，積極的向陳誠進攻。〔註 70〕

在國民大會中，白崇禧以國防部長身分出席，並在軍事報告時，用誘導的方式，激起現場國大代表的情緒，而白崇禧的報告內容事先給何應欽看過，何並表示同意。〔註 71〕其內容爲：「抗戰勝利後，國軍有 5 百萬人，在兵力上

〔註 69〕吳淑鳳編，前引書，頁 303；何智霖編，前引書，頁 705～706。

〔註 70〕程嘉文，前引書，頁 48。

〔註 71〕郭緒印，《國民黨派系鬥爭史》（下）（臺北：桂冠，1993 年），頁 604～605。

我以十比一的優勢壓倒共軍。……我們這樣的優越條件，只打兩年時間，共軍便轉守為攻，把戰爭打到國管區來了。試問這是什麼原因？」〔註 72〕東北代表起來喊道，我們不要聽軍隊的伙食怎樣，我們要聽各戰場打得怎樣；山東代表趙庸夫大喊：「勝利後不編收山東偽軍，把三十萬游擊隊逼上梁山，應請政府殺陳誠以謝國人。」另一說福建省代表林紫貴聽到白的報告，即在座位上大喊「請殺陳誠以謝國人！」〔註 73〕遼北省代表張振鷺甚至在國大會場登台高呼：請元首效法三國時諸葛孔明「揮淚斬馬謖！」〔註 74〕台下一名叫張步賢代表並大喊「由大會發電給上海市政府，不要陳誠走。」〔註 75〕一時之間引起軒然大波，在南京湧起懲辦陳誠的聲音。而這種場面，使得蔣中正不得已只好親自出面緩頰說：「責任在我，與辭修無關。」〔註 76〕並操縱大會加快議程結束這幕鬧劇。

在南京國大會議砲火猛轟陳誠的這段時間，在上海正準備赴美治療的陳誠，決定留滬治療，搬入了國防醫學院附設醫院，一方面可避避風頭，另一方面也是打算將他的職責問題作一解決。但對於此次國大鬧得風風火火，也有替陳誠抱不平的人，如胡適來信對陳誠說：「此次國大開會，我很感覺一大缺陷，就是您不在場。前年制憲的國大，您出力最多，收效也最大。今年國大會場上曾有人大罵您，但也有許多人著實想念您。」〔註 77〕高惜冰、彭濟群（1895～？）、王鐵漢、董文琦等來信對陳誠說：「彼少數淺燥之士，不存正義又不辨是非，絕不能代表東北人士之意見。」〔註 78〕傅作義也來函道：「鈞座東北之行，明知艱難局面，業已形成，乃因國家為重……自抗戰以來，所歷艱苦困難，惟鈞座對職認識最清，故職亦對鈞座為國心情，而體會最切者也。近聞南京有人，不明是非，尚復言語龐雜，見諸會場，眞令一般將領為之寒心。」〔註 79〕

而陳誠在其回憶錄中，談論到會議中攻伐陳誠的最大口實，是作戰失

〔註 72〕程思選，《白崇禧與蔣介石之間》，《人物》（京）1985 年第 6 期，頁 49，轉引自郭緒印，前引書，頁 604。
〔註 73〕郭緒印，前引書，頁 604。
〔註 74〕孫宅巍，前引書，頁 249；程嘉文，前引書，頁 48。
〔註 75〕孫宅巍，前引書，頁 248～249。
〔註 76〕方靖，《六見蔣介石》，轉引自孫宅巍，前引書，頁 249。
〔註 77〕吳淑鳳編，前引書，頁 300～301。
〔註 78〕吳淑鳳編，前引書，頁 302。
〔註 79〕吳淑鳳編，前引書，頁 300。

利，其次是整軍、編收僞軍等問題。基於這幾點陳誠也做了申辯——關於整軍：

> 此問題之政策與原則，均在弟未到中央以前所決定。弟到中央僅負執行之責。而當時實際負責執行者，尚在陸軍總部。此事就政策言絕對正確，就執行，亦無多大錯誤。然今日反對整軍者，亦即當時反對中央不整軍之人。……弟尚記得當大家均認爲整軍絕對需要，但絕對困難。而不整軍，則絕對危險。一直至敵人打到貴陽，大家才下決心，與其坐而待亡，何如克服整軍之困難。但當時又誰肯任此勞怨？再檢討整軍，究竟裁了多少兵？實際上只是裁併機關與空頭單位而已。換一句話講，如不裁併機關與空頭單位，如何充實國軍？國家財政，如此困難，人民生活，如此痛苦，能否負擔七百二十萬人的虛耗糧餉？〔註80〕

整軍方面，以國家經濟上來看。從抗戰開始，國家爲全力抵禦日本的侵略，不斷的增兵，8年下來，造成許多機構疊床架屋，軍隊數量過於巨大，這樣龐大的軍隊及軍費，導致了國家財政赤字嚴重。爲減輕財政上的負擔，在戰後，必須對於空殼機關及冗員進行裁編。因此整軍的施行可以說是必要的。

關於編收僞軍：

> 此問題當時確有人建議，但全部收編事實上大有問題。1、何以對抗戰之國軍？2、何以對被壓迫殘殺之民眾？3、何以維持國家民族之正氣？以上三項，姑且不論，就在軍費一項言，自抗戰結束後，決定國家總預算原則，所謂收支平衡，所謂軍費不得超過總額百分之五十，以連年軍費言，非但不能收編僞軍，而且僅有之國軍，亦不能養活，其他可之矣。〔註81〕

從陳誠所述中可以得知，不管是整軍或是編收僞軍，陳誠的立論都是從國家財政出發。並且我們可以從中看出，就算是有美援的支持，對當時國府的經濟狀況都只能算是杯水車薪，更遑論能全盤編收僞軍。

關於作戰方面：

> 我身爲幕僚長，就地位言，自應負責，但此中不能告人之事，實在

〔註80〕吳淑鳳編，前引書，頁130。

〔註81〕吳淑鳳編，前引書，頁130～131。

太多。僅就山東與東北言，山東軍事失敗，莫過於新泰萊蕪之役，此役之計畫，究竟誰建議於主席？主席如何決定，弟在徐州，均無所聞。……關於東北，猶憶當年岳軍先生對我提到已與主席決定准天翼兄辭職，要我暫兼。我一句話即說：這救了天翼兄害了我了。後因命令已發表，不顧成敗得失，只有前往。當時勸我前往者，莫不勉我以國人莫不知東北是死馬當活馬醫，中國人最大精神在知其不可爲而爲之，我深知是火坑，最後只有跳下去。但當時經再三請示主席，非即增加兩個軍，不能使在東北之國軍，能爭取時間，稍加整頓（四平之役後，各軍均殘破不堪）。當時主席已應允，決抽調兩個軍，增援東北。結果，被人阻撓，僅遣將而不派兵。東北如此重要，爲一人之私，非但欲置弟於死命，而且不顧國家民族之存亡。長此以往，眞不知國家被這班小人誤到如何地步也。（反對派兵的理由，是大別山要緊，東北冬天，哪能打仗？但大別山現在戰果如何？老百姓最清楚，而東北則已不可收時矣。）〔註 82〕

關於東北的作戰方面，筆者認爲國府內部鬥爭紛亂，不像中共那樣團結一心。在陳誠出任東北前東北已呈劣勢，雖然東北局勢惡劣不被看好，但陳誠依舊奉命前往。本以爲陳誠以參謀總長之姿出任東北可以一舉扭轉形勢，但陳誠在東北人事上過於大刀闊斧，並未籠絡人心。軍事上由於國軍內部各將領時常擁兵自保，因此無法有效的統籌調配，導致作戰時常以敗戰作收。

5 月，陳誠卸下職務，離開政界、軍界，6 月 12 日在國防醫院中實施腸胃截除手術割治胃病。10 月，陳誠携帶一家老小離開大陸，移居臺北草山（即現陽明山）靜養。至此陳誠從 1923 年隨鄧演達去廣東，參加國民革命軍，擔任粵軍第一師第三團上尉副官開始，一直到 1948 年東北戰場失敗後，卸下參謀總長、東北行轅主任等職務爲止，結束了他在大陸長達 25 年的軍政生涯。而時年 51 歲的陳誠，亦將在臺灣邁向他人生的巔峰。

〔註 82〕吳淑鳳編，前引書，頁 131。

第五章　結　論

抗戰過後東北局勢之所以會愈演愈烈，問題還是在美、蘇兩強之間的拉扯，彼此都不願對方在東北取得絕對的利益，但也都想保障自身的利益。而國、共雙方在此影響下，對東北的態度也就有所不同。

國府方面對東北的策略，始終並不清楚。最初，國府派兵接收東北，遭蘇聯阻撓後，決定暫不接收。於是蔣中正打算先南後北，先穩定華北以南，再解決東北的問題。但在後來馬歇爾來華調停時，國府又再次決定接收。且因馬歇爾調停的關係，把蔣中正原先預計的作戰計畫打亂，由於東北在停戰令中是屬於一個不受限的地區，因此國軍決策被引導爲將全部主力投入東北。這個決策的改變，不但使國軍主力葬送於東北，也影響了國內各地戰局的情況。

國、共雙方都把政治當成爲日後戰爭的準備手段，在國方雖有主戰、主和兩派，但最高權力中心蔣中正還是傾向以軍事手段做爲最後解決的辦法。然而基於戰後面臨整編軍隊、統一受降與接收等課題；且國內和平聲浪高漲，經過 8 年的抗日戰爭，許多人有厭戰的心理。最重要的，是當時國府經濟困頓，爲爭取美援，不得已做若干的妥協與讓步。外交部長王世杰以國際考量，就認爲停戰可以使美國協助接收東北、給予貸款、幫助遣返日本戰俘、恢復交通，不可拘泥於一、二城市之暫時得失，作爲對馬歇爾的讓步。

因此雖然一開始的接收作戰中，國軍一度獲得大勝，卻無法乘勝追擊，擴大戰果，一舉將中共勢力趕出人口稠密的城市，甚至是東北之外。若當時乘勝追擊，使共軍失去哈爾濱、齊齊哈爾等工業重鎮，沒有了這些地方的工業支持和人口補充，且一年四季約有半年是冰天雪地的邊疆荒野中，共軍是絕對無法培養出大量的部隊，並在短短兩三年內，使其變成全共軍裝備最先進、火力最強的一支勁旅。而國府在前期優勢之後，卻讓自己處於一個進退兩難的局面，發現因伸展過度，以至於力有未逮的狀況。又礙於政府形象和國際觀感，不肯犧牲土地，保存部隊實力，致使日後全盤皆輸。

戰後中共在東北的戰略較國府明顯，也較為主動積極。東北對中共最大的誘因，在於北面與東面是蘇聯，西側是外蒙，三面都是社會主義的地盤；東面的朝鮮半島在日本垮臺後，也勢將成為蘇聯的勢力範圍；西南與內地相接的區域，又是中共經營已久的晉察冀解放區，如果中共能在東北紮根，至少在地略位置上，就不容易被國府四面包圍。除此之外，東北的糧產豐富、工業化程度冠絕全國，又與國民黨勢力的大本營西南地區相隔甚遠，因此在中共中央政治局會議所決定的戰略方針以「向北發展，向南防禦」為主。毛澤東也曾在中共第七次全國代表大會說：

> 東北四省是很重要的。從我們黨、從中國革命的最近與將來的前途上看，如果我們把現在的一切根據地都丟了，只要我們有了東北，那麼中國革命就有了穩固的基礎。〔註1〕

故而在策略上，中共是希望以戰後現有的解放區為基礎，取得與國民黨相對的合法地位，爭取受降、擴大佔領區、獲得國際支持為其發展的重點；企圖利用重慶會談、政治協商會議，爭取有利的籌碼，意欲國府方面承認現狀，將他們在東北已發展的軍事、政治勢力正當化、合法化；並致力於廢止國民黨一黨專政，建立聯合政府，來逐步邁向他們奪權的目標。

中共初期爭奪接收，阻止國軍北上，利用蘇聯的協助，佔據了東北。在美國調停失敗後，又以「自衛」的名義，擴大戰役，正如杜聿明所說：「共產黨是預謀已久，國軍則是倉促應戰。」就總體戰略而言，共方雖然在 1946 年 5 月之前，還處於左右搖擺的不確定階段；但在接連失去四平、長春等大城市之後，以「七七決議」確定了他們日後的發展方向，並徹底的遵循方針，逐漸的由小勝轉為大勝，最後囊括了全東北。

從 1945 年 11 月 1 日，國軍於河北境內的秦皇島登陸後，一路勢如破竹，逐次攻克山海關、綏中縣城、錦西、葫蘆島、錦州。1946 年 1 月起，國軍後續部隊陸續開入東北，其中的新一軍和新六軍是當初的駐印軍，全部美械裝

〔註 1〕 遼瀋戰役記念館管理委員會編，《從進軍東北至全境解放》，轉引自張正隆《雪白血紅》（北京：解放軍出版社，1989 年），頁 15。

備，火力堪稱全陸軍之冠，而其他幾個軍在當時國軍中也算是上等的部隊，可見蔣中正對東北的重視。

到了 1946 年 3 月，國府從俄軍手中收復瀋陽，即展開周邊的接收工作，陸續收復遼陽、鞍山、撫順、營口、海城、大石橋、鐵嶺、開原、昌圖等地。再沿中長鐵路收復遼北省省會四平。杜聿明下令國軍進行全面追擊，一路北上將共軍逼退到哈爾濱，甚至林彪還通知延安：「準備游擊，放棄哈爾濱」。〔註 2〕當共軍準備撤離，向佳木斯等地分頭撤退時，中共卻在重慶的談判桌上穩住了陣腳，和馬歇爾、國府商定：自 6 月 7 日 12 時起停戰，而國軍在東北的全盛期也就到此為止。從另一面看來，實際上馬歇爾的調停行動，是令中共擺脫四平戰役的失敗，並幫助了後來對四平的反攻。

在停戰的階段中，國軍只能固守佔領區，和掃蕩周圍區域，造成戰線拉長，兵力明顯不足，無法同時四面出擊，給予中共更有力的打擊。為解決此困境，國府方面採取了「南攻北守，先南後北」的作戰方針。

而中共在「七七決議」後，確定了日後的總體方向，首先令幹部下鄉發展群眾運動，增強自身實力，減少反動力量。在軍事上強調不注重一地之得失，而以消滅敵人有生力量為主。當時因被國軍切割至南北兩方，為避免遭到分兵挨打的狀態，決心打通南北戰場的軍事通道，取得戰略上進一步的主動權，故而於 1947 年 1 月 5 日開始南下，是為「三下江南、四保臨江」。在一連串的南打北拉、北打南拉，使國府軍隊損失 60 個營，約佔東北國軍實力的十分之一，成功的迫使國府軍隊兩面分兵應付，瓦解了國軍先南後北的進攻模式，不僅解除了東北戰場南部共軍的危機，也增強了共軍面對國軍新式裝備的作戰經驗。

國軍在先南後北的戰略失敗後，雖然並未顯示出敗象，但由於兵力嚴重不足，只能採取守勢，喪失了戰場上的主動權，敵我攻守開始轉換，改變了東北戰場的形勢。

從 1946 年下半年起，到 1947 年上半年止，中共人民解放軍在全國已擊退了國民黨數百萬軍隊的進攻，消滅了國軍一百多萬，迫使國府轉入全面防禦時期，此時國府內部的矛盾也日益加深。1947 年 8 月，國府為了挽回東北戰場既成的頹勢，蔣中正委任陳誠為東北行轅主任，負責東北剿共事宜。而在陳誠奉派到東北時，國府內許多將領，甚至後來一般說法，皆認為是陳

〔註 2〕張正隆，前引書，頁 196。

誠在內戰前期失利後，爲了挽回他在蔣心中的地位，而積極爭取出任東北。〔註 3〕但筆者的結論，陳誠是不願意出任東北的。從客觀的角度來推斷，當時國軍已處於轉攻爲守的階段，在面對國軍接連吃敗仗和共軍日益變強的情況下，一般人都不會願意去淌這趟渾水，更何況是久經軍政界的陳誠。早在抗日時，宜昌戰敗後，蔣就曾對陳誠表示：「因爲沒有辦法才叫你去。」〔註 4〕張群和陳誠在述說蔣將指派他出任東北時，陳誠的回答「這救了天翼兄害了我了」〔註 5〕；陳在看完東北耆宿來信後，感慨說，「這樣的東北，我來了又有什麼用，可是你也不來，我也不來，要主席自己來嗎？」由此我們可以知道當時東北的確是處於一個危險的狀態。

爲何當時蔣會派陳誠去解決東北問題？首先陳誠爲蔣的同鄉，也是蔣最信任的將領。從北伐到抗戰，陳誠幫蔣解決了不少問題，或是承擔了不少責任。一般書籍中都認爲陳誠是個常敗將軍，〔註 6〕但實際上，在早期的北伐和中原大戰中的表現，即可看出其能力；對日抗戰中的武漢會戰，令日軍死傷 10 萬以上；鄂西會戰不僅守護戰時陪都重慶的大門，且令日本幾無所得，也可證明陳誠是會打仗的。時人稱道：「陳誠在國府高級將領中，算是作風比較廉潔的人，且做事情也喜歡大刀闊斧，很有魄力。」〔註 7〕在戰後，接收東北的官員大都把東北當成一塊肥肉，爲擴大自身的利益，爭相安插位置給自己的親信，佔取東北機構或私營企業，爲自身牟利。文武官員放著應盡的職責不管，卻忙於開報館、辦學校、干涉地方行政，甚至開舞廳、辦工廠、走私做生意，而陳誠在內政上主張改革，加上他的清廉，或許也是他出任東北的一重要因素。

陳誠初抵東北時，主要的現象是社會癱瘓、經濟枯竭、民生凋蔽、人心惶惑。例如原本盛產糧、煤的東北地區，居然面臨糧荒、煤荒的困境：不只所有物價直線上漲，甚至付高價都無從購買。而行轅所在地、官民聚集的瀋

〔註 3〕 杜聿明，〈遼瀋戰役概述〉，《遼瀋戰役親歷記（原國民黨將領的回憶）》（北京：中國文史出版社，1987 年），頁 2。

〔註 4〕 孫宅巍，《蔣介石的寵將陳誠》（河南：河南人民出版社，1990 年），頁 162。

〔註 5〕 吳淑鳳編，《陳誠先生回憶錄——國共戰爭》（臺北縣新店市：國史館，2005 年），頁 131。

〔註 6〕 張曼倫，〈愛背黑鍋的將軍——陳誠〉，《大科技（百科新說）》，第 4 期，（2011 年 4 月）。

〔註 7〕 鄭洞國、鄭建邦、胡耀平，《我的戎馬生涯——鄭洞國回憶錄》（北京：團結出版社，1992 年），頁 287。

陽市，更常見人謀不臧的後遺症。陳誠針對接收紊亂，裁撤部份駢枝機構；尤對不良風氣，嚴查糾辦。田雨時（吉林省參議會常務理事兼代總幹事，生卒年不詳）即談論到：

> 陳以本職參謀總長，如持上方寶劍，對於軍人亂來接收的跋扈囂張，更是毫不循情，雖將校級，亦收拾不少，多把奪取國家財物退還。……公而忘私，無畏強梁，對事不惜開罪人的直道而行，畢竟權要中所最難得。〔註 8〕

陳誠到東北後的行政措施，不外乎就是進行人事調整，把多餘的機關和冗員裁掉，或另外安排到需要的地方，並將已殘破不堪的國軍，加以整頓補充。實際上可說只是在補漏堵水，過度著眼於小細節，對於根本上改變東北危局的方略甚少。如前黑龍江省政府主席馬占山在陳誠東北戰敗離開後曾說：「願一切服從中央，但兩年來對政府在東北策略，始終不甚明瞭。」〔註 9〕遼寧省參議會議長馬愚忱（1887～1960）說：「熊式輝是內科大夫，開藥治病；陳誠是外科大夫，對東北的惡性腫瘤開刀了。……國民黨政權在東北及全國各地的頽勢，絕非抓幾個人、殺幾個人就能挽回的。」〔註 10〕

在人事調整上，陳誠到東北後最惹人爭議的就是陳明仁的撤職一案。然而陳明仁撤職一事，究竟是陳誠自己本身的意思，還是貫徹蔣的意志？關於這點，我們從檔案上來看，陳誠在去東北接任之前，正逢第三次四平會戰結束，陳誠當時還向蔣呈請頒給陳明仁等將領青天白日勳章和晉升將領官階。在陳誠到東北後，更在蔣中正要求查明陳明仁任內積虧券幣一案時，以戰時權變的理由，幫陳明仁說話。由此可推斷出陳誠本身對陳明仁並無不滿，且對陳明仁在東北戰場上的表現給予肯定。但在短短 4 天之後，陳誠反而向蔣中正呈報，要將陳明仁撤職。很可能是蔣中正唯恐國際上的看法會影響美國對國府的援助，本就有意要將陳明仁撤職。因此在短短的 4 天內，陳誠一反原先肯定的態度，致電給蔣，謂陳明仁在四平的行爲，有損國際信譽，希望將其撤職。

陳誠對於軍人接收的跋扈囂張，向來毫不循情。陳明仁在戰場上的表現，

〔註 8〕田雨時，〈東北接收三年災禍罪言〉（五），《傳記文學》，第 215 期，（台北：1980 年 5 月）。

〔註 9〕《大公報》，1948 年 2 月 18 日，轉引自程嘉文，《國共內戰中的東北戰場》（台北：台灣大學歷史所碩士論文，1997 年），頁 48。

〔註 10〕孫宅巍，前引書，頁 245～246。

雖說陳誠給予肯定，但陳明仁強佔、私賣了救濟物資來圖利，也許給了陳誠一個殺雞儆猴的想法。不管陳明仁的撤職，是陳誠個人意願，或是蔣背後的指導，只注意到了補小錯，而忽略掉陳明仁在東北戰場上對國軍的重要性。陳明仁的撤職，的確造成了當時東北將領心中對陳誠的不滿，甚至是對國府中央的質疑。

關於僞軍編收上，軍事委員會的官員大部分都認爲不編收爲好，不僅是編收會造成國軍心理上的不滿，從經濟層面看，國府的財政已負擔不起如此沉重的軍費了。但在內戰開始後，各地軍區司令長官爲擴充實力，依然全力編收僞軍，在東北也是如此。而且僞軍可以說是牆頭草，哪方有利即倒向哪方，東北國軍在 1946 年優勢的時候，僞軍是倒向國府方面的；而在國軍屈居劣勢之後，僞軍基本上倒向共軍方面。所以戰後批評陳誠不編收僞軍一事，筆者認爲是不公平的。

在陳誠到東北後，國軍面對的是一個政經軍結構已然穩固的中共。中共在 1946 年四平、長春失敗之後，遵循著七七決議，幹部下鄉發展群眾運動，增強自身實力，減少反動力量。到了 1948 年基本上已贏得了當初臨時招募的新兵的忠誠，消弭了人民對共黨的不信任，和解決了大批傾向國民黨的地方武力等問題。

而反觀國府方面，在 1946 年遭遇的問題，到了 1948 年，幾乎都還繼續存在。且國府方面未看清現實，東北共軍的武裝，在當時已不是一般人所想像的那麼差；而國軍擁有的火力，卻遠不如自己所想的那般強大。但國軍依舊迷信在火力上的優勢，可以彌補他們在組織、人心方面的弱點。由於這個錯誤的迷思以及各部隊司令都想保存自身實力而延誤戰機，致使他們錯失了許多機會，最終失敗。

國府內部種種盤根錯節的派系利益與恩怨，使得各個的個體力量，幾乎都被耗損在彼此的摩擦爭鬥之中，雖然人數眾多，但能夠用於對付外敵的力量，實在不大，上層的意志化爲行動，貫徹到基層的執行率亦極差。蔣中正在黨內，利用各派系間鷸蚌相爭，使其地位不容挑戰；但也因爲蔣這樣的做法，使得每件事情上面，蔣只能運用到他們其中的一部分，甚至在重用這批人的同時，不被重用的人亦會不滿和離心，私底下找機會搞破壞。因此對於陳誠出任東北一事，會遭到國民黨內官員和東北部份將領質疑是陳誠爲奪權而爭取出任，以及陳誠失敗後被人檢討編收僞軍一事，或許都是蔣在國民黨內操弄權術，所造成派系間鬥爭的結果。

東北的丟失，導致江山易幟是事實，陳誠在東北的失敗也是事實，但追根究柢地說，1946 年國軍未能乘勝追擊，一舉擊潰中共，致使中共在經過休整後轉守為攻，掌控了東北的主導權。國府在東北雖已成劣勢，若能做全面且深入的體質調整，則仍有可能起死回生。1947 年陳誠至東北主政，雖有心改革，但在任時間過短；而且許多的政策、軍政的統御指揮，都無法貫徹落實，只能治標而無法治本，最終不但無法力挽狂瀾、突破困局，只落得了東北的敗亡。

自古雖不以成敗論英雄，但以人為鏡，可以明得失；以史為鏡，可以知興替。國府在東北戰場的失敗，學者們可以找出無數個因由來說明，但若試圖將整場戰役的失敗，歸咎於某一（幾）個人或某一（幾）件事，並不是一個正確評論。許多人認為陳誠在東北無力的作為是加速了東北的敗亡；但我們反觀陳誠，得到蔣更多的支持與信任，倘若另擇他人至東北，以當時東北情況之惡化，旁人能有足夠的資源投入東北嗎？在人事行政上，能和陳誠一樣大刀闊斧、雷厲風行嗎？還是會跳過陳誠在東北爭取的時間，直接邁向敗亡呢？因此若把陳誠的主政視為東北敗亡的原因，是不夠公允的。

徵引書目

一、機關檔案

（一）國史館庋藏

蔣中正總統檔案

1. 002-020400-00001，《革命文獻・戡亂軍事》「接收東北與對蘇交涉（一）」
2. 002-020400-00015，《革命文獻・戡亂軍事》「東北方面（一）」
3. 002-020400-00016，《革命文獻・戡亂軍事》「東北方面（二）」
4. 002-090300-00210，《革命文獻・抗戰時期》「抗命禍國擴軍叛亂」
5. 002-060100-00226，《事略稿本》（1947 年 7 月）
6. 002-060100-00227，《事略稿本》（1947 年 8 月）
7. 002-060100-00228，《事略稿本》（1947 年 9 月）
8. 002-070200-00023，《特交文卷》「交擬稿件」（交擬稿件，民國三十五年一月至民國三十六年十二月）
9. 002-080200-00319，《特交檔案・一般資料》（民國三十六年（七））
10. 002-080200-00322，《特交檔案・一般資料》（民國三十六年（十））
11. 002-080200-00323，《特交檔案・一般資料》（民國三十六年（十一））
12. 002-080200-00324，《特交檔案・一般資料》（民國三十七年（一））
13. 002-080200-00533，《特交檔案・一般資料》「呈表彙集（一〇六）」
14. 002-080200-00539，《特交檔案・一般資料》「呈表彙集（一一二）」
15. 002-080200-00544，《特交檔案・一般資料》「呈表彙集（一一七）」
16. 002-080200-00555，《特交檔案・一般資料》「手令登錄（四）」
17. 002-080200-00556，《特交檔案・一般資料》「手令登錄（五）」

18. 002-090106-00002，《特交文電・領袖事功之部》「領袖指示補充（二）」
19. 002-090200-00021，《特交文電・日寇侵略》「卯翼傀儡（三）」

陳誠副總統檔案

1. 008-011101-00001，「邊疆資料彙編」
2. 008-010102-00020，「言論第二十集」（民國三十六年至三十七年）
3. 008-010105-00009，《石叟叢書》（抗戰（從軍回憶之三））
4. 008-010105-00010，《石叟叢書》（抗戰（從軍回憶之四））
5. 008-010201-00016，「陳誠家書（十六）」
6. 008-010203-00004，「陳誠手稿（四）」
7. 008-010301-00064，「陳誠在抗戰前後言論集錄」（六屆二中全會軍政報告）
8. 008-010301-00064，「陳誠在抗戰前後言論集錄」
9. 008-010301-00110，（東北行轅政務委員會的性質職權及今後工作重心）
10. 008-010403-00003，「（陳誠）在參謀總長任內時其言行」
11. 008-010506-00001，「陳誠兼東北行轅主任資料附件」
12. 008-010506-00002，《石叟叢書》（日本投降後東北接收的回顧）
13. 008-010506-00009，「東北問題參考資料」

（二）已刊史料

1. 《大公報》（上海），1945 年～1948 年。
2. 何智霖編，《陳誠先生回憶錄——六十自述》（台北：國史館，2012 年），頁 95～97。
3. 何智霖編，《陳誠先生書信集——與蔣中正先生往來函電》（下）（臺北：國史館，2007 年），頁 678～682。
4. 吳淑鳳編，《陳誠先生回憶錄：國共戰爭》（臺北：國史館，2005 年），頁 113～122、129～132、291、297。
5. 周美華編，《蔣中正總統檔案：事略稿本》民國三十六年六月至八月（臺北：國史館，2012 年），頁 422、424、461、467、473、492。
6. 秦孝儀主編，《總統蔣公大事長編初稿》第 6 卷（臺北：中國國民黨黨史會，1978 年），頁 191～204、487、489、528。
7. 蔣總統言論彙編編輯委員會，《蔣總統言論彙編》卷 18（臺北：中正書局，1956 年），頁 1～7。
8. 蔣總統言論彙編編輯委員會，《蔣總統言論彙編》卷 17（臺北：中正書局，1956 年），頁 56～64。

二、傳記、回憶錄

1. 王世杰著，林美莉校定，《王世杰日記》第五冊（臺北：中央研究院近代史研究所，1990 年）。
2. 中國人民政治協商會議全國委員會文史資料研究委員會編，《遼瀋戰役親歷記（原國民黨將領的回憶）》（北京：中國文史出版社，1987 年）。
3. 方知今，《陳誠大傳》（臺北：金楓出版社，1995 年）。
4. 沈雲龍訪問；林泉記錄，《王鐵漢先生訪問記錄》（臺北：中央研究院近代史研究所，1985 年）。
5. 沈雲龍、林泉、林忠勝訪問；林忠勝記錄，《齊世英先生訪問記錄》（臺北：中央研究院近代史研究所，1990 年）。
6. 李宗仁口述，唐德剛撰寫，《李宗仁回憶錄》（臺北市：遠流出版社，2010 年）。
7. 陸鏗，《陸鏗回憶錄與懺悔錄》（臺北：時報文化出版社，1997 年）。
8. 陳恭存訪問；官曼莉記錄，《張式綸先生訪問記錄》（臺北：中央研究院近代史研究所，1986 年）。
9. 陳恭存、張力訪問；張力記錄，《石覺先生訪問記錄》（臺北：中央研究院近代史研究所，1986 年）。
10. 孫宅巍，《蔣介石的寵將陳誠》（河南：河南人民出版社，1990 年）。
11. 徐揚、寇思壘，《陳誠評傳》（臺北：群倫出版社，1986 年）。
12. 唐縱，《在蔣介石身邊八年——侍從室高級幕僚唐縱日記》（北京：群眾出版社，1991 年）。
13. 張玉法、沈松僑訪問；沈松僑記錄，《董文琦先生訪問記錄》（臺北：中央研究院近代史研究所，1986 年）。
14. 張玉法、陳存恭訪問；黃銘明記錄，《劉安祺先生訪問記錄》（臺北：中央研究院近代史研究所，1991 年）。
15. 張耀宸，〈湯恩伯勾結敵僞的一個例證〉，《江蘇文史資料選輯》第 3 輯。
16. 梁肅戎口述；劉鳳翰、何智霖訪問，《梁肅戎先生訪談錄》（臺北：國史館，1995 年）。
17. 熊式輝，《海桑集——熊式輝回憶錄 1907～1949》（香港：明鏡出版社，2008 年）。
18. 鄭洞國、鄭建邦、胡耀平，《我的戎馬生涯——鄭洞國回憶錄》（北京：團結出版社，1992 年）。
19. 趙上將遺著編印委員會，《趙家驤將軍詩文集》（臺北：趙上將遺著編印委員會，1960 年）。

20. 齊邦媛，《巨流河》（臺北：天下文化出版社，2014 年）。
21. 齊述師、齊春才，〈謝文東及其匪隊浮沉記〉，中華人民政治協商會議黑龍江省佳木斯市委員會文史資料委員會編，《佳木斯文史資料》第 3 輯（1984 年）。
22. 劉玉章，《戎馬五十年》（臺北：撰者自刊本，1997 年）。
23. 劉措宜，〈抗戰勝利後蔣介石收編僞軍經過〉，《文史資料選輯》第 36 輯（北京：中國文史資料出版社，1986 年）。
24. 韓先楚，〈東北戰場與遼瀋戰役〉，《遼瀋決戰》（上）（北京：人民出版社，1988 年）。

三、專書

1. 丁曉春、戈福彔、王世英，《東北解放戰爭大事記》（北京：中共黨史資料出版社，1987 年）。
2. 王元年，《東北解放戰爭鋤奸剿匪史》（黑龍江：黑龍江教育出版社，1989 年）。
3. 王健民，《中國共產黨史稿》第三編（臺北：撰者自刊本，1965 年）。
4. 王掄楦，〈重慶談判期間的中央日報〉，《重慶談判紀實》（重慶：重慶出版社，1983 年）。
5. 中共中央黨史資料徵集委員會編，《遼瀋決戰》（北京：人民出版社，1992 年）。
6. 中國現代史資料編輯委員會編，《美國與中國的關係》（北京：中國現代史資料編輯委員會翻印，1975 年）。
7. 中國國民黨中央委員會黨史委員會，《中華民國重要史料初編——對日抗戰時期》戰時外交（2）（台北：中國國民黨中央委員會黨史委員會，1981 年）。
8. 中國國民黨中央委員會黨史委員會，《中華民國重要史料初編——對日抗戰時期》，緒編（2）（台北：中國國民黨中央委員會黨史委員會，1981 年）。
9. 中國人民解放軍軍事科學院編輯，《毛澤東軍事文選》第三卷（北京：中央文獻出版社，1993 年）。
10. 牛軍，《內戰前夕：美國調處國共矛盾始末》（臺北：巴比倫出版社，1993 年）。
11. 牛軍，《從赫爾利到馬歇爾：美國調處國共矛盾始末》（北京：東方出版社，2009 年）。
12. 朱建華，朱興義編著，《國共兩黨爭奪東北紀事》（吉林：吉林人民出版社，1999 年）。

13. 汪朝光，《1945～1949 國共政爭與中國命運》（香港：香港中和出版有限公司，2011 年）。
14. 汪朝光，《中華民國史》，第三篇，第五卷（北京：中華書局，2000 年）。
15. 李炳南，《政治協商會議與國共談判》（臺北：永業出版社，1993 年）。
16. 吳相湘，《民國政治人物》（下）（臺北：傳記文學雜誌社，1982 年）。
17. 林桶法，《戰後中國的變局——以國民黨爲中心探討》（臺北：臺灣商務，2003 年）。
18. 金沖及，《轉折年代：中國的 1947 年》（北京：生活·讀書·新知三聯書店，2002 年）。
19. 紀亞光、秦立海，《戰後中國政黨與政治研究》（天津：天津人民出版社，2009 年）。
20. 郭緒印編，《國民黨派系鬥爭史》（下）（臺北：桂冠出版社，1993 年）。
21. 胡璞玉主編，《和談紀實》（臺北：國防部史政局，1971 年）。
22. 陳立夫，《成敗之鑑》（臺北：正中書局，1994 年）。
23. 陳立文，《從東北黨務發展看接收》（臺北：東北文獻雜誌社，2000 年）。
24. 陶涵，《蔣介石與現代中國的奮鬥》（上）（臺北：時報文化，2010 年）。
25. 陶涵，《蔣介石與現代中國的奮鬥》（下）（臺北：時報文化，2010 年）。
26. 陳嘉驥，《白山黑水的悲歌》（臺北市：長歌出版社，1976 年）。
27. 陳嘉驥，《東北狼煙》（臺北：漢威出版社，1987 年）。
28. 唐德剛著，古倉林譯，《中國革命簡史：從孫文到毛澤東》（臺北：遠流出版社，2014 年）。
29. 張正隆，《雪白血紅》（北京：解放軍出版社，1989 年）。
30. 張鎭邦，《國共關係史》（臺北：國立政治大學國際關係研究中心，1983 年）。
31. 傅建文，《大倒戈》（臺北：風雲時代出版社，1996 年）。
32. 葉永烈，《毛蔣爭霸錄——毛澤東與蔣介石》（臺北：風雲時代出版社，2006 年）。
33. 黄季陸編，《革命人物誌》第五集（台北：國民黨黨史會，1970 年）。
34. 楊天石，《近代中國史事鉤沉——海外訪史錄》（北京：社會科學文獻出版社，1998 年）。
35. 蔣中正，《蘇俄在中國》（台北：中央文物供應社，1957 年）。
36. 蔣永敬、劉維開著，《蔣介石與國共和戰（一九四五～一九四九）》（臺北：臺灣商務，2011 年）。
37. 劉統，《東北解放戰爭紀實 1945～1948》（北京：人民出版社，2004 年）。

38. 劉熙明，《偽軍——強權競逐下的卒子（1937～1949）》（臺北：稻鄉出版社，2002 年）。

四、論文及專文

1. 于耀洲，〈蘇聯出兵東北對國共兩黨爭奪東北的影響〉，《史學集刊》，第 1 期（1996 年 1 月）。
2. 王惠宇，《1945～1949 年美國的中國東北政策》（吉林：吉林大學東北亞研究所博士論文，2010 年）。
3. 中共中央東北局，〈關於東北目前形勢與任務的決議〉，《遼瀋決戰》（上）（北京：人民出版社，1988 年）。
4. 田雨時，〈東北接收三年災禍罪言》（五），《傳記文學》，第 215 期（台北：1980 年 5 月）。
5. 杜聿明，〈遼瀋戰役概述〉，《遼瀋戰役親歷記（原國民黨將領的回憶）》（北京：中國文史出版社，1987 年）。
6. 呂德潤，〈東北通訊（一）此時此地〉，《大公報》，1945 年 10 月 16 日。
7. 汪朝光，〈國共內戰初期的東北戰場與蔣介石的軍事決策〉，《蔣中正日記與民國史研究》下冊（臺北：世界大同出版社，2011 年）。
8. 汪朝光，〈簡論 1946 年的國共軍事整編復員〉，《民國檔案》，第 2 期（1999 年 5 月）。
9. 金沖及，〈較量：東北解放戰爭的最初階段〉，《近代史研究》，第 4 期（2006 年 8 月）。
10. 唐洪森，〈論東北戰場 1947 年夏季攻勢〉，《軍事歷史研究》，第 3 期（2008 年）。
11. 孫渡，〈雲南部隊到東北〉，《遼瀋戰役親歷記（原國民黨將領的回憶）》（北京：中國文史出版社，1987 年）。
12. 陳昶安，《東北流通券——戰後區域性的貨幣措施（1945～1948）》（臺北：臺灣大學歷史所碩士論文，2010 年）。
13. 張桂華，〈國民政府「外交接收」東北與戰後美蘇關係〉，《民國檔案》，第 2 期（1998 年 5 月）。
14. 程嘉文，《國共內戰中的東北戰場》（臺北：台灣大學歷史所碩士論文，1997 年）。
15. 蔣科林、王虎峰，〈陳雲在東北解放戰爭中的全局戰略觀〉，《世紀橋》（2006 年 12 月）。
16. 楊奎松，〈一九四六年國共四平之戰及其幕后〉，《歷史研究》，第 4 期（2004 年 8 月）。

17. 劉統，〈解放戰爭中東北野戰軍武器來源探討——兼與楊奎松先生商榷〉，《黨的文獻》，第 4 期（2000 年 8 月）。
18. 劉統，〈決戰東北〉，《社會科學論壇》，第 8 期（2012 年 8 月）。
19. 羅國輝、邵雍，〈陳雲與東北剿匪〉，《安徽史學》，第 2 期（2007 年）。